Excel 2019 VBA 與巨集程式設計 下

新手入門就靠這一本

最新修訂版

Bill Jelen、Tracy Syrstad 著　錢亞宏 譯

本書如有破損或裝訂錯誤，請寄回本公司更換

作　　者：Bill Jelen、Tracy Syrstad
譯　　者：錢亞宏
責任編輯：盧國鳳

董 事 長：陳來勝
總 編 輯：陳錦輝

出　　版：博碩文化股份有限公司
地　　址：221 新北市汐止區新台五路一段 112 號 10 樓 A 棟
電話 (02) 2696-2869　傳真 (02) 2696-2867

發　　行：博碩文化股份有限公司
郵撥帳號：17484299
戶　　名：博碩文化股份有限公司
博碩網站：http://www.drmaster.com.tw
讀者服務信箱：dr26962869@gmail.com
訂購服務專線：(02) 2696-2869 分機 238、519
（週一至週五 09:30 ～ 12:00；13:30 ～ 17:00）

版　　次：2021 年 4 月初版一刷

建議零售價：新台幣 500 元
I S B N：978-986-434-576-2
律師顧問：鳴權法律事務所 陳曉鳴律師

國家圖書館出版品預行編目資料

Excel 2019 VBA 與巨集程式設計：新手入門就靠這一本 / Bill Jelen, Tracy Syrstad 著；錢亞宏譯. -- 新北市：博碩文化股份有限公司, 2021.04
冊；　公分
譯自：Microsoft Excel 2019 VBA and Macros
ISBN 978-986-434-575-5(上冊：平裝). --
ISBN 978-986-434-576-2(下冊：平裝)

1.EXCEL(電腦程式)

312.49E9　　110001217

Printed in Taiwan

商標聲明

本書中所引用之商標、產品名稱分屬各公司所有，本書引用純屬介紹之用，並無任何侵害之意。

有限擔保責任聲明

雖然作者與出版社已全力編輯與製作本書，唯不擔保本書及其所附媒體無任何瑕疵；亦不為使用本書而引起之衍生利益損失或意外損毀之損失擔保責任。即使本公司先前已被告知前述損毀之發生。本公司依本書所負之責任，僅限於台端對本書所付之實際價款。

著作權聲明

獻給 *Chip Pearson*。*Chip* 的 *VBA* 網站幫助了全球數以萬計的人。我們很遺憾地得知他今年因車禍過世，因此我們要把這本書獻給 *Chip*。*

—Bill Jelen & Tracy Syrstad

* 編輯註：Charles H. "Chip" Pearson，1966 - 2018：https://www.legacy.com/obituaries/name/charles-pearson-obituary?pid=188846047

章節一覽表

※ 編輯註：上冊包含本書導讀以及第一章到第十四章，下冊則包含本書導讀以及第十五章到第二十八章。

目錄

Chapter 17 Excel 2019 走勢圖儀表板 59

Chapter 18 從網路上匯入匯出資料 83

致謝

感謝本書能夠擁有 Tracy Syrstad 如此出色的人擔任共同作者。

感謝 Bob Umlas，他可說是在筆者所知的範圍內，最精通 Excel 的人了，同時也是一名絕佳的科技文章編輯者。感謝 Loretta Yates，Pearson 出版社的卓越總編。感謝 Kughens，從寫作開始到出版為止，不斷地給予本書指引。感謝 Kola Mi Writing Camp，本書新版就是筆者駐留於此時完成；此外，也要特別向該處的工作人員致謝，感謝他們持續能讓筆者專心於工作上。

這一路走來，筆者從 MrExcel.com 出色社群的留言板上，學到了許多關於 VBA 程式開發設計的知識。本書也收錄了 VoG、Richard Schollar，以及 Jon von der Heyden 等人所貢獻的討論帖內容。感謝 Pam Gensel，作為筆者 Excel 巨集的指導入門。感謝 Mala Singh，指導筆者如何以 VBA 建立圖表。

最後也是最重要的，感謝筆者的家人們在這段期間的支持與鼓勵。感謝 Mary Ellen Jelen、Robert F. Jelen、Barbara Jelen，以及 Robert K. Jelen 的陪伴。

—Bill

感謝所有致力於協助管理 MrExcel 討論區的管理員們，在你們的努力下維持了討論區的運作，最重要的是排除了那些垃圾廣告文章的干擾。感謝 Joe4、RoryA，以及 Petersss 幫忙處理來自討論區的聯繫郵件。

程式開發設計是一門需要與時俱進、不斷磨練的學問，筆者在此要感謝持續激勵我走出自己程式設計舒適圈的客戶們，感謝他們筆者才能不斷精進自己的技巧、累積並擴展知識。

筆者在閒暇時會打《魔獸世界》線上遊戲作為紓壓方式，筆者在此也要感謝那些遊戲中的朋友們，有你們的存在，才讓這款遊戲如此樂趣豐富：教我如何當好一名主坦的 Louisiv、我最好的副坦 War、不斷激勵筆者精進遊戲技巧的 Amabeast、維持我不倒下的補師 Chraz 以及讓我見識到了射擊獵高超技巧的 Jagdeule。

最後也是最重要的，感謝 Bill Jelen，有了他所開設的網站 MrExcel.com 存在，才能嘉惠這世上許多需要幫助的人們。這也是如筆者一般的人們，尋求學習機會，以及貢獻己力的地方。

—Tracy

關於作者

Bill Jelen 是 Excel 方面的專家，也是 MrExcel.com 網站的管理者，早在 1998 年成立 MrExcel.com 網站之前，從 1985 年開始就不斷投入在試算表的使用上。同時他也是 Leo Laporte 所主持的電腦科技節目《**Call for Help**》的固定嘉賓，日常製播超過 2,200 則以上 podcast 網路廣播節目《**Learn Excel from MrExcel**》。同時他還著有 57 本與 Microsoft Excel 相關的專書，每月還會在《**Strategic Finance**》雜誌上主持 Excel 專欄。在創設 MrExcel.com 網站之前，Bill Jelen 已經累積了 12 年以上的試算表專家經驗，以金融分析師的身分，在一間營收超過 5 億美元的上市公司的金融、行銷、會計與營運部門工作。筆者現正與妻子 Mary Ellen 居住於美國佛羅里達州的梅里特島上。

Tracy Syrstad 是 Microsoft Excel 軟體的開發工程師，同時著有 9 本與 Excel 相關的專書，並且自 1997 年開始，發現一處可供人們發問與回答 Excel 相關問題的線上免費論壇後，便不斷協助人們解決與 Microsoft Office 相關的問題。Tracy 自此發覺自己樂於教導他人新技巧的一面，並且在身為開發工程師的同時，也樂於開設一對一的線上教學課程。筆者現正與丈夫、一條狗、兩隻貓、一匹馬，以及一群野生狐狸、松鼠、還有兔子們，自在地生活於美國南達科他州東部一處鄉村中。

導讀

在本章節中，我們將學習：

- 讀者能夠從本書的閱讀中獲得什麼？
- 了解 Windows 版 Excel 與 VBA 未來的趨勢與新功能
- 本書所採用的排版與用詞
- 隨書附贈的範例程式碼下載點

當公司的 IT 資訊部門埋首於大量待辦事項，被需求壓得喘不過氣來時，我們這些 Excel 軟體的使用者才終於開始自立自強，決定利用 VBA（Visual Basic for Applications）語言來編寫巨集，把商業報表需求自動化。透過 VBA 我們能夠將日常 Excel 工作項目以飛快的效率完成，並且還能協助你匯入資料、產製報表，不用再翹首以待，等著資訊開發部門跳下來拯救你。

JavaScript 會取代 VBA 嗎？

但許多讀者心中都會有個疑問：「我們還需要花時間學習 VBA 嗎？ Microsoft 會不會哪天就停止支援 VBA 了？ 2018 年 5 月宣佈支援的 JavaScript 語言，會取代 VBA 的地位嗎？」

答案是：現在學習 VBA 至少可以受用到 2046 年為止都沒問題。

編寫巨集所使用的程式語言，最近的一次變更是從 XLM 變更為 VBA，這是發生在 1993 年的事情了，而 Excel 軟體至今仍支援 XLM 語言。因此可以看到，即使 VBA 優於 XLM，XLM 仍舊持續了 26 年之久的支援時間。如果哪天 Microsoft 真的決定以 JavaScript 取代 VBA，筆者認為 Windows 與 Mac 上的 Excel 軟體，仍舊會持續支援 VBA 語言至少 26 年的時間。

2018 年 5 月 Microsoft 公開了一套以 JavaScript 寫成的使用者自定義函式（UDF，user-defined function），以便讓巨集程式碼可以同時運行在本地端的 Excel 軟體，以及線上版的 Excel 服務中。這種可跨平台的性質確實相當吸引人。

因為 Excel 生態系走到今日，不僅僅是有 Windows 版，還有 MacOS 版、Android 與 iOS 上的智慧型手機版本，以及透過網頁瀏覽器的線上服務版。以筆者個人而言，絕大多數 99% 的時間都是在 Windows 電腦上使用 Excel 軟體；剩下的 1% 時間則是在 iPad 上開啟 Excel 活頁簿。但如果讀者的使用情境是會在行動裝置上以瀏覽器使用 Excel 服務，那麼這類 JavaScript UDF 函式庫或許就很合適。

想要了解更多關於 Excel 中所使用的 JavaScript UDF 細節，請參考 Suat M. Ozgur 所著的《**Excel JavaScript UDFs Straight to the Point**》一書（ISBN：9781615472475）。

不過話說回來，JavaScript 的效率實在太差了，如果不需要在線上版 Excel 服務運行巨集的話，VBA 所寫成的巨集至少比 JavaScript 的版本快上 8 倍的執行時間。至於那些只需要考慮在 Mac 與 Windows 平台的 Excel 上運行巨集的人，至少未來數十年內 VBA 程式還是你編寫巨集的程式語言首選。

真正會威脅到 Excel VBA 地位的，反而是在 Windows 版 Excel 軟體中，位於「資料」索引標籤下「取得及轉換」群組中的新版 Excel Power Query 工具。如果讀者先前會在巨集中編寫程式，把資料匯入後處理再大費周章清除，那麼就可以用 Power Query 來取代這項清除資料的作業，接下來只要每天更新查詢作業即可。筆者個人就有許多以 Power Query 作業來取代 VBA 的經驗。如果想了解更多關於 Power Query 的細節，請參考 Ken Puls 與 Miguel Escobar 合著的《**Master Your Data with Excel and Power BI: Leveraging Power Query to Get & Transform Your Task Flow**》一書（ISBN：9781615470587）。

本書概要

恭喜購買本書的讀者們，你們跨出了正確的一步。本書能夠減緩學習曲線，幫助你們快速入門 VBA 巨集，減少人工產製報表的頻率。（編輯註：本書上冊包含本書導讀以及第一章到第十四章，下冊則包含本書導讀以及第十五章到第二十八章。）

本書如何減緩學習曲線

首先我們會從幾則案例研究開始說明 VBA 巨集能夠帶來的好處。在《**Chapter1- 用 VBA 解放 Excel 的魔力**》中，我們將會從工具面開始介紹，並且說明一些讀者可能已知的事實：巨集錄製器本身的缺陷問題。在《**Chapter2- 名字很像 BASIC，為何卻看起來不一樣？**》中，我們會幫助你理清 VBA 中令人困惑的語法問題。在《**Chapter3- 範圍參照**》中，我們會開始進入程式面，展示如何以範圍與儲存格參照，來提高程式的執行效率。

在《**Chapter4- 迴圈與流程控制**》中，我們會介紹如何運用 VBA 的迴圈語法。本章節的案例研究中，將會以一份產製部門報表的程式，展示如何以迴圈搭配同一份程式，迅速產製出 46 份不同的報表來。

在《**Chapter5-R1C1 參照樣式**》中，我們會介紹，如字面所述，也就是 R1C1 參照樣式。在《**Chapter6- 在 VBA 中建立與操作名稱**》中，我們會介紹名稱與具名。在《**Chapter7- 事件驅動程式**》中，我們會介紹利用事件捕捉程式的超棒技巧。在《**Chapter8- 陣列**》與《**Chapter9- 建立類別與集合**》中，我們會介紹何謂陣列、類別，以及集合。在《**Chapter10- 簡介自訂表單**》中，我們會介紹如何自訂對話方塊，讓你可以透過 Excel 介面從其他人類使用者手中，收集資訊。

Excel VBA 的魔力

接著在《**Chapter11- 以進階篩選進行資料探勘**》與《**Chapter12- 以 VBA 建立樞紐分析表**》中，我們會深入介紹篩選功能、進階篩選器，以及樞紐分析表，一份自動化的報表產製工具，將會大幅度地依賴於這些功能。在《**Chapter13-Excel 的魔力**》與《**Chapter14- 使用者自訂函數**》中，我們將會提供數十種不同的範例程式，以此來向各位讀者展示 Excel VBA 與自訂函數所具備的潛力。

而從《**Chapter15- 建立圖表**》到《**Chapter20-Word 自動化**》為止的章節，我們會介紹如何建立圖表、將資料視覺化、執行網路查詢、運用走勢圖，並且透過 VBA 操作 Word 應用程式。

建立應用程式的進階技巧

在《**Chapter21- 利用後端 Access 強化多使用者資料存取**》中，我們會介紹如何從 Access 資料庫與 SQL 伺服器等資料來源，讀取與寫入資料。在掌握存取 Access 資料庫的技巧後，你就能以 Excel 作為使用者友善介面，打造出一份可供多使用者同時存取資料的應用程式了。

在《**Chapter22- 進階自訂表單技巧**》中，我們會進一步深入介紹自訂表單。在《**Chapter23-Windows 應用程式介面**》中，我們會介紹一些利用 Windows API 功能來達成功能目標的技巧。在《**Chapter24- 錯誤處理**》到《**Chapter26- 建立增益集**》中，我們會介紹關於錯誤處理、自訂選單，以及建立自訂增益集的方法。在《**Chapter27- 建立 Office 增益集**》中，我們會簡介如何在 Excel 中以 JavaScript 建立應用程式功能。最後在《**Chapter28- Excel 2019 的新功能以及和舊版本的不同之處**》中，我們會簡介 Excel 2019 版本與其他版本的不同之處。

這是一本 Excel 的使用教學書嗎？

Microsoft 認為一般的 Office 軟體使用者，只用到了 Office 軟體中約 10% 左右的功能而已。而我們相信正在閱讀本書的各位讀者，以及曾到訪過 MrExcel.com 的各位網友，都是在此平均值以上，聰明的使用者們。但即使如此，根據來自 8,000 名 MrExcel.com 讀者的問卷調查顯示，在各位這群高於平均的使用者中，也只有 42% 的人，會用到 Excel 軟體中最為強大的 10 項功能之一。

筆者 Bill 會定期地為其擔任顧問的公司，舉辦「Power Excel」講座，參與講座的人，基本上都是每週花上 30 到 40 個小時在使用 Excel 的「重度 Excel 使用者」；但就算是這樣，每次講座都還是可以觀察到兩種現象。第一種現象是，當看到我們展示自動加總、或自動產製樞紐分析表等，可以迅速完成工作項目的功能時，現場都會有一半以上的聽眾為之震驚。第二種現象則是，現場總是會有能夠讓我們受用的回饋，當有人提問、而我們回應後，總會有人再次舉手發言，並提出更好的解法。

所以講了這麼多，重點是？重點就是會閱讀本書的讀者，都應該已經對 **Excel** 有一定的瞭解了。然而，我們還是要假設在這些讀者中，可能有 **58%** 的人不曾用過樞紐分析表，而在用過樞紐分析表的人當中，可能只有更少數的人，用過樞紐分析表篩選器的「前 **10** 項」篩選功能。因此，在我們直接展示如何以 **VBA** 來達成自動化之前，還是會先簡介一下如何透過 **Excel** 使用者介面達到相同的功效。本書並不會教你如何使用樞紐分析表，但會適時提醒讀者，可能會需要另外深入學習某一主題，並向外尋求更多學習資源。

案例研究 **CaseStudy**：每月會計報表

以下分享一則真實故事。Valerie 在一間中小型企業擔任會計部門的商業分析師。她的公司近來採購並安裝了一套超出預算、高達 1600 萬美元的企業資源規劃（ERP，enterprise resource planning）系統；而當專案完成後，IT 資訊部門的預算中，就沒有可用預算資源再讓他們去產製原先每個月公司內部都要提交的各部門營收總覽報表了。

幸好，Valerie 本人具備足夠的實務經驗，因此想方設法地試著要自行產製出這些報表來。她知道可以從 ERP 系統將會計資料匯出為一份以逗號字符（,）分隔的純文字檔案。然後透過 Excel 軟體，Valerie 就能把這些 ERP 系統的會計資料匯入到 Excel 報表中了。

但建立一份報表並不容易，如同許多企業會遇到的狀況那樣，一份資料中總是會遇到資料格式上的例外情形。Valerie 也知道某處成本中心的一些會計科目必須重新歸類核銷；而有些帳目則是需要從報表中排除。Valerie 小心翼翼地操作 Excel，對資料做出修正，然後以樞紐分析表來產製報表中的概要資訊。她把樞紐分析表的分析結果，剪貼至另外一份空白工作表中，接著再重新建立一個新的樞紐分析表報表，然後再產製第二份概要資訊。在忙了將近三小時後，終於完成所有資料的匯入、產製了五張樞紐分析表、完成概要資訊，並完成了報表的上色與排版。

英雄降臨

Valerie 把報表提交給主管，而此時主管才剛從 IT 資訊部門處聽聞這件事情，得知開發出產製這類「複雜報表」功能，需要花上數個月的時間。但當 Valerie 把 Excel 報表上呈給主管的那一刻，她瞬間成了整個公司的英雄。僅僅花費三個小時，Valerie 就將不可能化作可能，很快地，Valerie 就被眾人捧上天，受到「神奇女孩」的吹捧待遇。

迎來更多歡呼

隔天，Valerie 的主管帶著這份報表參與了每月固定的部門會議。正當各部門主管都在抱怨這個月無法透過 ERP 系統產製報表時，Valerie 的主管把部門報表拿了出來，呈現在眾人面前。其他部門的主管都看傻了眼：他是怎麼辦到的？於是有人找到解法的事情，很快就傳開了。公司總經理接著問 Valerie 的主管，是否能幫每個部門都照樣產製一份報表。

歡呼成了夢魘

我想讀者應該猜得到接下會發生什麼事了。這間公司從上到下總共有 46 個不同的部門，這表示每個月都要產製 46 份單頁概要報表。每份報表都要從 ERP 系統匯入資料，處理特殊的會計科目、產製五張樞紐分析表，然後修改報表的格式與上色。第一份報表花費了 Valerie 三個小時的時間完成，但在熟悉流程之後，全部 46 份報表，也還是要花上 40 個小時才能做完。就算產製報表的工作時間確實縮短了，但這花費的時間還是很可觀。於是，Valerie 每個月都必須從工作時間中擠出 40 個小時，用 Excel 來製作這些報表。

VBA 上場救援

於是 Valerie 找上筆者 Bill 的公司，也就是「MrExcel 顧問公司」，說明了自己的困境。在經過約一週之後，筆者 Bill 終於以 Visual Basic 所寫成的一組巨集，取代了原本繁雜的作業步驟。這組巨集會匯入資料、處理特殊會計科目、製作五張樞紐分析表，然後上色排版。從頭到尾，原本需要花上 40 個小時的人工產製流程，被縮短到點擊兩次按鈕、僅僅 4 分鐘內完成。

就在此刻，我想各位讀者或是各位讀者的公司內部，正有人因為 Excel 繁雜的手工流程而陷入困境，正等待 VBA 自動化的協助。筆者相當確定，只要是任何一間有著 20 人以上 Excel 使用者的公司，裡面一定或多或少有著如同 Valerie 一樣的案例存在。

關於使用的 Excel 版本

本書是《**VBA and Macros**》的第六版，是以 Excel 2019 版本與 2018 年 6 月所發布的 Office 365 功能為主。本書前一版則是以 Excel 97 到 Excel 2016 版本為主。不過即使是以 Excel 2019 版本為主，在大約 80% 的章節中，程式碼都與前一版本的程式碼相同。

Mac 使用者會遇到的差異

雖然 Mac 與 Windows 上的 Excel 軟體在使用者介面上基本相同，但如果是講到 VBA 環境的話，還是有些許不同之處。像是第二十三章所使用的 Windows API 就無法在 Mac 環境中運作，但本書的整體概念還是可以套用在 Mac 版本中。

讀者可以參考 http://www.mrexcel.com/macvba.html 來了解更多關於 Mac 版本的差異。在 Mac 的 Excel 2019 版本上以 VBA 進行開發，遠比在 Windows 上來得困難，因為僅有基礎的 VBA 編輯工具可供使用。以此來看，Microsoft 官方基本上是建議你以 Windows 的 Excel 2019 版本來編輯 VBA 後，再將開發完成的 VBA 程式用於 Mac 上。

特殊版型

每個章節中至少都會有一個案例研究（CaseStudy）區塊，以實務上的案例來代表一般使用者會遇到的情境。這些案例研究會以實際的應用程式內容，展示該章節所探討的主題。

除了案例研究外，讀者還會看到如「Note」、「Tip」、「Caution」等不同區塊。

Note　「請注意」區塊代表著除了章節內容所討論的主要內容外，其他額外補充給讀者的須知資訊。

Tip　「小撇步」區塊提供了一些能幫助讀者提高工作效率的省時小技巧，或是其他簡短的小解方。

Caution　「請小心」區塊會提供一些警告訊息，告知讀者可能遭遇到的困境或陷阱。請特別留意這些區塊中的資訊，提前避開並注意這些情況，否則有可能會讓你在問題中花上好幾個小時打滾。

程式碼範例檔案

感謝各位讀者購買本書，我們在本書中，準備了 50 份左右的 Excel 活頁簿範例檔案，用於展示本書中所介紹的內容。這些檔案中包括了本書會提及的程式碼內容、範例資料，以及來自作者的額外補充資訊。請至原文書官方網站 microsoftpressstore.com/Excel2019VBAMacros/downloads 下載這些程式範例檔案。（編輯註：讀者也可以到博碩文化的官方網站下載程式碼範例檔案。請至上冊 http://www.drmaster.com.tw/bookinfo.asp?BookID=MP11904 或下冊 http://www.drmaster.com.tw/bookinfo.asp?BookID=MP12035 點選本書附件下載。）

客戶服務與意見回饋

關於本書的勘誤資訊，以及客戶服務、意見回饋等聯繫窗口，請參考如下資訊。

聯繫我們

歡迎讀者與我們溝通！請透過以下 Twitter 帳號聯繫：

http://twitter.com/MicrosoftPress

http://twitter.com/MrExcel

勘誤、更新，以及售後服務

我們盡力確保本書以及程式碼範例檔案的正確性。任何在本書出版後才被發現的錯誤，都會被列在 microsoftpressstore.com/Excel2019VBAMacros/errata。

如果讀者有發現尚未被列於勘誤的錯誤，也可以透過同上頁面，告知我們。

如果您需要進一步的售後服務，請將信件寄到 Microsoft Press Book 的客戶服務部門信箱中：microsoftpresscs@pearson.com。

但請注意上述的客戶服務項目並不包括對 Microsoft 軟體以及硬體的售後服務。如果讀者有 Microsoft 的軟硬體售後服務需求，請洽：http://support.microsoft.com。

Chapter 15

建立圖表

在本章節中，我們將學習：

- 如何利用 .AddChart2 來建立圖表
- 介紹各種類型圖表
- 設定圖表樣式
- 組合式、地圖與瀑布圖
- 把圖表匯出為圖片
- 做好向下相容

有兩種新的圖表類型，自 Excel 2016 版本開始加到了 Excel 圖表的大家庭中：一種是「地圖」圖表，另外一種則是「漏斗圖」圖表。

更重要的是，原先在 Excel 2016 中會遇到無法以巨集程式來建立圖表的程式缺陷已經修正，現在不論你是要建立新式圖表、還是傳統的舊式圖表，都能以如下程式碼達成：

```
Dim CH As Chart
Set CH = ActiveSheet.Shapes _
    .AddChart2(-1, xlRegionMap).Chart
CH.SetSourceData Source:=Range("D1:E7")
' 以下是針對地圖類型圖表的設定
With CH.FullSeriesCollection(1)
    .GeoMappingLevel = xlGeoMappingLevelDataOnly
    .RegionLabelOption = xlRegionLabelOptionsBestFitOnly
End With
```

過去我們在使用 VBA 時，都是為了避免如手動操作一般、需要事先選取操作範圍或目標的步驟。因此建立圖表時也是一樣，我們會習慣直接以 .AddChart2 方法建立圖表，接著呼叫 .SetSourceData 方法將資料設定到圖表上。但要是你有同事還在使用 Excel 2016 版本，那就得如下所示來建立才行：

```
.Range("A1:B7").Select
ActiveSheet.Shapes.AddChart2(-1, xlWaterfall).Select
```

而如果你是要建立以下這些新類型圖表，就還需要其他額外的設定才行：

- xlBoxWhisker（盒鬚圖）
- xlFunnel（漏斗圖）
- xlHistogram（直方圖）
- xlPareto（帕累托圖）
- xlRegionMap（地圖）
- xlSunburst（放射環狀圖）
- xlTreeMap（矩形式樹狀結構圖）
- xlWaterfall（瀑布圖）

Note Microsoft 從 2018 年 5 月發表了 Office 365 產品之後，增加了 Power BI 自訂視覺效果功能，但在同年夏天，Excel 軟體的維運團隊卻也宣佈，最初將不支援使用 VBA 程式插入這些圖表類型。但隨著時間的推移，Microsoft 可能會更新 VBA 程式的支援功能。

以 .AddChart2 建立圖表

自 Excel 2013 版本開始，新增了 .AddChart2 此一好用、流暢的圖表建立工具。利用此方法，你可以一口氣設定好圖表的樣式、類型、大小、位置，以及在 Excel 2013 中才新增的屬性「NewLayout」。當圖表只有單一數列時，設定「NewLayout:=True」就能隱藏圖例顯示。

透過 .AddChart2 方法，你可以一口氣設定圖表樣式、圖表類型、在工作表上距離左側的錨點位置、在工作表上距離上側的錨點位置、圖表寬度、圖表高度、還有是否要採用新版外觀等等。假設我們要以「A3:G6」的資料，在「B8:G20」的範圍建立圖表，程式碼如下所示：

```
Sub CreateChartUsingAddChart2()
    ' 以A3:G6的資料在B8:G20建立群組直條圖
    Dim CH As Chart
    Range("A3:G6").Select
    Set CH = ActiveSheet.Shapes.AddChart2( _
        Style:=201, _
        XlChartType:=xlColumnClustered, _
        Left:=Range("B8").Left, _
        Top:=Range("B8").Top, _
        Width:=Range("B8:G20").Width, _
        Height:=Range("B8:G20").Height, _
```

```
        NewLayout:=True).Chart
End Sub
```

Left、Top、Width 與 Height 這幾項參數值是以像素為表示單位，但我們也不用自己在那邊瞎猜 B 欄到底是距離工作表左側幾像素（答案是 27.34 像素），因為就如前述程式碼所示，我們可以直接以儲存格 B8 的 .Left 屬性，來協助設定圖表的距離左側錨點位置。

圖表建立結果如圖 15.1 所示。

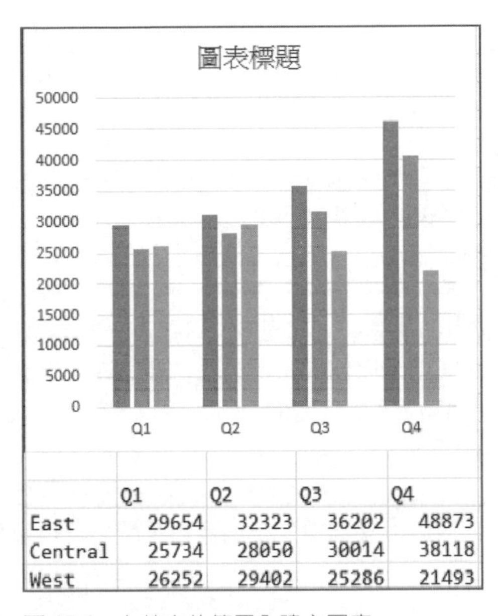

	Q1	Q2	Q3	Q4
East	29654	32323	36202	48873
Central	25734	28050	30014	38118
West	26252	29402	25286	21493

圖 15.1 在特定的範圍內建立圖表。

設定圖表樣式

自 Excel 2013 版本開始，便在「圖表工具」的「設計」索引標籤中，新增了各種經過專業設計的圖表外觀樣式。這些創新的設計樣式，都是以我們所熟悉的各種 Excel 圖表屬性所設定組合而成；而現在，不用再一項項設定這些屬性，可以直接一次性地，將一整組樣式、在一次指令中設定完成。不過，雖然在使用 AddChart2 方法來建立圖表時，可以直接指定要套用的樣式編號，但這樣式編號系統並不直覺。

舉例來說，群組直條圖的圖表樣式庫如圖 15.2 所示。

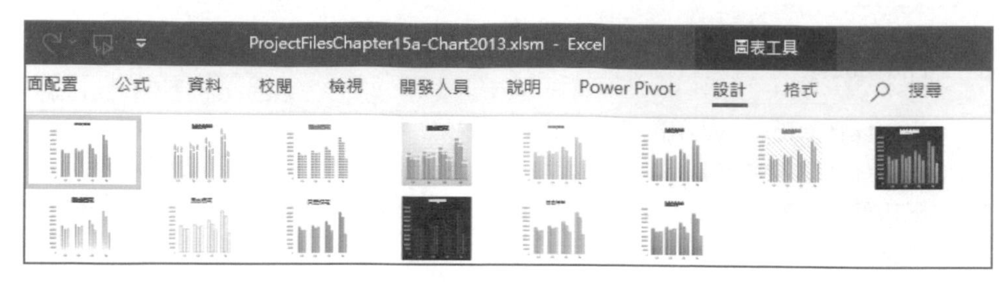

圖 15.2　利用圖表樣式庫快速套用樣式到圖表上。

在圖 15.2 中我們所看到的這些圖表樣式，編號分別從 201 到 215 為止；但要是你今天把圖表類型切換為橫條圖，雖然樣式大同小異，可是編號卻完全不同，是從 216 到 230 為止。

而這些編號當中，201 到 353 為止都是舊樣式；對於本章節開頭所提及的八種新類型圖表來說，他們的樣式編號則是從 354 到 497 為止。

讀者們可以透過如下步驟，查詢出想要套用的樣式編號：

1. 從 Excel 使用者介面的「插入」索引標籤建立一份圖表。
2. 在「圖表工具」的「設計」索引標籤中，找到「圖表樣式」然後選擇你想要套用的樣式。在進行下一步驟前保持選取著圖表的狀態。

Caution　在套用好樣式之後，我們都會慣性讓選取目標從圖表元件身上移開；但如果此時取消了對圖表的選取，就無法繼續底下的步驟，請記得再重新選取。

3. 按下 <Alt>+<F11> 組合鍵，打開 VBA 編輯器。
4. 按下 <Ctrl>+<G> 組合鍵，打開「即時運算」窗格。
5. 請在即時運算窗格中，輸入「**? ActiveChart.ChartStyle**」指令後，按下 <Enter> 鍵。執行後的結果會告訴你，可用於 .AddChart2 方法中 .Style 參數上的參數值。
6. 如果讀者對樣式設定其實並不在意，可以將 .Style 參數設定為「-1」，這樣顯示出來的，就會是預設採用的樣式了。

雖然直接在 .AddChart2 中寫個「Style:=201」這種參數設定看起來很彆扭，但如果等到後續才要變更圖表樣式的話，又要用回過去的 .ChartStyle 屬性了。在 Excel 2013 版本中，不論是 Style 還是 ChartStyle 屬性，其實指的都是對圖表的樣式設定。

至於圖表類型 ChartType 的參數設定，如表 15.1 所示。

表 **15.1** VBA 中的圖表類型參數值

圖表類型	對應的列舉常數
群組直條圖	xlColumnClustered
堆疊直條圖	xlColumnStacked
百分比堆疊直條圖	xlColumnStacked100
立體群組直條圖	xl3DColumnClustered
立體堆疊直條圖	xl3DColumnStacked
立體百分比堆疊直條圖	xl3DColumnStacked100
立體直條圖	xl3DColumn
瀑布圖	xlWaterfall
矩形式樹狀結構圖	xlTreeMap
放射環狀圖	xlSunburst
直方圖	xlHistogram
帕累托圖	xlPareto
盒鬚圖	xlBoxWhisker
漏斗圖	xlFunnel
地圖	xlRegionMap
折線圖	xlLine
堆疊折線圖	xlLineStacked
百分比堆疊折線圖	xlLineStacked100
含有資料標記的折線圖	xlLineMarkers
含有資料標記的堆疊折線圖	xlLineMarkersStacked
含有資料標記的百分比堆疊折線圖	xlLineMarkersStacked100
圓形圖	xlPie
立體圓形圖	xl3DPie
子母圓形圖	xlPieOfPie
分裂式圓形圖	xlPieExploded
立體分裂式圓形圖	xl3DPieExploded
圓形圖帶有子橫條圖	xlBarOfPie
群組橫條圖	xlBarClustered
堆疊橫條圖	xlBarStacked

圖表類型	對應的列舉常數
百分比堆疊橫條圖	xlBarStacked100
立體群組橫條圖	xl3DBarClustered
立體堆疊橫條圖	xl3DBarStacked
立體百分比堆疊橫條圖	xl3DBarStacked100
區域圖	xlArea
堆疊區域圖	xlAreaStacked
百分比堆疊區域圖	xlAreaStacked100
立體區域圖	xl3DArea
立體堆疊區域圖	xl3DAreaStacked
立體百分比堆疊區域圖	xl3DAreaStacked100
散佈圖	xlXYScatter
帶有平滑線及資料標記的散佈圖	xlXYScatterSmooth
帶有平滑線的散佈圖	xlXYScatterSmoothNoMarkers
帶有直線及資料標記的散佈圖	xlXYScatterLines
含直線的散佈圖	xlXYScatterLinesNoMarkers
高 - 低 - 收盤股價圖	xlStockHLC
開盤 - 高 - 低 - 收盤股價圖	xlStockOHLC
成交量 - 最高 - 最低 - 收盤股價圖	xlStockVHLC
成交量 - 開盤 - 最高 - 最低 - 收盤股價圖	xlStockVOHLC
立體曲面圖	xlSurface
框線立體曲面圖	xlSurfaceWireframe
曲面圖（俯視）	xlSurfaceTopView
曲面圖（俯視、只顯示線條）	xlSurfaceTopViewWireframe
環圈圖	xlDoughnut
分裂式環圈圖	xlDoughnutExploded
泡泡圖	xlBubble
立體泡泡圖	xlBubble3DEffect
雷達圖	xlRadar
含資料標記的雷達圖	xlRadarMarkers
填滿式雷達圖	xlRadarFilled

為了向下相容性問題，其實 Excel 還有支援一些被認為不適合用於呈現資料的圖表類型，如圓錐柱圖、金字塔圖等等；雖然在 VBA 中還是可以設定這些類型，但我們選擇不在表 15.1 中主動列出。如果讀者的主管還是要求採用這些舊式圖表，您可以自行上網，以搜尋引擎查詢「xlChartType 列舉」來確認這類圖表的列舉常數為何。

改變圖表的版面配置

在新建圖表之後，讀者可能會想要在圖表上新增或移動圖表中的項目，底下的章節段落將以程式實例，向各位讀者說明如何控制各種圖表項目。

參照特定的圖表

巨集錄製器在建立圖表這一塊上，產製的程式碼讓人不甚滿意。因為巨集錄製器雖然同樣會採用 .AddChart2 方法，但卻會在後面多事地加上 .Select 來選取該圖表元件；於是後續對圖表的設定，都會被套用到 ActiveChart 這個作用中圖表物件上。也因此，這逼使你非得要在選取工作表上其他元件之前，先把對圖表的設定都完成才行。之所以巨集錄製器會有這種行為模式，其實是出自於圖表名稱的不可預測性：這次執行巨集程式，建立出的圖表可能名稱叫「圖表 1」，但要是改天在其他工作表執行同樣的巨集，圖表名稱可能就會變成「圖表 3」或「圖表 5」了。

因此為了後續的彈性，建議讀者應該把每一次新建出的圖表物件，都以一個 Chart 類型變數留存起來，這個 Chart 物件類型是 Shape 底下的一種物件類型，自 Excel 2007 版本開始即存在。

這邊暫且先忽略 AddChart2 方法內的細節，如下程式碼所示，你可以利用這種作法，先將 Shape 類型物件存於一個 SH 變數中、然後再以一個 CH 變數，留存 Chart 類型物件：

```
Dim WS as Worksheet
Dim SH as Shape
Dim CH as Chart
Set WS = ActiveSheet
Set SH = WS.Shapes.AddChart2(...)
Set CH = SH.Chart
```

你也可以直接在 AddChart2 方法後面加上 .Chart 加以簡化，這樣一來就只需要一個變數就好，如下所示：

```
Dim WS as Worksheet
Dim CH as Chart
Set WS = ActiveSheet
Set CH = WS.Shapes.AddChart2(...).Chart
```

而如果你需要修改的是「既存」的圖表（也就是在程式執行之前就已經存在於工作表上的圖表），而且，就這麼剛好工作表上就只有一張圖表，你也可以用下面這種方法存取：

```
WS.Shapes(1).Chart.Interior.Color = RGB(0,0,255)
```

但如果有多張圖表、且我們想要參照的是與儲存格 A4 左上角對齊的那張圖表，此時就只能走訪所有的 Shape 物件，直到找到位置與我們目標相符的物件為止了：

```
For each Sh in ActiveSheet.Shapes
    If Sh.TopLeftCell.Address = "$A$4" then
        Sh.Chart.Interior.Color = RGB(0,255,0)
    End If
Next Sh
```

設定圖表標題

所有採用「NewLayout:=True」的圖表都會有一個圖表標題項目。如果圖表中存在兩個以上的數列，那麼標題會被預設為「圖表標題」這樣的字樣，所以最好能夠將預設的標題，變更為比較有意義的字眼。

要在 VBA 中設定圖表標題，如下所示：

```
ActiveChart.ChartTitle.Caption = "各區銷售"
```

如果你想修改的是先前以 CH 變數留存的圖表標題，如下所示：

```
CH.ChartTitle.Caption = "各區銷售"
```

但上面這種作法僅限於圖表中有圖表標題項目的存在。要是讀者不確定目標圖表是否有圖表標題，可以先以如下方式啟用圖表標題：

```
CH.SetElement msoElementChartTitleAboveChart
```

雖然單純修改圖表標題文字內容是很簡單沒錯，但要是你想變更圖表標題的文字格式那就複雜了。修改圖表標題的字型、字型大小、還有文字顏色等，方法如下所示：

```
With CH.ChartTitle.Format.TextFrame2.TextRange.Font
    .Name = "Rockwell"
    .Fill.ForeColor.ObjectThemeColor = msoThemeColorAccent2
    .Size = 14
End With
```

至於那種擁有兩個軸向的圖表標題，操作方式還是跟一般的圖表標題大同小異。如果要修改文字內容，請用 .Caption 屬性；要設定文字格式，請用 Format 屬性。如下程式碼範例所示，修改「刻度類別」座標軸（通常為橫軸）的標題：

```
CH.SetElement msoElementPrimaryCategoryAxisTitleHorizontal
CH.Axes(xlCategory, xlPrimary).AxisTitle.Caption = "Months"
CH.Axes(xlCategory, xlPrimary).AxisTitle. _
    Format.TextFrame2.TextRange.Font.Fill. _
    ForeColor.ObjectThemeColor = msoThemeColorAccent2
```

設定佈景主題色彩

Excel 2013 版本時新增了 .ChartColor 屬性，可對圖表設定 26 種色彩主題之一；設定值分別就是 1 到 26。但要提醒的是，你在使用者介面上所點開的彈跳式選單（如圖 15.3 所示）中的順序，跟這邊所說的 1 到 26 設定值無關。

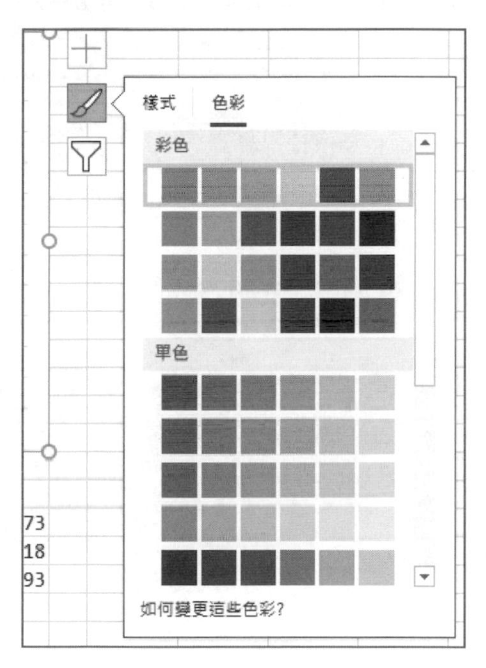

圖 15.3 雖然選單中的色彩主題是以「色彩 1」、「色彩 2」命名的，但這跟實際上在 VBA 中的設定值無關。

如果想知道 ChartColor 設定值所對應的色彩為何，可以參考圖 15.4 所示。在「佈景主題色彩」下拉式選單中我們看到 10 欄的色彩：分別是背景 1、文字 1、背景 2、文字 2、然後是輔色 1 到輔色 6。

以下簡單說明 ChartColor 中的 1 到 26 設定值：

- ChartColor 的 1、9、20 是從佈景主題色彩中的第 3 欄變化而來。ChartColor 設定值 1 是以深灰色起始、然後是淺灰、接著是中等深淺灰色。設定值 9 則是以淺灰到深灰的次序；設定值 20 則是以三個中等深淺灰色為始、接著是黑色、然後是非常淺的灰色，再來是又一個中等深淺灰色。
- 設定值 2 是以佈景主題色彩中最上方一列從左至右的六個輔色為主。
- 設定值 3 到設定值 8 所對應到的是六組輔色。例如，ChartColor = 3 是輔色 1、由深到淺；同樣的，ChartColor 設定值 4 到 8 就是輔色 2 到輔色 6。
- 設定值 10 與設定值 2 相同，但會在圖表項目周圍加上一條淺色邊框。
- 設定值 11 到設定值 13 大概是最有創意的搭配了，搭配中會以六種輔色中最上面一列的三個顏色、加上最下面一列的三個顏色；於是就創造出三種不同顏色深淺不一的組合。ChartColor = 11 使用的是奇數組合（也就是第 1、第 3、第 5）為主；設定值 12 則是偶數組合；設定值 13 則是第 4、第 5、第 6。
- 設定值 14 到 19 則是與設定值 3 到 8 相同，但會在圖表項目周圍加上一條淺色邊框。
- 設定值 21 到 26 也與設定值 3 到 8 類似，只是顏色的表示順序是反過來以淺色到深色。

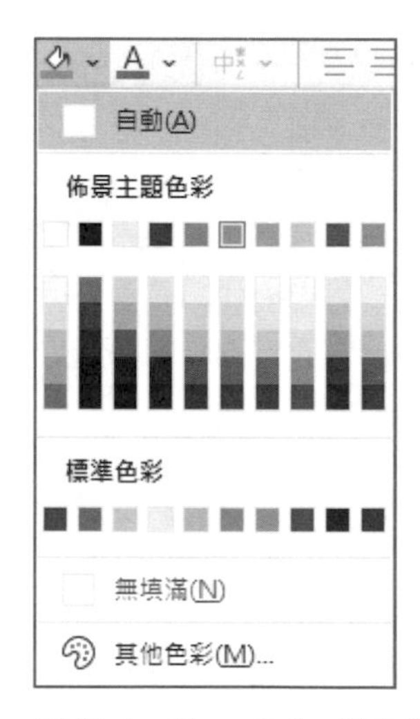

圖 15.4 ChartColor 設定值的顏色，其實是以現有輔色的組合而成。

底下這行程式碼，會將圖表套用上輔色 4、5、6 為主的顏色主題：

```
ch.ChartColor = 13
```

圖表資料的篩選

在實務上要從一個資料表格建立出圖表，並沒有想像中那麼容易。因為這類表格往往都會有總計、小計列，像圖 15.5 所示的表格，每月資料中間還穿插著每季的小計資料；如果就這樣直接建立出圖表，就會被每季資料所影響。

為了在 VBA 中篩選要用來建立圖表的資料，你可以利用把 .IsFiltered 設定為 True 值的方式來排除資料，就能把這些每季小計給排除掉了，如下所示：

```
CH.ChartGroups(1).FullCategoryCollection(4).IsFiltered = True
CH.ChartGroups(1).FullCategoryCollection(8).IsFiltered = True
CH.ChartGroups(1).FullCategoryCollection(12).IsFiltered = True
CH.ChartGroups(1).FullCategoryCollection(16).IsFiltered = True
```

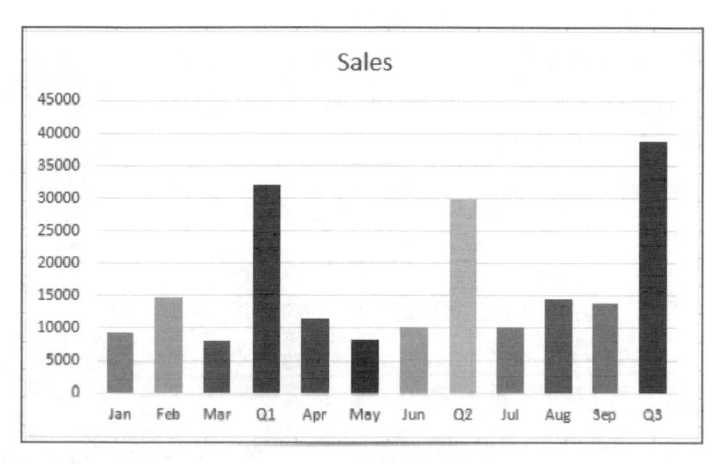

圖 15.5 表格中的小計資料破壞了圖表的可讀性。

使用 SetElement 變更圖表項目

當選取圖表時，你會在圖表右側看到三個按鈕出現，而最上面的是一個顯示為加號（+）的按鈕。在這個按鈕點下去之後出現的彈跳選單內，不論是第一層、還是第二層出現的選單項目，在 VBA 中都可以透過 SetElement 方法達成。在「設計」索引標籤內「圖表版面配置」群組中的「新增圖表項目」下拉式選單，也一樣有提供這些功能，包括線條、漲跌線等等。

Note 但 SetElement 無法作到像「圖表區格式」面板所提供的功能那麼全面，更多細節請參考本章節後續「使用 Format 微調圖表項目」小節，了解如何調整這些設定。

如果讀者不想一直回頭翻閱本書查看各圖表項目所對應的常數值，也可以利用巨集錄製功能快速查詢。

使用 SetElement 方法時，需要指定該圖表項目的常數值；例如，想要在統計圖表的左側顯示圖例的話，可以撰寫以下的程式碼：

```
ActiveChart.SetElement msoElementLegendLeft
```

表 15.2 列出所有可用於 SetElement 的常數。這些常數在此大致上按照「新增圖表項目」下拉式選單中的排列順序呈現。

表 15.2 可用於 SetElement 的常數

圖表項目群組	SetElement 常數
座標軸	msoElementPrimaryCategoryAxisNone 不要顯示主要類別座標軸
座標軸	msoElementPrimaryCategoryAxisShow 顯示主要類別座標軸
座標軸	msoElementPrimaryCategoryAxisWithoutLabels 顯示主要類別座標軸，但不顯示標籤
座標軸	msoElementPrimaryCategoryAxisReverse 反轉主要類別座標軸
座標軸	msoElementPrimaryCategoryAxisThousands 使用千作為主要類別座標軸的單位
座標軸	msoElementPrimaryCategoryAxisMillions 使用百萬作為主要類別座標軸的單位
座標軸	msoElementPrimaryCategoryAxisBillions 使用十億作為主要類別座標軸的單位
座標軸	msoElementPrimaryCategoryAxisLogScale 使用對數刻度作為主要類別座標軸
座標軸	msoElementSecondaryCategoryAxisNone 不要顯示次要類別座標軸
座標軸	msoElementSecondaryCategoryAxisShow 顯示次要類別座標軸
座標軸	msoElementSecondaryCategoryAxisWithoutLabels 顯示次要類別座標軸，但不顯示標籤
座標軸	msoElementSecondaryCategoryAxisReverse 反轉次要類別座標軸
座標軸	msoElementSecondaryCategoryAxisThousands 使用千作為次要類別座標軸的單位

圖表項目群組	SetElement 常數
座標軸	msoElementSecondaryCategoryAxisMillions 使用百萬作為次要類別座標軸的單位
座標軸	msoElementSecondaryCategoryAxisBillions 使用十億作為次要類別座標軸的單位
座標軸	msoElementSecondaryCategoryAxisLogScale 使用對數刻度作為次要類別座標軸
座標軸	msoElementPrimaryValueAxisNone 不要顯示主要數值座標軸
座標軸	msoElementPrimaryValueAxisShow 顯示主要數值座標軸
座標軸	msoElementPrimaryValueAxisThousands 使用千作為主要數值座標軸的單位
座標軸	msoElementPrimaryValueAxisMillions 使用百萬作為主要數值座標軸的單位
座標軸	msoElementPrimaryValueAxisBillions 使用十億作為主要數值座標軸的單位
座標軸	msoElementPrimaryValueAxisLogScale 使用對數刻度作為主要數值座標軸
座標軸	msoElementSecondaryValueAxisNone 不要顯示次要數值座標軸
座標軸	msoElementSecondaryValueAxisShow 顯示次要數值座標軸
座標軸	msoElementSecondarWalueAxisThousands 使用千作為次要數值座標軸的單位
座標軸	msoElementSecondaryValueAxisMillions 使用百萬作為次要數值座標軸的單位
座標軸	msoElementSecondaryValueAxisBillions 使用十億作為次要數值座標軸的單位
座標軸	msoElementSecondaryValueAxisLogScale 使用對數刻度作為次要數值座標軸
座標軸	msoElementSeriesAxisNone 不要顯示數列座標軸
座標軸	msoElementSeriesAxisShow 顯示數列座標軸

圖表項目群組	SetElement 常數
座標軸	msoElementSeriesAxisReverse 反轉數列座標軸
座標軸	msoElementSeriesAxisWithoutLabeling 顯示數列座標軸，但不顯示標籤
座標軸標題	msoElementPrimaryCategoryAxisTitleNone 不要顯示主要類別座標軸標題
座標軸標題	msoElementPrimaryCategoryAxisTitleBelowAxis 在座標軸下方顯示主要類別座標軸標題
座標軸標題	msoElementPrimaryCategoryAxisTitleAdjacentToAxis 在座標軸的相鄰位置顯示主要類別座標軸標題
座標軸標題	msoElementPrimaryCategoryAxisTitleHorizontal 水平顯示主要類別座標軸標題
座標軸標題	msoElementPrimaryCategoryAxisTitleVertical 垂直顯示主要類別座標軸標題
座標軸標題	msoElementPrimaryCategoryAxisTitleRotated 旋轉主要類別座標軸標題
座標軸標題	msoElementSecondaryCategoryAxisTitleAdjacentToAxis 在座標軸的相鄰位置顯示次要類別座標軸標題
座標軸標題	msoElementSecondaryCategoryAxisTitleBelowAxis 在座標軸下方顯示次要類別座標軸標題
座標軸標題	msoElementSecondaryCategoryAxisTitleHorizontal 水平顯示次要類別座標軸標題
座標軸標題	msoElementSecondaryCategoryAxisTitleNone 不要顯示次要類別座標軸標題
座標軸標題	msoElementSecondaryCategoryAxisTitleRotated 旋轉次要類別座標軸標題
座標軸標題	msoElementSecondaryCategoryAxisTitleVertical 垂直顯示次要類別座標軸標題
座標軸標題	msoElementPrimaryValueAxisTitleAdjacentToAxis 在座標軸的相鄰位置放置主要數值座標軸標題
座標軸標題	msoElementPrimaryValueAxisTitleBelowAxis 在座標軸下方放置主要數值座標軸標題
座標軸標題	msoElementPrimaryValueAxisTitleHorizontal 水平顯示主要數值座標軸標題

圖表項目群組	SetElement 常數
座標軸標題	msoElementPrimaryValueAxisTitleNone 不要顯示主要數值座標軸標題
座標軸標題	msoElementPrimaryValueAxisTitleRotated 旋轉主要數值座標軸標題
座標軸標題	msoElementPrimaryValueAxisTitleVertical 垂直顯示主要數值座標軸標題
座標軸標題	msoElementSecondaryValueAxisTitleBelowAxis 在座標軸下方顯示次要數值座標軸標題
座標軸標題	msoElementSecondaryValueAxisTitleHorizontal 水平顯示次要數值座標軸標題
座標軸標題	msoElementSecondaryValueAxisTitleNone 不要顯示次要數值座標軸標題
座標軸標題	msoElementSecondaryValueAxisTitleRotated 旋轉次要數值座標軸標題
座標軸標題	msoElementSecondaryValueAxisTitleVertical 垂直顯示次要數值座標軸標題
座標軸標題	msoElementSeriesAxisTitleHorizontal 水平顯示數列座標軸標題
座標軸標題	msoElementSeriesAxisTitleNone 不顯示數列座標軸標題
座標軸標題	msoElementSeriesAxisTitleRotated 旋轉數列座標軸標題
座標軸標題	msoElementSeriesAxisTitleVertical 垂直顯示數列座標軸標題
座標軸標題	msoElementSecondaryValueAxisTitleAdjacentToAxis 在座標軸的相鄰位置顯示次要數值座標軸標題
圖表標題	msoElementChartTitleNone 不要顯示圖表標題
圖表標題	msoElementChartTitleCenteredOverlay 將標題顯示為置中的重疊
圖表標題	msoElementChartTitleAboveChart 在圖表上方顯示標題
資料標籤	msoElementDataLabelCallout 顯示資料標籤設為圖說文字（Excel 2019 新增）

圖表項目群組	SetElement 常數
資料標籤	msoElementDataLabelCenter 在中間顯示資料標籤
資料標籤	msoElementDataLabelInsideEnd 在終點內側顯示資料標籤
資料標籤	msoElementDataLabelNone 不要顯示資料標籤
資料標籤	msoElementDataLabelInsideBase 在基底內側顯示資料標籤
資料標籤	msoElementDataLabelOutSideEnd 在終點外側顯示資料標籤
資料標籤	msoElementDataLabelTop 在上方顯示資料標籤
資料標籤	msoElementDataLabelBottom 在下方顯示資料標籤
資料標籤	msoElementDataLabelRight 在右方顯示資料標籤
資料標籤	msoElementDataLabelLeft 在左方顯示資料標籤
資料標籤	msoElementDataLabelShow 顯示資料標籤
資料標籤	msoElementDataLabelBestFit 在最佳位置顯示資料標籤
運算列表	msoElementDataTableNone 不要顯示運算列表
運算列表	msoElementDataTableShow 顯示運算列表
運算列表	msoElementDataTableWithLegendKeys 顯示運算列表與圖例符號
誤差線	msoElementErrorBarNone 不要顯示誤差線
誤差線	msoElementErrorBarStandardError 顯示標準誤差線
誤差線	msoElementErrorBarPercentage 顯示百分比誤差線

圖表項目群組	SetElement 常數
誤差線	msoElementErrorBarStandardDeviation 顯示標準差誤差線
格線	msoElementPrimaryCategoryGridLinesNone 不要沿著主要類別座標軸顯示格線
格線	msoElementPrimaryCategoryGridLinesMajor 沿著主要類別座標軸顯示主要格線
格線	msoElementPrimaryCategoryGridLinesMinor 沿著主要類別座標軸顯示次要格線
格線	msoElementPrimaryCategoryGridLinesMinorMajor 沿著主要類別座標軸顯示主要格線與次要格線
格線	msoElementSecondaryCategoryGridLinesNone 不要沿著次要類別座標軸顯示格線
格線	msoElementSecondaryCategoryGridLinesMajor 沿著次要類別座標軸顯示主要格線
格線	msoElementSecondaryCategoryGridLinesMinor 沿著次要類別座標軸顯示次要格線
格線	msoElementSecondaryCategoryGridLinesMinorMajor 沿著次要類別座標軸顯示主要格線與次要格線
格線	msoElementPrimaryValueGridLinesNone 不要沿著主要數值座標軸顯示格線
格線	msoElementPrimaryValueGridLinesMajor 沿著主要數值座標軸顯示主要格線
格線	msoElementPrimaryValueGridLinesMinor 沿著主要數值座標軸顯示次要格線
格線	msoElementPrimaryValueGridLinesMinorMajor 沿著主要數值座標軸顯示主要格線與次要格線
格線	msoElementSecondaryValueGridLinesNone 不要沿著次要數值座標軸顯示格線
格線	msoElementSecondaryValueGridLinesMajor 沿著次要數值座標軸顯示主要格線
格線	msoElementSecondaryValueGridLinesMinor 沿著次要數值座標軸顯示次要格線
格線	msoElementSecondaryValueGridLinesMinorMajor 沿著次要數值座標軸顯示主要格線與次要格線

圖表項目群組	SetElement 常數
格線	msoElementSeriesAxisGridLinesNone 不要沿著數列座標軸顯示格線
格線	msoElementSeriesAxisGridLinesMajor 沿著數列座標軸顯示主要格線
格線	msoElementSeriesAxisGridLinesMinor 沿著數列座標軸顯示次要格線
格線	msoElementSeriesAxisGridLinesMinorMajor 沿著數列座標軸顯示主要格線與次要格線
圖例	msoElementLegendNone 不要顯示圖例
圖例	msoElementLegendRight 在右方顯示圖例
圖例	msoElementLegendTop 在上方顯示圖例
圖例	msoElementLegendLeft 在左方顯示圖例
圖例	msoElementLegendBottom 在下方顯示圖例
圖例	msoElementLegendRightOverlay 在右方重疊圖例
圖例	msoElementLegendLeftOverlay 在左方重疊圖例
線條	msoElementLineNone 不要顯示線
線條	msoElementLineDropLine 顯示垂直線
線條	msoElementLineHiLoLine 顯示高低點連線
線條	msoElementLineDropHiLoLine 顯示垂直線和高低點連線
線條	msoElementLineSeriesLine 顯示數列線
趨勢線	msoElementTrendlineNone 不要顯示趨勢線

圖表項目群組	SetElement 常數
趨勢線	msoElementTrendlineAddLinear 新增線性趨勢線
趨勢線	msoElementTrendlineAddExponential 新增指數趨勢線
趨勢線	msoElementTrendlineAddLinearForecast 新增線性預測線
趨勢線	msoElementTrendlineAddTwoPeriodMovingAverage 新增雙週期移動平均
漲跌線	msoElementUpDownBarsNone 不要顯示漲跌線
漲跌線	msoElementUpDownBarsShow 顯示漲跌線
繪圖區	msoElementPlotAreaNone 不要顯示繪圖區
繪圖區	msoElementPlotAreaShow 顯示繪圖區
圖表牆	msoElementChartWallNone 不要顯示圖表牆
圖表牆	msoElementChartWallShow 顯示圖表牆
圖表底板	msoElementChartFloorNone 不要顯示圖表底板
圖表底板	msoElementChartFloorShow 顯示圖表底板

Note 假如你試圖修改一個不存在的圖表項目，Excel 會回傳一個「-2147467259 Method Failed」的錯誤訊息。

使用 **SetElement** 便能快速變更圖表中的項目。舉例來說，某些圖表專家總是會說圖例應該要顯示在圖表的左側或是上方，但內建的圖表版面配置卻僅有少數是這樣作。此外，可以的話，筆者個人也比較偏好將座標軸上的數值，以千或以百萬為單位呈現；畢竟這總比一堆「000」或「000000」來得順眼多了。

可以如下程式範例所示，在建立圖表後達到如上述的效果：

```
Sub UseSetElement()
    Dim WS As Worksheet
    Dim CH As Chart

    Set WS = ActiveSheet
    Range("A1:M4").Select
    Set CH = WS.Shapes.AddChart2(Style:=201, _
        XlChartType:=xlColumnClustered, _
        Left:=[B6].Left, _
        Top:=[B6].Top, _
        NewLayout:=False).Chart

    ' 將座標軸上的數值以千為單位呈現
    CH.SetElement msoElementPrimaryValueAxisThousands

    ' 把圖例移到圖表上方
    CH.SetElement msoElementLegendTop
End Sub
```

使用 Format 微調圖表項目

在「圖表工具」下的「格式」索引標籤中，提供了可以針對個別圖表項目進行顏色、特殊效果等設定的功能。雖然很多人會認為「陰影」、「光暈」或是「柔邊」、「浮凸」、「材質填滿」等設定，對圖表來說是「沒必要的功能」，但在 VBA 中還是有可以達到這些效果的方法。

在 Excel 2019 版本中，提供了一個名為 ChartFomat 類型的物件，你可以在其中對以下這些做出設定：Fill（填滿）、Glow（光暈）、Line（外框）、PictureFormat（圖片格式）、Shadow（陰影）、SoftEdge（柔邊）、TextFrame2（文字框）以及 ThreeD（立體旋轉）等等。許多圖表項目都能透過 Format 方法來存取並設定 ChartFormat 物件。可以用 Format 方法來變更格式的圖表項目如表 15.3 所示。

表 15.3 可用 Format 方法來改變格式設定的圖表項目

圖表項目	在 VBA 中參照此圖表項目的方式
圖表標題	ChartTitle
類別座標軸標題	Axes(xlCategory, xlPrimary).AxisTitle
數值座標軸標題	Axes(xlValue, xlPrimary).AxisTitle
圖例	Legend
數列 1 的資料標籤	SeriesCollection(1).DataLabels

圖表項目	在 VBA 中參照此圖表項目的方式
第 2 個資料點的資料標籤	SeriesCollection(1).DataLabels(2) 或 SeriesCollection(1).Points(2).DataLabel
資料表（運算列表）	DataTable
水平座標軸	Axes(xlCategory, xlPrimary)
垂直座標軸	Axes(xlValue, xlPrimary)
數列座標軸（限曲面圖）	Axes(xlSeries, xlPrimary)
主要數值格線	Axes(xlValue, xlPrimary).MajorGridlines
次要數值格線	Axes(xlValue, xlPrimary).MinorGridlines
繪圖區	PlotArea
圖表區	ChartArea
圖表牆	Walls
圖表牆（後側）	BackWall
圖表牆（旁側）	SideWall
圖表底板	Floor
數列 1 的趨勢線	SeriesCollection(1).TrendLines(1)
垂直線	ChartGroups(1).DropLines
漲跌線	ChartGroups(1).UpBars
誤差線	SeriesCollection(1).ErrorBars
數列 1	SeriesCollection(1)
數列 1 資料點	SeriesCollection(1).Points(3)

Format 方法是設定填滿（Fill）、光暈（Glow）等格式的媒介，每種物件都有不同的可設定選項，接下來的章節段落將針對幾種格式，提供各位讀者一些設定範例。

改變物件的填滿顏色

在「圖表工具」下「格式」索引標籤的「圖案填滿」下拉式選單中，你可以選擇單一顏色、漸層變化、圖片或材質填滿等，來作為填滿顏色的方式。

如果要套用特定顏色，可以用 RGB（也就是紅、綠、藍）函數來設定。要自訂一個顏色，就分別對紅色、綠色和藍色等三原色，各別設定一個從 0 到 255 的值。以下的程式碼是套用純藍色作為填滿顏色：

```
Dim cht As Chart
Dim upb As UpBars
```

```
Set cht = ActiveChart
Set upb = cht.ChartGroups(1).UpBars
upb.Format.Fill.ForeColor.RGB = RGB(0, 0, 255)
```

如果想從佈景主題色彩中挑選顏色來填滿物件時，可使用 ObjectThemeColor 屬性。以下的程式碼會把數列 1 的長條顏色改為佈景主題色彩中的「輔色 6」，通常會是 Office 佈景主題色彩中的橙色，但如果活頁簿中採用的是不同的佈景主題，出來的也會是不同的顏色：

```
Sub ApplyThemeColor()
    Dim cht As Chart
    Dim ser As Series
    Set cht = ActiveChart
    Set ser = cht.SeriesCollection(1)
    ser.Format.Fill.ForeColor.ObjectThemeColor =
msoThemeColorAccent6
End Sub
```

如果要使用內建的材質作為填滿圖樣，可以使用 PresetTextured 方法。以下的程式碼會把綠色大理石材質圖樣，套用到表示數列 2 的長條上；共有 20 種材質可供選擇：

```
Sub ApplyTexture()
    Dim cht As Chart
    Dim ser As Series
    Set cht = ActiveChart
    Set ser = cht.SeriesCollection(2)
    ser.Format.Fill.PresetTextured msoTextureGreenMarble
End Sub
```

Note 只要輸入「PresetTextured」後，再加入一個空白字符，VB 編輯器就會自動顯示出所有可用材質的設定值清單。

若要用圖片來填滿資料數列的長條，可使用 UserPicture 方法來指定圖片的路徑和檔案名稱，如下所示：

```
Sub FormatWithPicture()
    Dim cht As Chart
    Dim ser As Series
    Set cht = ActiveChart
    Set ser = cht.SeriesCollection(1)
    MyPic = "C:\PodCastTitle1.jpg"
    ser.Format.Fill.UserPicture MyPic
End Sub
```

在 Excel 2019 版本中可以使用 .Patterned 方法來套用圖樣填滿。圖樣填滿也有分不同種類，例如 msoPatternPlain，並且可以設定圖樣的前景和背景顏色。以下的程式碼會以前景紅色、背景白色，套用「深色垂直線」圖樣：

```
Sub FormatWithPicture()
    Dim cht As Chart
    Dim ser As Series
    Set cht = ActiveChart
    Set ser = cht.SeriesCollection(1)
    With ser.Format.Fill
        .Patterned msoPatternDarkVertical
        .BackColor.RGB = RGB(255,255,255)
        .ForeColor.RGB = RGB(255,0,0)
    End With
End Sub
```

Caution 圖樣填滿一度在 Excel 2007 版本中被移除了，但後來在 Excel 2010 版本時由於喜愛此功能的使用者呼籲，才又被加回來；因此，含有圖樣填滿的程式碼在 Excel 2007 版本中無法執行。

漸層的設定比單純的填滿要難。在 Excel 2019 版本提供了三種方法讓使用者設定一般的漸層填滿。其中使用 OneColorGradient 和 TwoColorGradient 方法時，需要指定漸層的填滿方向，例如 msoGradeintFromCorner。接著可依照希望漸層開始的位置，從四種樣式之中選擇一種，即數字 1 到 4，分別代表左上方、右上方、左下方或右下方。呼叫漸層填滿方法之後，還必須設定物件的 ForeColor（前景色）和 BackColor（背景色）設定。以下的巨集程式碼以兩種輔色，產生雙色漸層的填滿效果：

```
Sub TwoColorGradient()
    Dim cht As Chart
    Dim ser As Series
    Set cht = ActiveChart
    Set ser = cht.SeriesCollection(1)
    ser.Format.Fill.TwoColorGradient msoGradientFromCorner, 3
    ser.Format.Fill.ForeColor.ObjectThemeColor = msoThemeColorAccent6
    ser.Format.Fill.BackColor.ObjectThemeColor = msoThemeColorAccent2
End Sub
```

在使用 OneColorGradient 方法時，除了指定填滿方向、起始位置樣式（1 到 4），還要指定 0 到 1 之間的深淺值（0 是深色變化、1 是淺色變化）。

在使用 PresetGradient 方法時，除了指定填滿方向、起始位置樣式（1 到 4），還要指定採用的內建漸層樣式，例如 msoGradientBrass、msoBradientSunset 或 msoGradientRainbow 等等。同樣的，在 VB 編輯器輸入這些程式碼時，自動完成工具也會提供可用的預設漸層樣式設定值清單。

設定線條格式

LineFormat 物件可用來設定線條或物件外框的格式。線條有很多屬性可供變更設定，例如色彩、開始與結束箭頭、虛線類型等等。

以下的巨集程式會修改圖表中數列 1 之趨勢線的格式：

```
Sub FormatLineOrBorders()
    Dim cht As Chart
    Set cht = ActiveChart
    With cht.SeriesCollection(1).Trendlines(1).Format.Line
        .DashStyle = msoLineLongDashDotDot
        .ForeColor.RGB = RGB(50, 0, 128)
        .BeginArrowheadLength = msoArrowheadShort
        .BeginArrowheadStyle = msoArrowheadOval
        .BeginArrowheadWidth = msoArrowheadNarrow
        .EndArrowheadLength = msoArrowheadLong
        .EndArrowheadStyle = msoArrowheadTriangle
        .EndArrowheadWidth = msoArrowheadWide
    End With
End Sub
```

設定外框格式時就沒有開始與結束箭頭的設定了，因此程式碼的長度會短於修改線條格式的程式碼。以下的巨集程式會修改圖表四周的外框格式：

```
Sub FormatBorder()
    Dim cht As Chart
    Set cht = ActiveChart
    With cht.ChartArea.Format.Line
        .DashStyle = msoLineLongDashDotDot
        .ForeColor.RGB = RGB(50, 0, 128)
    End With
End Sub
```

建立組合式圖表

有時候我們會希望以不同的順序，來處理並顯示圖表上的資料，而一般的圖表在處理這點上作得並不好，數列之中較小的數據往往呈現效果很差；利用組合式圖表就能解決這個問題。

假設今天有一份如圖 15.6 所示的資料，我們希望能在圖表上標示出每月的銷售量，以及其他兩項滿意度比例數值。雖然這份資料所描述的汽車銷售數據不太現實，每個月售出 80 到 100 輛汽車、客戶滿意程度在 80% 到 90% 之間。而當你使用一般的預設直條圖圖表呈現時，就會發現 80% 的客戶滿意度數據，被壓成一條短短、縮在 90 輛汽車銷售量的長條旁邊。

	A	B	C	D	E	F	G
1		Jan	Feb	Mar	Apr	May	Jun
2	# of Sales	90	96	94	108	88	97
3	Satisfaction Ra	80%	91%	81%	82%	95%	93%
4	Quality Score	99%	90%	85%	86%	90%	83%

圖 15.6 其他兩個較小的數列被移往次要座標軸之後的修正結果。

案例研究 **CaseStudy**：建立組合式圖表

讓我們來示範一下如何以 VBA 程式碼建立組合式圖表。假設今天想要建立的圖表是可以同時呈現出銷售量，以及其他兩項滿意度比例數值的，在這份專案中需要分別對這三種數列設定格式。首先，在巨集程式碼的開頭先宣告用於參照工作表、圖表，以及各個數列的變數：

```
Dim WS As Worksheet
Dim CH As Chart
Dim Ser1 As Series
Dim Ser2 As Series
Dim Ser3 As Series
```

接著以預設的群組直條圖來建立圖表：

```
Set WS = ActiveSheet
Range("A1:G4").Select
Set CH = WS.Shapes.AddChart2(Style:=201, _
    XlChartType:=xlColumnClustered, _
    Left:=[B6].Left, _
    Top:=[B6].Top, _
    NewLayout:=False).Chart
```

要操作數列之前，首先將 FullSeriesCollection 集合中的元素指定給如 Ser2 之類變數；這樣一來後續在操作上，只要寫短短的「Ser」之類的變數名稱即可反覆存取。底下這段程式碼會留存範例中三個數列的參照，能夠讓你在後續的操作上更加方便。在指定好 Ser2 變數後，把數列更改到次要座標軸群組上，並且設定為折線類型圖表；然後對數列 3 也如法炮製：

```
' 將數列 2 移到次要座標軸群組，並且改為折線圖
Set Ser2 = CH.FullSeriesCollection(2)
With Ser2
    .AxisGroup = xlSecondary
    .ChartType = xlLine
End With

' 將數列 3 移到次要座標軸群組，並且改為折線圖
Set Ser3 = CH.FullSeriesCollection(3)
With Ser3
    .AxisGroup = xlSecondary
    .ChartType = xlLine
End With
```

到目前為止我們都沒有操作到數列 1，因為將數列 1 獨留在主要座標軸上、並且以長條圖呈現，本來就是我們想要的效果，因此之後才會操作到。此外，由於數列 3 上有太多接近於 100% 的資料點，所以 Excel 在產製圖表時，會把右側座標軸的刻度顯示上限提高到 120%。但這種作法很奇怪，因為沒有人能得到超過 100% 的滿意度。所以我們要變更原本的自動刻度設定，針對右側座標軸設定刻度，將最低刻度設定在 0.6（也就是 60%），然後把最高刻度設定在 1（也就是 100%）：

```
' 將次要座標軸的刻度設定為 60% 到 100% 為止
CH.Axes(xlValue, xlSecondary).MinimumScale = 0.6
CH.Axes(xlValue, xlSecondary).MaximumScale = 1
```

在修改刻度之後，Excel 會自動預設使用者要顯示格線與座標軸標題，而與其期待 Excel 的自動設定，不如手動將 MajorUnit 與 MinorUnit 的格線刻度單位設定好：

```
' 每 10% 刻度顯示一個標題，每 5% 刻度顯示次要格線
CH.Axes(xlValue, xlSecondary).MajorUnit = 0.1
CH.Axes(xlValue, xlSecondary).MinorUnit = 0.05
CH.Axes(xlValue, xlSecondary).TickLabels.NumberFormat = "0%"
```

MajorUnit 控制的是主要格線與座標軸標題的出現位置，而除非需要顯示次要格線，否則 MinorUnit 就不用設定了。

在本案例中，不論是左側的座標軸、還是右側的座標軸，都有許多數值刻度存在。雖然我們對右側座標軸的刻度設定好以百分比格式顯示，也加上了橫跨圖表的格線，但格線左右兩側，刻度上的數值位置卻可能對不起來，因為格線是以左側座標軸為準。照理來說應該是要能對上的，然而我們無法肯定，無法期待格線的位置剛好能在 60%、80%、100% 對起來。

所以這邊可以用點比較取巧的作法，如下程式碼所示，把左側座標軸的格線刪除，改為以右側座標軸的主要與次要格線顯示。然後同樣把左側座標軸上的刻度數字刪除，並且直接以資料標籤顯示資料數值在長條圖上：

```
' 取消左側座標軸的格線顯示
CH.Axes(xlValue).HasMajorGridlines = False
' 加上右側座標軸的格線
CH.SetElement msoElementSecondaryValueGridLinesMajor
CH.SetElement msoElementSecondaryValueGridLinesMinorMajor

' 隱藏主要座標軸上的標籤
CH.Axes(xlValue).TickLabelPosition = xlNone
' 以長條圖上的資料標籤取代原本座標軸的功用
Set Ser1 = CH.FullSeriesCollection(1)
Ser1.ApplyDataLabels
Ser1.DataLabels.Position = xlLabelPositionCenter
```

就快完成了。由於本書可能是以黑白單色印刷，因此這邊將數列 1 的資料標籤文字設定為白色：

```
' 將資料標籤設為白色
With Ser1.DataLabels.Format.TextFrame2.TextRange.Font.Fill
.Visible = msoTrue
.ForeColor.ObjectThemeColor = msoThemeColorBackground1
.Solid
End With
```

然後此時筆者再次想起了圖表大師的諄諄叮嚀，圖例應該要放置於上方或左方，所以將圖例移動到了上方：

```
' 每個圖表人都應該具備的基因，將圖例置於上方
CH.SetElement msoElementLegendTop
```

最後產製出的圖表結果如圖 15.7 所示。感謝次要格線的協助，這樣一來很快就能判斷出滿意度折線的落點是在 80%-85%、85%-90%、還是 90%-95% 的範圍內了。長條圖上顯示了銷售量數據，雖然少了座標軸標籤，但圖表的可讀性並未減低。

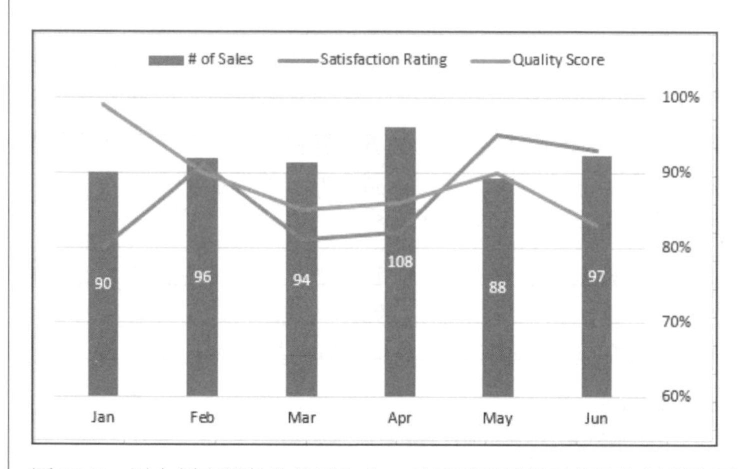

圖 15.7 以右側座標軸的格線為主，並且將兩個數列都改為以折線圖顯示。

建立地圖圖表

在新增加的地圖類型圖表中，提供了一些僅限於此類圖表的設定項目。假設你今天有一份僅關於美國東南 6 州的數據，但預設上地圖圖表卻會將整個 50 州中的 48 個州都顯示出來。只要把 .GeoMappingLevel 設定為 xlGeoMappingDataOnly 就可以限制地圖的顯示在有數據的州上，如圖 15.8 所示。

```
Sub RegionMapChart()
    Dim CH As Chart
    Set CH = ActiveSheet.Shapes.AddChart2(-1, xlRegionMap).Chart
    CH.SetSourceData Source:=ActiveSheet.Range("A1:B7")
    ' 底下的屬性設定僅限於地圖類型圖表
    With CH.FullSeriesCollection(1)
        .GeoMappingLevel = xlGeoMappingLevelDataOnly
```

```
        .RegionLabelOption = xlRegionLabelOptionsBestFitOnly
    End With
End Sub
```

在圖 15.8 中還可以注意到，圖表中並未顯示出密西西比州的名稱。這是因為我們把 RegionLabelOption 設定成了 xlRegionLabelOptionsBestFitOnly 的緣故；如果想要強制所有標籤都顯示出來，則需要改為設定成 xlRegionLabelOptionsShowAll。

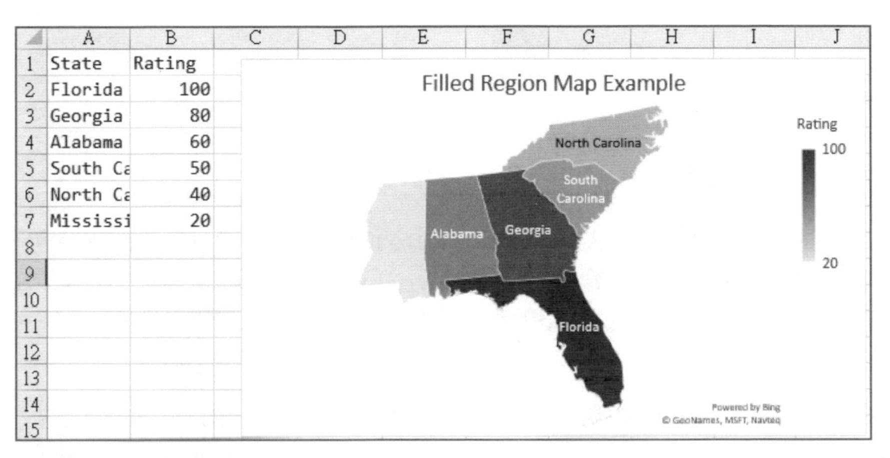

圖 15.8 將地圖圖表限制在僅顯示有數據的地區。

建立瀑布圖

瀑布圖通常是用於呈現隨年度而變化的營收或現金流數值，圖表上的每個資料欄長條，會根據前一筆數據、而以增加或減少的方向顯示。但是你也可以將某些資料設定為不與前一資料欄相比、不會以增加或減少方向呈現的「合計」資料；如圖 15.9 上的「Net Price」此一資料欄所示。只要設定 .IsTotal 屬性，就能將資料欄的呈現方向固定住。

```
Sub WaterfallChart()
    Dim CH As Chart
    Set CH = ActiveSheet.Shapes.AddChart2(-1, xlWaterfall).Chart
    CH.SetSourceData Source:=ActiveSheet.Range("A1:B7")
    ' 將部分資料點設定為合計資料
    With CH.FullSeriesCollection(1)
        .Points(1).IsTotal = True
        .Points(3).IsTotal = True
        .Points(7).IsTotal = True
    End With
End Sub
```

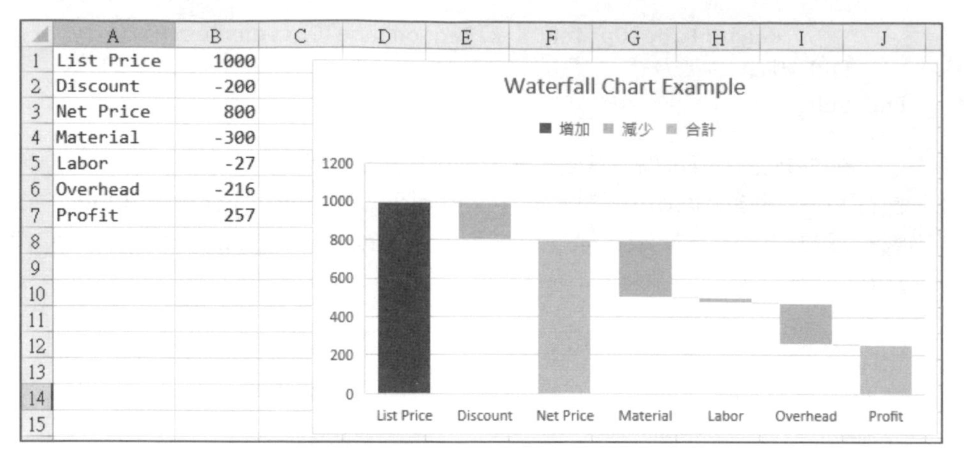

圖 15.9 只要是被設定為合計的資料欄，一律都會從貼著 X 軸線、從 Y 軸原點開始呈現。

只是這類新型圖表工具有一個令人失望的問題：往往不知道該如何變更色彩。以圖 15.9 的瀑布圖為例，當中有三種色彩，分別用於標示「增加」、「減少」以及「合計」，但如果要修改這些顏色就必須得這樣作：

1. 先點擊並選取圖例。
2. 然後再從已選取的圖例中，往內點入到單一圖例項目（例如，增加）。
3. 對單一圖例項目點擊右鍵，開啟「圖例項目格式」面板，找到填滿色彩設定。

如果你在 VBA 程式碼中模擬上述使用者介面的操作行為，往往會導致 Excel 軟體的異常。或許這只是暫時性的程式缺失，在各位讀者閱讀本章節時，可能也已經修正：

```
Sub FormatWaterfall()
    Dim cht As Chart
    Dim lg As Legend
    Dim lgentry As LegendEntry
    Dim iLegEntry As Long

    Set cht = ActiveChart
    Set lg = cht.Legend
    For iLegEntry = 1 To lg.LegendEntries.Count
        Set lgentry = lg.LegendEntries(iLegEntry)
        lgentry.Format.Fill.ForeColor.ObjectThemeColor =
            msoThemeColorAccent1 + iLegEntry - 1
    Next
End Sub
```

Note 特別感謝 Jon Peltier 為我們千辛萬苦找出修改瀑布圖圖例項目色彩的此一方法，歡迎各位讀者參考 Jon 的出色網站：「PeltierTech.com」。

把圖表匯出為圖片

任何圖表都可以匯出為圖像檔。在使用 ExportChart 方法時，需要指定匯出的檔案名稱，以及匯出的圖片類型；支援的圖片類型則依機碼中有註冊的圖片檔種類而定。通常有支援的是 JPG、BMP、PNG 和 GIF。

以下的程式碼會把作用中的圖表匯出為 GIF 檔案：

```
Sub ExportChart()
    Dim cht As Chart
    Set cht = ActiveChart
    cht.Export Filename:="C:\Chart.gif", Filtername:="GIF"
End Sub
```

向下相容問題

雖然 .AddChart2 方法適用於 Excel 2013 到 2019 為止的所有版本，但對於 Excel 2007 與 2010 版本來說，就需要轉換為 .AddChart 方法，才能正常執行，如下所示：

```
Sub CreateChartIn20072010()
    ' 以 A3:G6 的資料在 B8:G15 建立群組直條圖
    Dim CH As Chart
    Range("A3:G6").Select
    Set CH = ActiveSheet.Shapes.AddChart( _
        XlChartType:=xlColumnClustered, _
        Left:=Range("B8").Left, _
        Top:=Range("B8").Top, _
        Width:=Range("B8:G15").Width, _
        Height:=Range("B8:G15").Height).Chart
End Sub
```

但舊版的方法中無法設定 Style、也沒有 NewLayout 屬性可設定。

接下來的學習目標

接下來我們在《**Chapter16- 資料視覺化與條件式格式**》中將會介紹如何以程式來套用如圖示集、色階與資料橫條等資料視覺化樣式。

Chapter 16

資料視覺化與條件式格式

在本章節中，我們將學習：

- 如何以 VBA 套用資料視覺化樣式
- 加上資料橫條
- 加上色階
- 加上圖示集
- 使用資料視覺化的技巧
- 條件式格式的其他使用方法

資料視覺化工具是從 Excel 2007 版本開始引進的。Microsoft Excel 2010 版本時，又為這些工具作了更多的改進。圖示集、資料橫條、色階、走勢圖等等這些資料視覺化樣式，都是顯示在繪圖層中，而跟 SmartArt 圖形不同的是，Microsoft 資料視覺化工具的物件模型是公開的；也因此，我們可以透過 VBA 在報表中套用這些資料視覺化樣式。

Note 關於走勢圖的更多細節，請參考《**Chapter17-Excel 2019 走勢圖儀表板**》當中的說明內容。

Excel 2019 版本中提供了許多種資料視覺化樣式，如圖 16.1 所示，以下簡介這些樣式：

- **資料橫條：**資料橫條會在指定範圍內所有儲存格中加上橫條圖；最大的數值會顯示最長橫條，最小的數值會顯示最短橫條。你可以自行設定橫條的顏色，以及最長橫條所代表的最大數值上限，還有最短橫條所代表的最小數值下限等。橫條色彩除了單色之外，也有漸層色可以選擇；此外，漸層色橫條還可以加上外框。
- **色階：**Excel 可以在儲存格中套用雙色或三色的漸層色。雙色漸層適用於單色印刷的報告；而三色漸層除非你是以傳統交通號誌的「紅、黃、綠」三色，否則就需要用彩色印刷才能呈現出來。使用者可控制每個顏色在漸層中開始渲染的位置，並且選擇兩種或三種顏色。

- **圖示集：**Excel 會根據數值加上圖示。圖示集中有的以三個為一組、有的以四個為一組、有的則是以五個為一組。三個一組的像是紅、黃、綠的號誌圖樣；五個一組的像是手機訊號強度條圖樣。你可以設定每個圖示所對應的數值上下限、也可以反轉圖示的順序、也可以選擇只顯示圖示。
- **高於／低於平均：**可以在「頂端／底端項目規則」的選單中找到，這些規則能讓你輕易地標示出高於平均的儲存格，並且可以設定標示時要對儲存格加上的樣式為何。如圖 16.1 所示，在 G 欄中 10 筆資料只有 3 筆高於平均；而在 K 欄中卻有一半的資料都高於平均。
- **重複的值：**Excel 會把在資料集中有重複出現的資料值都標示起來。因為功能區的「資料」索引標籤中之「移除重複」功能太具破壞性，因此建議應該先利用資料視覺化把重複的資料標示出來，然後再來思考要刪除哪些資料。這項功能也可以反過來利用，把不重複的資料值標示出來。雖然 Microsoft 官方在 Excel 中以「唯一的值」描述，但筆者認為，「把在應用『移除重複』之後會剩下的資料標示出來」，這樣的說明比較精確。比方說，假設某個欄中出現兩筆「Apple」字串的資料，那麼這兩個儲存格就都不會被標示為唯一的值。
- **頂端／底端項目規則：**Excel 會把一個範圍內，數值排序上前或後百分之 n、或者把前或後 n 個儲存格都標示起來。
- **醒目提示儲存格規則：**舊版中如「大於」、「小於」、「介於」和「包含下列的文字」等的條件式格式規則，在 Excel 2019 版本中仍然可用。雖然你也可以自訂，並使用公式來決定要條件式格式，但既然現在有了「高於／低於平均」以及「頂端／底端項目」這些規則，應該不太需要用到公式來組成條件了。

	A	B	C	D	E	F	G	H	I	J	K
1	Data Bar		Color Scale		Icon Set		Above Average		Duplicates		Top 50%
2	46		39		41		70		65		70
3	37		74		62		26		73		26
4	67		20		33		83		10		83
5	32		60		63		23		80		23
6	43		79		26		19		38		19
7	50		10		72		10		81		10
8	38		27		73		34		71		34
9	36		43		31		17		81		17
10	56		63		70		12		86		12
11	12		88		17		88		78		88

圖 16.1 可以在 Excel 使用者介面功能區，「常用」索引頁籤中的「設定條件式格式」下拉式選單內，找到「資料橫條」、「色階」、「圖示集」、「頂端底端項目規則」等資料視覺化工具。

如何以 VBA 套用資料視覺化樣式

VBA 中所有與資料視覺化相關的設定，都是透過 FormatConditions 集合來控制的。條件式格式從 Excel 97 版本時就有了，而到了 Excel 2007 版本時 Microsoft 擴充了 FormatCondtions 物件，支援新的視覺化樣式。比起舊版的 Excel 中都是使用 FormatCondtions.Add 方法，Excel 2007-2019 版本中則增加了一些新的方法，舉例來說，像是 AddDataBar、AddIconSetCondition、AddColorScale、AddTop10、AddAboveAverage 和 AddUniqueValues 等。

同一個範圍中可同時套用多種條件式格式。例如，可以在同一範圍中同時套用雙色色階、圖示集和資料橫條。但 Excel 也有提供一個 Priority 屬性，能用來指定這些條件式格式之間的優先程度。只要利用 SetFirstPriority 和 SetLastPriority 之類的方法，就能確保你新加上去的條件式格式最先、或是最後才被套用上去。

StopIfTrue 屬性跟 Priority 屬性相輔相成。假設今天我們想把重複的值標示起來，但卻又同時只想把標示套用在以文字格式為主的儲存格上，那麼你可以利用「=ISNUMBER()」這樣的公式設定一組格式化規則，然後給這組「ISNUMBER」規則較高的優先程度，並且設定 StopIfTrue 屬性。這樣一來便能防止後續重複的值條件式格式，被套用到這些數值格式儲存格上了。

自從 Excel 2007 版本後 Type 屬性便大幅地被擴充。這個屬性原本只有 xlCellValue 與 xlExpression 兩種可設定值，但 Excel 2007 版本中為這個屬性增加了 13 種新設定。如表 16.1 所示，列出所有對 Type 屬性的可設定值。設定值 3 以下的項目，都是 Excel 2007 版本後才加入的。不知是否 Excel 開發團隊有更多規劃，設定值中跳過了 7、14 與 15，或許總有一天會推出，但在 Excel 2007 版本中被拿掉了。其中一個可能不幸被拿掉的，就是曾在 Excel 2007 beta 版本中出現過的「醒目提示整個運算表列」功能了。

表 16.1 條件式格式的可設定值

值	說明	VBA 常數
1	儲存格值	xlCellValue
2	公式	xlExpression
3	色階	xlColorScale
4	資料橫條	xlDatabar
5	前 10 個項目	xlTop10
6	圖示集	xlIconset
8	唯一的值	xlUniqueValues
9	特定文字	xlTextString

值	說明	VBA 常數
10	空格	xlBlanksCondition
11	發生日期	xlTimePeriood
12	高於平均	xlAboveAverageCondition
13	無空白	xlNoBlanksCondition
16	錯誤值	xlErrorsCondition
17	無錯誤	xlNoErrorsCondition

套用資料橫條

資料橫條功能會在範圍中的每個儲存格上顯示一條橫條。雖然當時在 Excel 2007 版本許多圖表達人都曾向 Microsoft 抱怨過這個功能有問題，不過後來在 Excel 2010 版本時這些問題就獲得了修正。

如圖 16.2 所示，圖中從左至右的三欄，分別展示了在 Excel 2010 版本中此功能的變動。請留意圖中資料值為 0 的儲存格，這一格完全沒有顯示任何長度的資料橫條；而在 Excel 2007 版本中，即使是最小資料值（就算是 0）也會顯示為一條 4 點陣（pixel）長度的資料橫條。此外，Excel 2010 版本中，資料集中最大的橫條會佔滿整個儲存格的寬度。

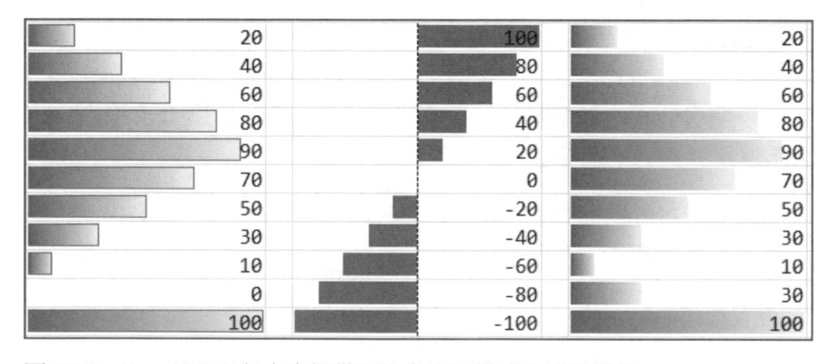

圖 16.2 Excel 2019 版本中提供了許多不同樣式的資料橫條。

在 Excel 2007 版本中，由於資料橫條尾端的顏色會漸層淡出，因此讓人很難判斷橫條的結尾位置。而 Excel 2010 版本可以為橫條加上外框，可以選擇不同的框線顏色，甚至也可以隱藏外框，如圖 16.2 最右側欄所示。

在 Excel 2010-2019 版本中，資料橫條功能也支援負數值，如圖 16.2 中間欄所示；當資料值是負數時，資料橫條會變成由右向左的方向，於是就會出現兩種方向相背而行的長條。

要套用資料橫條樣式，只要對含有資料數值的範圍呼叫 FormatConditions.AddDatabar 方法。這個方法不需要傳入任何參數值，並且會回傳一個 Databar 類型的物件。

在增加資料橫條之後，你可能會想要回頭更改資料橫條的一些屬性設定。其中一種參照資料橫條的方式是假設最近新建的資料橫條就是修改目標，於是就能以集合中最後一個項目作為操作目標，修改樣式設定。如下程式碼所示，套用資料橫條樣式後，以該範圍中所套用的條件式格式數量，作為存取集合中最後一項目的索引，然後修改橫條顏色：

```
Range("A2:A11").FormatConditions.AddDatabar
ThisCond = Range("A2:A11").FormatConditions.Count
With Range("A2:A11").FormatConditions(ThisCond).BarColor
    .Color = RGB(255, 0, 0) ' 紅色
    .TintAndShade = -0.5 ' 加深顏色
End With
```

不過，更安全的方式是先以一個 Databar 類型的變數，把建立好的資料橫條物件留存起來。如下程式碼所示，把新建的資料橫條指定到這個變數中：

```
Dim DB As Databar
' 新增資料橫條
Set DB = Range("A2:A11").FormatConditions.AddDatabar
' 改為紅色並加深 25%
With DB.BarColor
    .Color = RGB(255, 0, 0)
    .TintAndShade = -0.5
End With
```

設定資料橫條或外框的顏色時，應該使用 RGB 函數。要修改顏色的深淺時可以使用 TintAndShade 屬性，有效的值是從 -1 到 1 之間。0 代表不修改，正數值代表把顏色變淺，負數值代表把顏色變深。

在預設的情況下，Excel 會以最短的資料橫條代表最小的資料數值，最長的資料橫條代表最大的資料數值。如果需要變更此預設行為的話，可以對 MinPoint 或 MaxPoint 屬性呼叫 Modify 方法來設定。表 16.2 中列出所有可設定的選項。但如果是設定 0、3、4 和 5 選項時，都需要額外設定一個數值作為基準。

表 16.2 MinPoint 和 MaxPoint 的可設定值

值	說明	VBA 常數
0	數值	xlConditionNumber
1	最低值	xlConditionValueLowestValue

值	說明	VBA 常數
2	最高值	xlConditionValueHighestValue
3	百分比	xlConditionValuePercent
4	公式	xlConditionValueFormula
5	百分位數	xlConditionValuePercentile
-1	自動（沒有條件值）	xlConditionValueNone

如下程式碼所示，將最短資料橫條設定在小於等於 0 的數值：

```
DB.MinPoint.Modify _
    Newtype:=xlConditionValueNumber, NewValue:=0
```

如下程式碼所示，將最長資料橫條設定在數值排序上前百分之 20 的資料上：

```
DB.MaxPoint.Modify _
    Newtype:=xlConditionValuePercent, NewValue:=80
```

還有一種方式可以只顯示資料橫條、不顯示值，程式碼如下所示：

```
DB.ShowValue = False
```

如果要在 Excel 2019 版本中對負數值加上資料橫條，程式碼如下所示：

```
DB.AxisPosition = xlDataBarAxisAutomatic
```

而當你啟用負數值資料橫條的功能後，還可以設定軸線顏色、負數值資料橫條顏色，以及負數值資料橫條外框顏色。各種設定色彩的方式，如下程式範例所示，執行結果如圖 16.3 中 C 欄內的資料橫條所示：

```
Sub DataBar2()
    ' 新增資料橫條樣式
    ' 以及展示負數值資料橫條
    ' 並且設定最高、最低值的資料橫條
    '
    Dim DB As Databar
    With Range("C4:C11")
        .FormatConditions.Delete
        ' 新增資料橫條
        Set DB = .FormatConditions.AddDatabar()
    End With

    ' 設定高低限
    DB.MinPoint.Modify newtype:=xlConditionFormula, NewValue:="-600"
    DB.MaxPoint.Modify newtype:=xlConditionValueFormula,
```

```
NewValue:="600"

    ' 將資料橫條改為綠色
    With DB.BarColor
        .Color = RGB(0, 255, 0)
        .TintAndShade = -0.15
    End With

    With DB
        ' 套用漸層顏色
        .BarFillType = xlDataBarFillGradient
        ' 漸層方向隨資料橫條由左至右
        .Direction = xlLTR
        ' 負數值資料橫條以不同顏色區分
        .NegativeBarFormat.ColorType = xlDataBarColor
        ' 在資料橫條加上外框
        .BarBorder.Type = xlDataBarBorderSolid
        ' 負數值資料橫條外框以同樣顏色顯示
        .NegativeBarFormat.BorderColorType = xlDataBarSameAsPositive
        ' 將外框顏色設定為黑色實線條
        With .BarBorder.Color
            .Color = RGB(0, 0, 0)
        End With
        ' 軸線當然也是設定為黑色
        .AxisPosition = xlDataBarAxisAutomatic
        With .AxisColor
            .Color = 0
            .TintAndShade = 0
        End With
        ' 將負數值資料橫條顏色設定為紅色
        With .NegativeBarFormat.Color
            .Color = 255
            .TintAndShade = 0
        End With
    End With
End Sub
```

在 Excel 2019 版本中，你可以選擇漸層或單色的橫條，如下程式碼所示：

```
DB.BarFillType = xlDataBarFillSolid
```

圖 16.3 中 E 欄的資料橫條是以如下的範例程式碼所產製：

```
Sub DataBar3()
    ' 新增資料橫條
    ' 以單色彩顯示
    ' 允許負數值資料橫條存在
    ' 隱藏數值，只顯示橫條
    '
    Dim DB As Databar
    With Range("E4:E11")
        .FormatConditions.Delete
        ' 新增資料橫條
        Set DB = .FormatConditions.AddDatabar()
    End With

    With DB.BarColor
        .Color = RGB(0, 0, 255)
        .TintAndShade = 0.1
    End With
    ' 不顯示數值
    DB.ShowValue = False

    DB.BarFillType = xlDataBarFillSolid
    DB.NegativeBarFormat.ColorType = xlDataBarColor
    With DB.NegativeBarFormat.Color
        .Color = 255
        .TintAndShade = 0
    End With
    ' 可顯示負數值資料橫條
    DB.AxisPosition = xlDataBarAxisAutomatic
    ' 負數值資料橫條以不同顏色顯示
    DB.NegativeBarFormat.BorderColorType = xlDataBarColor
    With DB.NegativeBarFormat.BorderColor
        .Color = RGB(127, 127, 0)
        .TintAndShade = 0
    End With
End Sub
```

如果要將資料橫條的方向，改為由右至左，則如下程式碼所示：

```
DB.Direction = xlRTL ' 由右至左
```

	A	B	C	D	E	F
4	10		10			
5	75		75			
6	125		125			
7	250		250			
8	380		380			
9	425		425			
10	455		455			
11	500		500			

圖 16.3　本章節段落範例程式碼所產製出來的資料橫條結果。

套用色階

色階有雙色和三色這兩種類型。如圖 16.4 所示，你可以在 Excel 使用者介面中，設定三色色階中要使用的顏色。

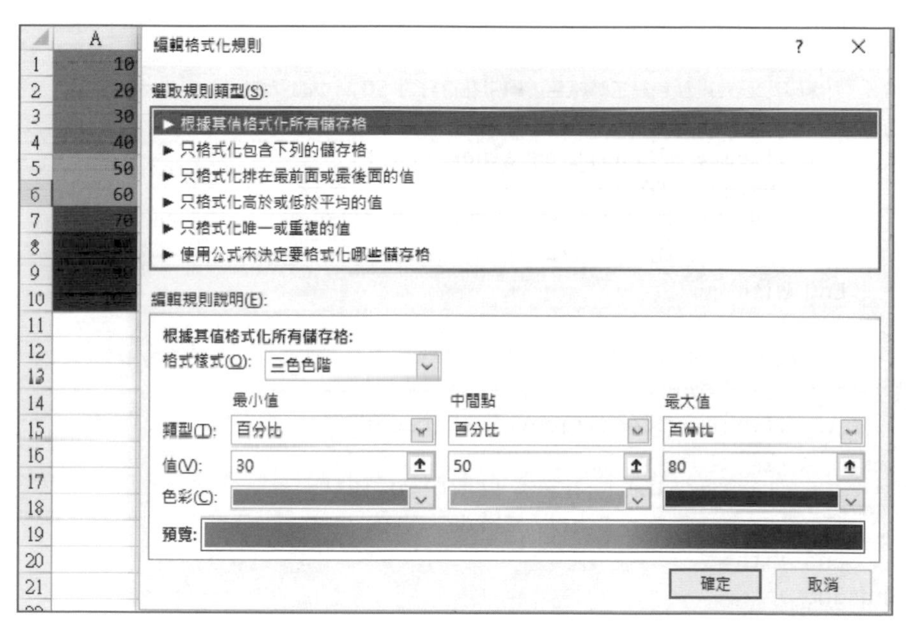

圖 16.4　可以用色階來突顯出資料集中的聚焦點。

跟資料橫條一樣，色階也是透過 AddColorScale 方法來套用在範圍上。而 AddColorScale 方法中，唯一需要設定 ColorScaleType 參數，只要將參數值設定為「2」或「3」就能指定雙色或三色色階。

接著，就要分別針對色階中這三個顏色（假設是三色色階）設定色彩與深淺。這邊一樣可以設定這些顏色分別要對應到的最低值、最高值、特定數值、排序中的百分比、或者是百分位數；請參考表 16.2 中的常數值。

以下的程式碼會在範圍「A1:A10」中套用三色色階樣式：

```
Sub Add3ColorScale()
    Dim CS As ColorScale

    With Range("A1:A10")
        .FormatConditions.Delete
        ' 套用三色色階樣式
        Set CS = .FormatConditions.AddColorScale(ColorScaleType:=3)
    End With

    ' 將第一個色階顏色設定為淺紅色
    With CS.ColorScaleCriteria(1)
        .Type = xlConditionValuePercent
        .Value = 30
        .FormatColor.Color = RGB(255, 0, 0)
        .FormatColor.TintAndShade = 0.25
    End With

    ' 將第二個色階顏色設定為綠色，顯示在百分之 50 為止的資料
    With CS.ColorScaleCriteria(2)
        .Type = xlConditionValuePercent
        .Value = 50
        .FormatColor.Color = RGB(0, 255, 0)
        .FormatColor.TintAndShade = 0
    End With

    ' 將最後一個色階顏色設定為深藍色
    With CS.ColorScaleCriteria(3)
        .Type = xlConditionValuePercent
        .Value = 80
        .FormatColor.Color = RGB(0, 0, 255)
        .FormatColor.TintAndShade = -0.25
    End With
End Sub
```

套用圖示集

Excel 中的圖示集有不同類型，有的一組內含三個、四個或五個，數量不同的圖示。如圖 16.5 所示，這是一組內含五個不同圖示的圖示集：

要套用圖示集就要使用到 AddIconSet 方法。此方法不需要傳入任何參數值。接著可以針對此圖示集，設定三種不同屬性選項，然後再花上好幾行程式碼，設定並篩選要使用的圖示，以及每個圖示在套用時的條件。

圖 16.5　內含圖示越多，程式碼就會越複雜。

設定圖示集

在套用圖示集樣式後，你還可以進一步設定圖示的正反向使用順序、是否只顯示圖示不顯示資料值，然後從內建的 20 種圖示集中，選擇一種作為使用：

```
Dim ICS As IconSetCondition
With Range("A1:C10")
    .FormatConditions.Delete
    Set ICS = .FormatConditions.AddIconSetCondition()
End With
' 圖示集的全域設定項目
With ICS
    .ReverseOrder = False
    .ShowIconOnly = False
    .IconSet = ActiveWorkbook.IconSets(xl5CRV)
End With
```

完整的圖示集清單如表 16.3 所示。

表 16.3　可用的圖示集和對應的 VBA 常數

圖示	值	說明	常數
	1	三箭號（彩色）	xl3Arrows
	2	三箭號（灰色）	xl3ArrowsGray
	3	三旗幟	xl3Flags
	4	三交通號誌（無框）	xl3TrafficLights1
	5	三交通號誌（方框）	xl3TrafficLights2
	6	三記號	xl3Signs
	7	三符號（圓框）	xl3Symbols
	8	三符號（無框）	xl3Symbols2
	9	四箭號（彩色）	xl4Arrows
	10	四箭號（灰色）	xl4ArrowsGray
	11	紅色到黑色	xl4RedToBlack
	12	四電力顯示直條	xl4CRV
	13	四交通號誌	xl4TrafficLights
	14	五箭號（彩色）	xl5Arrows
	15	五箭號（灰色）	xl5ArrowsGray
	16	五電力顯示直條	xl5CRV
	17	五刻鐘	xl5Quarters
	18	3 種星	xl3Stars
	19	3 種三角形	xl3Triangles
	20	5 種方塊	xl5Boxes

設定每個圖示的使用條件

當決定好要使用的圖示集種類後，你還可以針對這組圖示集中的每一個圖示，設定適用的條件。預設上，第一順位的圖示代表最低值，但你可以針對其他每一個圖示都設定條件，如下所示：

```
' 雖然第一個圖示都是代表最低值
' 但你可以把第二個圖示設定為從 50% 開始套用
With ICS.IconCriteria(2)
    .Type = xlConditionValuePercent
    .Value = 50
    .Operator = xlGreaterEqual
End With
With ICS.IconCriteria(3)
    .Type = xlConditionValuePercent
    .Value = 60
    .Operator = xlGreaterEqual
End With
With ICS.IconCriteria(4)
    .Type = xlConditionValuePercent
    .Value = 80
    .Operator = xlGreaterEqual
End With
With ICS.IconCriteria(5)
    .Type = xlConditionValuePercent
    .Value = 90
    .Operator = xlGreaterEqual
End With
```

Operator 屬性的可用設定選項是 xlGreater（大於）或 xlGreaterEqual（大於或等於）。

Caution 只要利用 VBA，就能簡單建立出適用條件區間有疊合情形的圖示集樣式；例如，在 0 到 50 區間使用圖示 1、而在 30 到 90 區間使用圖示 2。雖然條件式格式的「編輯規則」對話方塊中，並不允許這種適用條件區間有疊合的情形發生，不過 VBA 中就能作到。只是也要特別注意，要是你建立出異常的區間條件，那麼圖示的顯示可能就會變得無法預測。

資料視覺化的使用技巧

一般對範圍套用圖示集或色階時，Excel 都是直接對整個範圍作套用，但接下來要教各位兩個小技巧，讓你可以只對範圍中一部分的儲存格套用圖示集，或是在同一個範圍內，使用兩種不同顏色的資料橫條。前者在使用者介面中操作也能辦到，但後者就只有 VBA 程式才能作到了。

對部分範圍套用圖示集

有時我們會想要僅針對範圍中認為是不良資料值的儲存格，打上一個紅色「X」叉叉的圖示；如果要在 Excel 使用者介面中達到此效果，步驟會稍微有點麻煩。

以如下步驟舉例，將範圍中資料數值小於或等於 66 的儲存格加上紅色叉叉：

1. 對範圍套用三符號（無框）的圖示集。
2. 在「常用」索引頁籤中的「設定格式化的條件」下拉式選單內，選按「管理規則」，然後對剛剛套用的條件式格式點擊「編輯規則」。預設的套用結果如圖 16.6 所示。
3. 將另外兩個圖示設定為「無儲存格圖示」。
4. 將第一個套用條件設定為「數值」類型，且「>=」「80」。
5. 將第二個套用條件設定為「數值」類型，且「>」「66」。這樣一來，紅色叉叉圖示就會被 Excel 設定為 <=66 時才會套用（如圖 16.7 所示）。

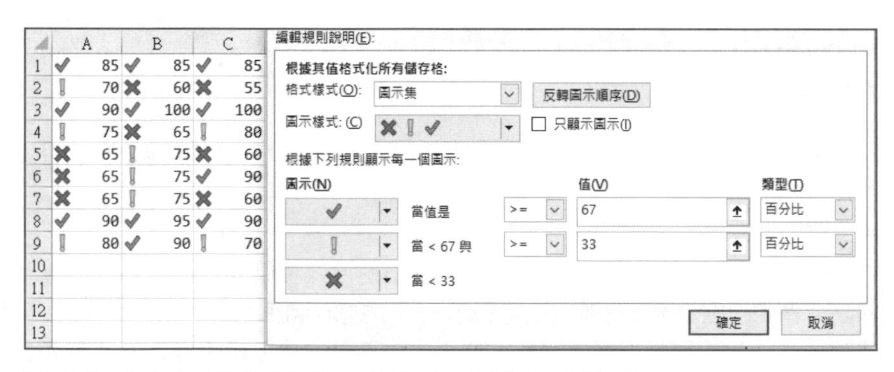

圖 16.6　在套用三符號（無框）圖示集後，預設會看到的情況。

圖 16.7 前兩種條件區間都不會顯示圖示，因此只有剩下資料數值 <=66 的資料數值區間才會被加上紅色叉叉圖示。

要在 VBA 中達到這個效果也非常簡單，程式碼中大部分作的事情，都是用來確保紅色叉叉圖示被設定在小於或等於 66 資料數值區間中。而要把第一條與第二條區間條件的圖示隱藏起來，只要把 Icon 屬性設定為 xlIconNoCellIcon 就好。

最後，用紅色叉叉圖示來標示出小於或等於 66 的值，其程式碼如下所示：

```
Sub TrickyFormatting()
    ' 把不良對象資料數值標示出來
    Dim ICS As IconSetCondition
    Dim FC As FormatCondition
    With Range("A1:D9")
        .FormatConditions.Delete
        Set ICS = .FormatConditions.AddIconSetCondition()
    End With
    With ICS
        .ShowIconOnly = False
        .IconSet = ActiveWorkbook.IconSets(xl3Symbols2)
    End With
    With ICS.IconCriteria(1)
        .Type = xlConditionValue
        .Value = 80
        .Operator = xlGreater
        .Icon = xlIconNoCellIcon
    End With
    ' 其實上面這個圖示的條件區間並不重要
    ' 重要的是不要與你想要標示的第三個圖示的區間重疊了
    With ICS.IconCriteria(2)
        .Type = xlConditionValue
        .Value = 66
        .Operator = xlGreater
        .Icon = xlIconNoCellIcon
    End With
End Sub
```

在同一範圍中使用兩種不同顏色的資料橫條

這個技巧非常特別，因為只有靠 VBA 才能辦到。假設今天有一份資料，資料中數值大於或等於 90 表示正常、小於 90 表示異常；而我們想要把正常的資料以綠色、而異常的資料以紅色的資料橫條，分別標示出來。

在 VBA 中，先新增綠色的資料橫條樣式；接著，在不刪除原有已套用條件式格式的情況下，再套用一個紅色的資料橫條樣式。

在 VBA 中，每個條件式格式都會有一個 Formula 屬性，這個屬性可以設定一條公式，公式的判斷式結果會被用於認定是否要在此儲存格上，套用此條件式格式。因此，我們只要設定一條公式，定義何時顯示綠色、何時顯示紅色資料橫條即可。當公式結果為「True」值時，就改為顯示紅色資料橫條。

對範圍 A1:D10 套用此效果後如圖 16.8 所示。要注意的是，這個公式必須以「A1」參照樣式編寫，並且會從整個範圍的左上角儲存格為起點開始套用；公式的執行結果必須是一個「True」或「False」的布林值。隨後 Excel 會自動將這條公式套用到整個範圍的儲存格中。以此例而言，公式會是「=IF(A1>90,True,False)」。

Note 此公式是以相對於當前儲存格指標的位置來評估的。因此，雖然平時套用 FormatCondition 條件式格式之前並不需要特地選取儲存格，但在此例中，請先選取該範圍，以便確保公式運作正常。

	A	B	C	D
1	92	96	81	88
2	88	84	82	99
3	99	85	92	88
4	84	84	82	84
5	90	90	82	99
6	90	80	98	88
7	81	97	81	85
8	89	89	91	93
9	81	94	88	83
10	87	82	86	85

圖 16.8 紅色的深色橫條與綠色的淺色橫條。用 VBA 對同一範圍重複套用兩種資料橫條樣式，然後再以 Formula 屬性把資料數值小於 90 的綠色橫條樣式隱藏起來。

這個雙色資料橫條範例的程式碼如下所示：

```
Sub AddTwoDataBars()
    ' 以綠色橫條標示正常值；紅色橫條標示異常值
    Dim DB As Databar
    Dim DB2 As Databar
```

```
    With Range("A1:D10")
        .FormatConditions.Delete
        ' 新增淺綠色資料橫條
        Set DB = .FormatConditions.AddDatabar()

        DB.BarColor.Color = RGB(0, 255, 0)
        DB.BarColor.TintAndShade = 0.25
        ' 新增紅色資料橫條
        Set DB2 = .FormatConditions.AddDatabar()
        DB2.BarColor.Color = RGB(255, 0, 0)
        ' 設定為只顯示綠色橫條的條件
        .Select ' 為了執行下一行程式碼所必要的操作
        .FormatConditions(1).Formula = "=IF(A1>90,True,False)"
        DB.Formula = "=IF(A1>90,True,False)"
        DB.MinPoint.Modify newtype:=xlConditionFormula,
NewValue:="60"
        DB.MaxPoint.Modify newtype:=xlConditionValueFormula, _
            NewValue:="100"
        DB2.MinPoint.Modify newtype:=xlConditionFormula,
NewValue:="60"
        DB2.MaxPoint.Modify newtype:=xlConditionValueFormula, _
            NewValue:="100"
    End With
End Sub
```

Formula 屬性可適用於所有條件式格式，這代表我們可以運用這個屬性來建立出一些誇張、複雜的資料視覺化樣式。如圖 16.9 所示，單一範圍內同時設定了五種不同圖示集樣式。雖然在實務上，這麼複雜的圖示效果反而讓人分不清楚到底紅色旗幟與灰色向下箭號之間，哪一個才代表不好；不過這邊的重點是，這項功能允許我們發揮一點小小創意，組合出有趣的圖示樣式來。

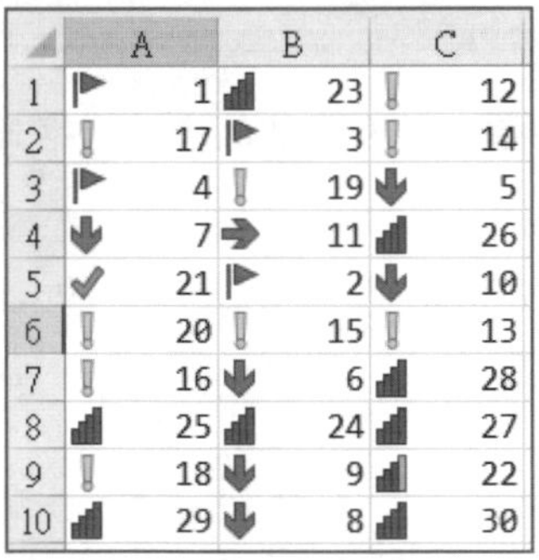

	A	B	C
1	1	23	12
2	17	3	14
3	4	19	5
4	7	11	26
5	21	2	10
6	20	15	13
7	16	6	28
8	25	24	27
9	18	9	22
10	29	8	30

圖 16.9 我們用 VBA 在同一範圍內套用了五種圖示集；VBA 中的 Formula 屬性是併用這些圖示集的關鍵所在。

圖 16.9 中誇張的圖示集樣式是以如下程式碼產製出來的：

```
Sub AddCrazyIcons()
    With Range("A1:C10")
        .Select ' 需要先執行 .Select 動作才能讓底下的 Formula 生效
        .FormatConditions.Delete
        ' 第一組圖示集樣式
        .FormatConditions.AddIconSetCondition
        .FormatConditions(1).IconSet = ActiveWorkbook.IconSets(xl3Flags)
        .FormatConditions(1).Formula = "=IF(A1<5,TRUE,FALSE)"
        ' 再一組圖示集樣式
        .FormatConditions.AddIconSetCondition
        .FormatConditions(2).IconSet = _
           ActiveWorkbook.IconSets(xl3ArrowsGray)
        .FormatConditions(2).Formula = "=IF(A1<12,TRUE,FALSE)"
        ' 再一組圖示集樣式
        .FormatConditions.AddIconSetCondition
        .FormatConditions(3).IconSet = _
           ActiveWorkbook.IconSets(xl3Symbols2)
        .FormatConditions(3).Formula = "=IF(A1<22,TRUE,FALSE)"
        ' 再一組圖示集樣式
        .FormatConditions.AddIconSetCondition
        .FormatConditions(4).IconSet = ActiveWorkbook.IconSets(xl4CRV)
        .FormatConditions(4).Formula = "=IF(A1<27,TRUE,FALSE)"
        ' 再一組圖示集樣式
        .FormatConditions.AddIconSetCondition
        .FormatConditions(5).IconSet = ActiveWorkbook.IconSets(xl5CRV)
    End With
End Sub
```

其他條件式格式的使用方法

除了最多人使用的圖示集、資料橫條和色階以外，還有很多其他的條件式格式可供運用。

本章節接下來的內容，會示範一些其他的條件式格式規則，以及設定的方法。

高於平均、低於平均

使用 AddAboveAverage 方法，就可以對儲存格套用「高於平均」或「低於平均」的條件式格式。套用條件式格式後，再將 AboveBelow 屬性指定為 xlAboveAverage 或 xlBelowAverage。

以下的兩份巨集分別示範了如何將高於平均，以及低於平均的儲存格標示出來：

```
Sub FormatAboveAverage()
    With Selection
        .FormatConditions.Delete
        .FormatConditions.AddAboveAverage
        .FormatConditions(1).AboveBelow = xlAboveAverage
        .FormatConditions(1).Interior.Color = RGB(255, 0, 0)
    End With
End Sub

Sub FormatBelowAverage()
    With Selection
        .FormatConditions.Delete
        .FormatConditions.AddAboveAverage
        .FormatConditions(1).AboveBelow = xlBelowAverage
        .FormatConditions(1).Interior.Color = RGB(255, 0, 0)
    End With
End Sub
```

前 10 個項目、最後 5 個項目

在「頂端 / 底端項目規則」的選單中，有四個選項都可以由 AddTop10 方法來控制。在套用條件式格式後，必須設定以下三個屬性，以此決定套用格式時的條件為何：

- **TopBottom**：設定為 xlTop10Top 或 xlTop10Bottom。
- **Value**：需要前 5 個項目時設定為 5，前 6 個項目時就設定為 6，以此類推。
- **Percent**：需要前 10 個項目時設定為 False；但如果需要的是前 10% 的項目時設定為 True。

以下的程式碼範例，會把資料數值排序中前幾、或最後幾項儲存格標示出來：

```
' 前 10 項
Sub FormatTop10Items()
    With Selection
        .FormatConditions.Delete
        .FormatConditions.AddTop10
        .FormatConditions(1).TopBottom = xlTop10Top
        .FormatConditions(1).Rank = 10
        .FormatConditions(1).Percent = False
        .FormatConditions(1).Interior.Color = RGB(255, 0, 0)
    End With
End Sub
```

```
' 最後 5 項
Sub FormatBottom5Items()
    With Selection
        .FormatConditions.Delete
        .FormatConditions.AddTop10
        .FormatConditions(1).TopBottom = xlTop10Bottom
        .FormatConditions(1).Rank = 5
        .FormatConditions(1).Percent = False
        .FormatConditions(1).Interior.Color = RGB(255, 0, 0)
    End With
End Sub
' 前百分之 12 項
Sub FormatTop12Percent()
    With Selection
        .FormatConditions.Delete
        .FormatConditions.AddTop10
        .FormatConditions(1).TopBottom = xlTop10Top
        .FormatConditions(1).Rank = 12
        .FormatConditions(1).Percent = True
        .FormatConditions(1).Interior.Color = RGB(255, 0, 0)
    End With
End Sub
```

唯一的值、重複的值

在功能區「資料」索引標籤中的「移除重複」是一個強大的功能。但如果你不希望直接移除，而是先把重複出現的值標示出來的話，你可以利用 AddUniqueValues 方法，把重複的值或唯一的值標示出來。呼叫此方法之後，再將 DupeUnique 屬性設定為 xlUnique 或 xlDuplicate。

但筆者對這兩種作法都不太喜歡。因為當標示重複的值時，擁有同樣資料值的兩個儲存格都會被同時標示起來，如圖 16.10 的 A 欄所示。A2 和 A8 都被標示起來，但 A2 與 A8 之中，A8 才是多餘的那筆資料。

反過來說，當標示唯一的值時，只有那些沒有重複出現資料值的儲存格才會被標示起來，如圖 16.10 的 C 欄所示。但這樣一來就漏了好幾個值，例如，資料值為 17 的儲存格就都沒有被標示。

所有資料分析師都知道，真正實用的結果應該是把資料記錄中每種首次出現的資料值給標示出來。因此，理想狀況應該是，Excel 要把每種資料值中都標示出一筆，以此達到不重複的資料值效果。所以「17」資料值的 E2 儲存格應該被標示起來，但後續同樣有「17」資料值的儲存格（例如，E8）就不應該被標示。

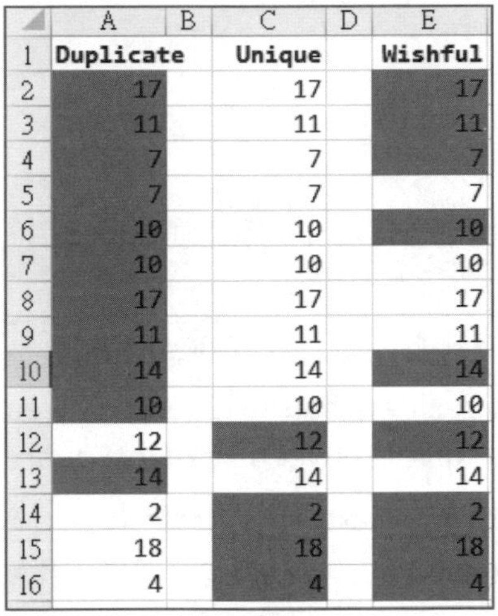

	A	B	C	D	E
1	Duplicate		Unique		Wishful
2	17		17		17
3	11		11		11
4	7		7		7
5	7		7		7
6	10		10		10
7	10		10		10
8	17		17		17
9	11		11		11
10	14		14		14
11	10		10		10
12	12		12		12
13	14		14		14
14	2		2		2
15	18		18		18
16	4		4		4

圖 16.10 AddUniqueValues 方法標示儲存格的方式顯示於 A 欄和 C 欄中。但卻無法標示出像 E 欄所示的那樣，真正實用的結果。

圖 16.10 中所展示的三種唯一或重複值的標示方法，程式碼如下所示：

```
Sub FormatDuplicate()
    With Selection
        .FormatConditions.Delete
        .FormatConditions.AddUniqueValues
        .FormatConditions(1).DupeUnique = xlDuplicate
        .FormatConditions(1).Interior.Color = RGB(255, 0, 0)
    End With
End Sub

Sub FormatUnique()
    With Selection
        .FormatConditions.Delete
        .FormatConditions.AddUniqueValues
        .FormatConditions(1).DupeUnique = xlUnique
        .FormatConditions(1).Interior.Color = RGB(255, 0, 0)
    End With
End Sub

Sub HighlightFirstUnique()
    With Range("E2:E16")
        .Select
        .FormatConditions.Delete
        .FormatConditions.Add Type:=xlExpression, _
            Formula1:="=COUNTIF(E$2:E2,E2)=1"
        .FormatConditions(1).Interior.Color = RGB(255, 0, 0)
```

```
    End With
End Sub
```

儲存格值

這種根據其值格式化儲存格的功能，已經在好幾個 Excel 版本之前就存在了，請使用 Add 方法，然後搭配如下參數進行設定：

- **Type**：由於這邊的範例是以值作為條件，因此類型設定為 xlCellValue。
- **Operator**：用來比較值的運算子可以是 xlBetween、xlEqual、xlGreater、xlGreaterEqual、xlLess、xlLessEqual、xlNotBetween 或 xlNotEqual。
- **Formula1**：Formula1 是用在只有單一邊數值比較的運算子條件上。
- **Formula2**：這是用在 xlBetween 和 xlNotBetween 這種有區間數值比較的運算子條件上。

以下的程式碼範例會根據儲存格的資料值來進行標示：

```
Sub FormatBetween10And20()
    With Selection
        .FormatConditions.Delete
        .FormatConditions.Add Type:=xlCellValue, Operator:=xlBetween, _
            Formula1:="=10", Formula2:="=20"
        .FormatConditions(1).Interior.Color = RGB(255, 0, 0)
    End With
End Sub

Sub FormatLessThan15()
    With Selection
        .FormatConditions.Delete
        .FormatConditions.Add Type:=xlCellValue, Operator:=xlLess, _
            Formula1:="=15"
        .FormatConditions(1).Interior.Color = RGB(255, 0, 0)
    End With
End Sub
```

特定文字

當想要標示出含有特定文字的儲存格時，可以利用 Add 方法然後把 Type 參數設定為 xlTextString，並且利用 xlBeginsWith、xlContains、xlDoesNotContain 或 xlEndsWith 等運算子作條件判斷。

以下的程式碼會將所有包含大寫或小寫 A 字母的儲存格標示出來：

```
Sub FormatContainsA()
    With Selection
        .FormatConditions.Delete
        .FormatConditions.Add Type:=xlTextString, String:="A", _
            TextOperator:=xlContains
        ' 其他運算子 : xlBeginsWith, xlDoesNotContain, xlEndsWith
        .FormatConditions(1).Interior.Color = RGB(255, 0, 0)
    End With
End Sub
```

發生日期

條件式格式也可以用來幫助你篩選日期，雖然在條件式格式中可用於與日期比較的運算子，並沒有樞紐分析表篩選中的可用日期運算子那麼多種。當使用 Add 方法時，將 Type 參數設定為 xlTimePeriod，並且利用下列任一個 DateOperator 運算子：xlYesterday、xlToday、xlTomorrow、xlLastWeek、xlLast7Days、xlThisWeek、xlNextWeek、xlLastMonth、xlThisMonth、xlNextMonth。

以下的程式碼會把所有上星期的日期標示出來：

```
Sub FormatDatesLastWeek()
    With Selection
        .FormatConditions.Delete
        ' 可用的 DateOperator 包括了 xlYesterday, xlToday, xlTomorrow,
        ' xlLastWeek, xlThisWeek, xlNextWeek, xlLast7Days
        ' xlLastMonth, xlThisMonth, xlNextMonth,
        .FormatConditions.Add Type:=xlTimePeriod, _
            DateOperator:=xlLastWeek
        .FormatConditions(1).Interior.Color = RGB(255, 0, 0)
    End With
End Sub
```

空格、錯誤值

Excel 使用者介面中一個鮮為人知的功能是：可以標示出空格、無空白、錯誤值或無錯誤的儲存格。如果你是使用巨集錄製器，Excel 會以比較複雜的 xlExpression 條件式格式來實現這些功能。舉例來說，要找出空格，Excel 在錄製巨集時會以「=LEN(TRIM(A1))=0」來判斷；但其實你可以直接使用下列這四種比較直覺的條件式格式：

```
.FormatConditions.AddType:=xlBlanksCondition
.FormatConditions.AddType:=xlErrorsCondition
```

```
.FormatConditions.AddType:=xlNoBlanksCondition
.FormatConditions.AddType:=xlNoErrorsCondition
```

在使用這些類型的條件式格式時，不需要設定其他參數。

使用公式來決定要格式化哪些儲存格

但 xlExpression 仍然是最強大的條件式格式。此類型的條件式格式，會以一個回傳結果為 True 或 False 的公式，來判斷是否要標示儲存格。要特別注意一件事：在編寫公式時，請謹慎判斷要採用相對參照還是絕對參照，才會導出正確的效果，因為 Excel 會把這條公式複製套用到你所選範圍中的其他儲存格上。

可以用公式來實現的條件效果非常多種，以下介紹最為人所知的兩種用途。

標示出範圍中首次出現的不重複資料值

以圖 16.11 的 A 欄為例，假設我們想要把該欄中所有第一次出現的資料值都標示起來，於是這些被標示出來的資料值就會形成一個清單，代表該欄中的不重複資料值。

	A	B	C	D	E	F
1	17			Region	Invoice	Sales
2	11			West	1001	112
3	7			East	1002	321
4	7	7 is duplicate of A3		Central	1003	332
5	10			West	1004	596
6	10	10 is duplicate of A5		East	1005	642
7	17	17 appears in A1		West	1006	700
8	11	11 appears in A2		West	1007	253
9	14			Central	1008	529
10	10	10 is duplicate		East	1009	122
11	12			West	1010	601
12	14	Duplicate of A9		Central	1011	460
13	2			East	1012	878
14	18			West	1013	763
15	4			Central	1014	193

圖 16.11　如圖 16.11 所示，利用公式就能作到如 A 欄那樣標示出首次出現的不重複值；或如 D 到 F 欄那樣，標示出最高銷售資料的整條資料列。

巨集程式碼首先選取儲存格 A1:A15 的範圍。公式的內容應該是基於 A1 儲存格的資料值，進行判斷後，回傳 True 或 False 布林值。由於 Excel 會把公式複製套用到整個範圍，因此若要混用相對與絕對參照，請特別留意小心。

以此例而言，我們可以利用 COUNTIF 函數，來計算從 A$1 到 A1 的範圍中，有多少與 A1 相同的資料值。如果結果只有 1，那麼條件回傳 True 的結果，然後儲存格就會被標示起來。於是我們的第一條公式是「=COUNTIF(A$1:A1,A1)=1」，接著隨著公式被往下複製套用，例如被套用到了 A12 儲存格上，公式的內容就會被自動代換為「=COUNTIF(A$1:A12,A12)=1」。

以下的程式碼執行結果如圖 16.11 中的 A 欄所示：

```
Sub HighlightFirstUnique()
    With Range("A1:A15")
        .Select
        .FormatConditions.Delete
        .FormatConditions.Add Type:=xlExpression, _
            Formula1:="=COUNTIF(A$1:A1,A1)=1"
        .FormatConditions(1).Interior.Color = RGB(255, 0, 0)
    End With
End Sub
```

標示出最高銷售額的整條資料列

另一種利用公式的條件式格式是，根據其中一欄的資料值，把資料集當中整條資料列都標示起來。如圖 16.11 中 D2:F15 的資料集儲存格所示，假設我們想要把最高銷售額所在的那條資料列，整個標示起來。首先把 D2:F15 的儲存格選取起來，然後針對範圍最左上角的 D2 儲存格，編寫如下公式：「=$F2=MAX($F$2:$F$15)」。於是用來標示出最高銷售額記錄的程式碼如下所示：

```
Sub HighlightWholeRow()
    With Range("D2:F15")
        .Select
        .FormatConditions.Delete
        .FormatConditions.Add Type:=xlExpression, _
            Formula1:="=$F2=MAX($F$2:$F$15)"
        .FormatConditions(1).Interior.Color = RGB(255, 0, 0)
    End With
End Sub
```

利用新的 NumberFormat 屬性

在舊版 Excel 中，可以為符合條件式格式的儲存格設定字型、字型色彩、外框或填滿圖樣等等。而從 Excel 2007 版本開始，還可以設定數字格式，因此可以利用來根據條件，改變要顯示的數字格式。

例如，當數值大於 999 之後，就改以千為單位顯示；而當數值大於 999,999 後，則改以十萬為單位顯示；大於 9,999,999 後改以百萬為單位顯示。

如果試圖把自訂數字格式的條件式格式設定過程錄製下來，在 Excel 2019 版本的 VBA 巨集錄製器，卻會錄製出一串 XL4 版本的巨集程式碼！因此就把錄製的程式碼放一邊去，直接使用如下所示的 NumberFormat 屬性吧：

```
Sub NumberFormat()
    With Range("E1:G26")
        .FormatConditions.Delete
        .FormatConditions.Add Type:=xlCellValue, Operator:=xlGreater, _
            Formula1:="=9999999"
        .FormatConditions(1).NumberFormat = "$#,##0,""M"""
        .FormatConditions.Add Type:=xlCellValue, Operator:=
            xlGreater, Formula1:="=999999"
        .FormatConditions(2).NumberFormat = "$#,##0.0,""M"""
        .FormatConditions.Add Type:=xlCellValue, Operator:=
            xlGreater, Formula1:="=999"
        .FormatConditions(3).NumberFormat = "$#,##0,K"
    End With
End Sub
```

如圖 16.12 所示，當中 A:C 欄顯示的是原始的數值格式樣貌；執行巨集後的結果顯示在 E:G 欄中。圖中的對話方塊展示的是我們套用上去的條件式格式詳細內容。

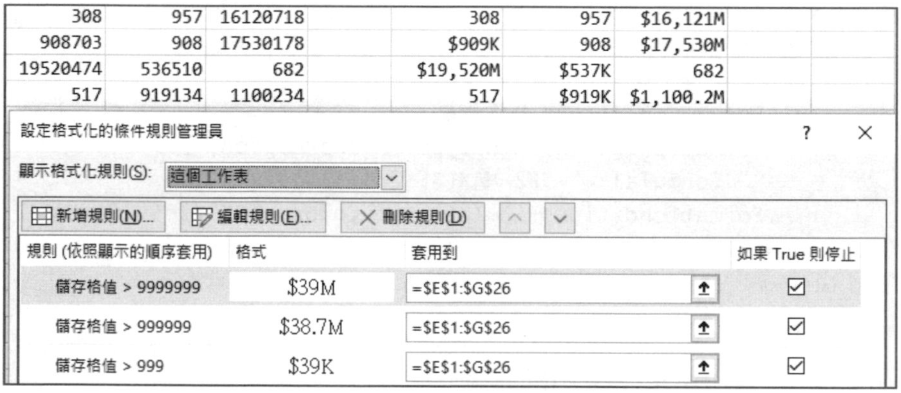

308	957	16120718		308	957	$16,121M
908703	908	17530178		$909K	908	$17,530M
19520474	536510	682		$19,520M	$537K	682
517	919134	1100234		517	$919K	$1,100.2M

設定格式化的條件規則管理員

顯示格式化規則(S): 這個工作表

新增規則(N)... 編輯規則(E)... 刪除規則(D)

規則 (依照顯示的順序套用)	格式	套用到	如果 True 則停止
儲存格值 > 9999999	$39M	=$E$1:$G$26	☑
儲存格值 > 999999	$38.7M	=$E$1:$G$26	☑
儲存格值 > 999	$39K	=$E$1:$G$26	☑

圖 16.12 自 Excel 2007 版本開始，條件式格式便可以用來設定數字格式。

接下來的學習目標

接下來我們在《**Chapter17-Excel 2019 走勢圖儀表板**》將會介紹如何以走勢圖這種迷你圖表建立儀表板功能。

Chapter 17

Excel 2019走勢圖儀表板

在本章節中，我們將學習：

- 建立走勢圖
- 縮放走勢圖
- 走勢圖的樣式
- 建立儀表板功能

自 Excel 2010 版本開始便推出了一項功能，可以建立跟文字一般大小的迷你圖表，即走勢圖（sparklines）。走勢圖很適合用來建立儀表板（dashboard）。

最先提出走勢圖概念的是美國的統計學家，Edward Tufte 教授，這位教授提倡走勢圖的用意是要以最少的版面呈現最多的資訊。

Microsoft 官方後來支援了以下三種走勢圖：

- **折線圖：**在單一儲存格中放進一個顯示單一數列的折線圖。你可以在走勢圖中加註高點、低點、第一點或最後點等等的標記；每個點都還可以設定不同顏色。也可以選擇標示出所有負點，或甚至顯示所有標記點。
- **直條圖：**在單一儲存格中放進一個顯示單一數列的直條圖。你可以選擇在第一點、最後點、低點、高點和負點上，都以不同顏色顯示。
- **輸贏分析：**這是一種特別版本的直條圖；所有正向資料值、負向資料值的直條都等高，只是方向不同。這樣作的用意在於純粹比較正向直條與負向直條，只要是正向就是「贏」，負向就是「輸」，而無視輸贏的程度。不過你還是可以把圖表中的高點與低點直條標示出來。在使用此類圖表時，一般都會將負向直條設定為與正向不同顏色。

建立走勢圖

Microsoft 假定大多數使用者會一次建立一組走勢圖，因此在 VBA 中，最主要用於操作走勢圖物件名稱是 SparklineGroup。建立走勢圖的方式是針對要用來顯示走勢圖的範圍，呼叫 SparklineGroups.Add 方法。

呼叫 Add 方法時，需要指定走勢圖的種類和資料來源的位置。

假設我們要針對 B2:D2 這三個儲存格的範圍，呼叫 Add 方法建立三張走勢圖。那麼用來建立走勢圖的資料來源就必須有三欄、或是三列。

Type 參數可以設定走勢圖類型，例如：xlSparkLine 為折線圖、xlSparkColumn 為直條圖、xlSparkColumn100 則是輸贏分析。

假如 SourceData 參數所參照的資料來源範圍是在當前工作表中，就可以簡單寫為「D3:F100」。但若是需要參照到另一個工作表，則必須寫作「Data!D3:F100」或是「'MyData'!D3:F100」這樣的形式。不過，要是你參照的是一個具名的範圍，那麼也可以直接以此範圍的名稱指定作為資料來源。

如圖 17.1 所示，這是標準普爾 500 指數在過去三年收盤價錢的資料表。走勢圖所需的資料是放在 D 欄、E 欄和 F 欄這三個連續欄中。

	A	B	C	D	E	F
1	Date 2015	Date 2016	Date 2017	Close 2015	Close 2016	Close 2017
2	2015/1/2	2016/1/4	2017/1/3	2058.20	2012.66	2257.83
3	2015/1/5	2016/1/5	2017/1/4	2020.58	2016.71	2270.75
4	2015/1/6	2016/1/6	2017/1/5	2002.61	1990.26	2269.00
5	2015/1/7	2016/1/7	2017/1/6	2025.90	1943.09	2276.98
6	2015/1/8	2016/1/8	2017/1/9	2062.14	1922.03	2268.90
7	2015/1/9	2016/1/11	2017/1/10	2044.81	1923.67	2268.90
8	2015/1/12	2016/1/12	2017/1/11	2028.26	1938.68	2275.32

圖 17.1 把走勢圖所需的資料放在連續的範圍中。

在此範例中，資料來源是位於「Data」這張工作表中，而走勢圖則另外建立於另一張「Dashboard」工作表內。底下我們以 WSD 物件代表對 Data 工作表的參照、而 WSL 代表對 Dashboard 工作表的參照。

由於這三個欄位的資料筆數可能不一樣多，因此我們要以比較不一樣的方式，來找出這份資料表的最後一列：

```
FinalRow = WSD.[A1].CurrentRegion.Rows.Count
```

.CurrentRegion 屬性所代表的範圍，會從儲存格 A1 開始往四面八方延伸，直至遇到工作表邊緣或是資料的邊緣為止。在此例中 CurrentRegion 告訴我們 253 是資料集中的最後一列。

接下來，我們要在同一列的三個儲存格中建立走勢圖。由於每個儲存格中的走勢圖都有 252 個資料點，這會建立出一張相當大的走勢圖；但走勢圖又被迫限制於儲存格本身的大小，因此底下的這段程式碼，故意將儲存格的寬高都先拉開：

```
With WSL.Range("B1:D1")
    .Value = array(2012,2013,2014)
    .HorizontalAlignment = xlCenter
    .Style = "Title"
    .ColumnWidth = 39
    .Offset(1, 0).RowHeight = 100
End With
```

以下的程式碼會先以預設樣式建立三張走勢圖：

```
Dim SG as SparklineGroup
Set SG = WSL.Range("B2:D2").SparklineGroups.Add( _
    Type:=xlSparkLine, _
    SourceData:="Data!D2:F" & FinalRow)
```

這三張預設樣式走勢圖如圖 17.2 所示。這些走勢圖不算完美（不過接下來我們將會討論如何修改樣式）。預設樣式的走勢圖有許多問題，就以圖表的縱軸來說，由於走勢圖座標軸的刻度永遠是預設為自動調整，因此無從得知現在的刻度比例到底為何、也就很難判斷圖表的起終點究竟落在什麼區間。

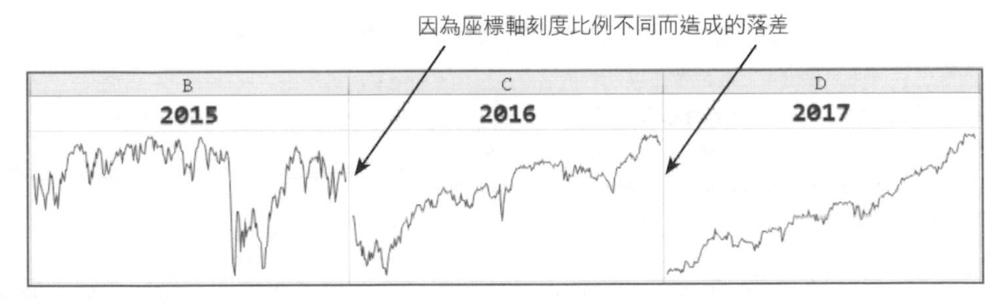

圖 17.2 預設樣式的走勢圖。

圖 17.3 中可以看到每一年的最低值和最高值。從這份資料便能推測出來，2015 年的走勢圖座標刻度區間，大約是介於 1850 到 2150 之間；2016 年的走勢圖介於 1800 到 2300 之間；而 2017 年的走勢圖，則是介於 2225 到 2690 之間。

E256 =MAX(E2:E253)

	A	B	C	D	E	F
1	Date 2015	Date 2016	Date 2017	Close 2015	Close 2016	Close 2017
248	2015/12/23	2016/12/22	2017/12/22	2064.29	2260.96	2683.34
249	2015/12/24	2016/12/23	2017/12/26	2060.99	2263.79	2680.50
250	2015/12/28	2016/12/27	2017/12/27	2056.50	2268.88	2682.62
251	2015/12/29	2016/12/28	2017/12/28	2078.36	2249.92	2687.54
252	2015/12/30	2016/12/29	2017/12/29	2063.36	2249.26	2673.61
253	2015/12/31	2016/12/30		2043.94	2238.83	
254						
255			Min	1868	1829	2258
256			Max	2131	2272	2690

圖 17.3　走勢圖的座標刻度都會設定在稍稍超過這些實際資料值的刻度上。

縮放走勢圖

走勢圖縱軸座標軸的預設是，每一張走勢圖座標軸的最高值和最低值都不同。但除了預設之外還有兩種不同的選項。

第一種是把所有走勢圖群組在一起，但走勢圖座標軸的最高與最低值刻度還是讓 Excel 自動決定。這種情況下，我們依舊還是無從得知座標軸的起終點刻度區間為何。

你可以用以下的程式碼，強制讓所有走勢圖都採用相同的自動比例：

```
' 三張走勢圖共享同樣的刻度區間，但區間設定由 Excel 自行決定
With SG.Axes.Vertical
    .MinScaleType = xlSparkScaleGroup
    .MaxScaleType = xlSparkScaleGroup
End With
```

要注意 .Axes 是隸屬於整個走勢圖群組底下的屬性，而不是針對走勢圖個別設定；事實上，幾乎所有好用的屬性設定都是歸屬在 SparklineGroup 底下。但這樣有些副作用，像是當你想要將一張走勢圖區間設為自動調整、另一張則是設定為指定的刻度時，就必須在建立走勢圖時個別建立才行，或是先解除群組關係。

當最低與最高刻度區間都設定為以整體群組為準時，走勢圖如圖 17.4 所示。這三條走勢圖的線條，現在幾乎可以前後接在一起了，不錯的開始，從這邊我們也能推測出來整張圖表的區間大致落在 1850 到 2700 之間。但實際的區間刻度為何，仍然無法知道正確數字。唯一的解法，是自己手動設定座標軸的最低與最高刻度數值。

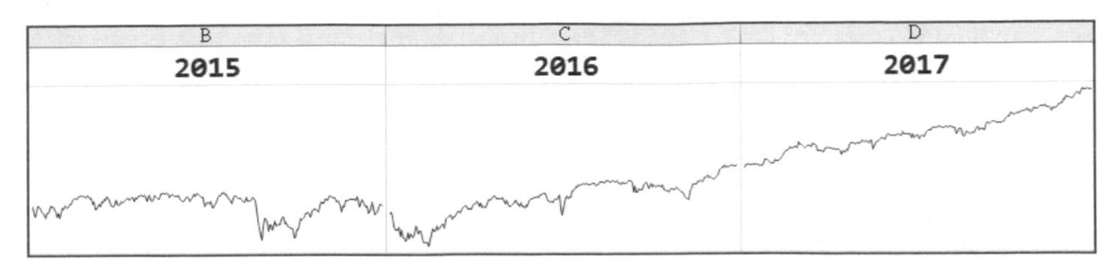

圖 17.4　現在走勢圖有著同樣的最高與最低刻度區間，但實際數值為何依舊不明。

因此，另一種方式就是直接指明並控制縱軸座標軸的最低與最高刻度數值。如下程式碼所示，將走勢圖的刻度區間設定在最低 1829、最高 2191 的位置：

```
Set AF = Application.WorksheetFunction
AllMin = AF.Min(WSD.Range("D2:F" & FinalRow))
AllMax = AF.Max(WSD.Range("D2:F" & FinalRow))
AllMin = Int(AllMin)
AllMax = Int(AllMax + 0.9)
With SG.Axes.Vertical
    .MinScaleType = xlSparkScaleCustom
    .MaxScaleType = xlSparkScaleCustom
    .CustomMinScaleValue = AllMin
    .CustomMaxScaleValue = AllMax
End With
```

執行結果如圖 17.5 所示。這樣一來，製作者「自己」就能知道最高值和最低值；剩下唯一的問題，就是如何將這項資訊傳達給圖表的閱讀者。

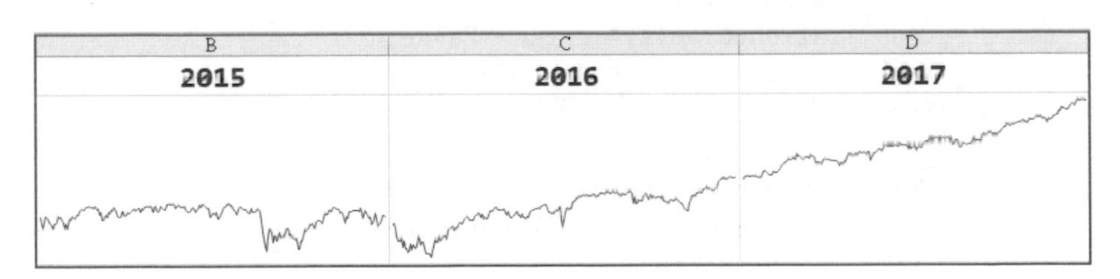

圖 17.5　雖然手動指定了最高與最低刻度，但並不會顯示在圖表上。

其中一種作法是，把最高值和最低值顯示在隔壁的 A2 儲存格。如果用 8 點粗體的 Calibri 字體，113 的列高可以在儲存格中容納 10 列自動換行的文字。因此我們可以先輸入最高值，然後輸入「vbLf」8 次後，再輸入最低值（vbLf 等於在儲存格中按 <Alt>+<Enter> 組合鍵來換行的意思）。

在圖表右邊的儲存格，我們還可以再輸入最後一個資料點的資料值，並且試著顯示在最靠近圖表中最後一個資料點的位置上。結果如圖 17.6 所示。

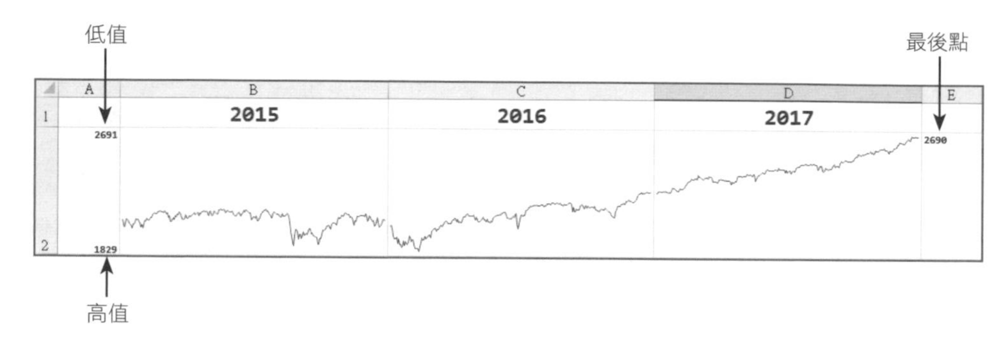

圖 17.6 左側的儲存格用來顯示座標軸的最高與最低刻度。右側的儲存格則顯示最後點的資料值。

圖 17.6 的程式碼如下所示：

```
Sub SP500Macro()
    ' 標普 500 指數走勢圖巨集
    '
    Dim SG As SparklineGroup
    Dim SL As Sparkline
    Dim WSD As Worksheet ' 資料來源工作表
    Dim WSL As Worksheet ' 儀表板工作表

    On Error Resume Next
        Application.DisplayAlerts = False
        Worksheets("Dashboard").Delete
    On Error GoTo 0

    Set WSD = Worksheets("Data")
    Set WSL = ActiveWorkbook.Worksheets.Add
    WSL.Name = "Dashboard"
    FinalRow = WSD.Cells(1, 1).CurrentRegion.Rows.Count
    WSD.Cells(2, 4).Resize(FinalRow - 1, 3).Name = "MyData"

    WSL.Select
    ' 設定三張走勢圖的標題
    With WSL.Range("B1:D1")
        .Value = Array(2015, 2016, 2017)
        .HorizontalAlignment = xlCenter
        .Style = "Title"
        .ColumnWidth = 39
        .Offset(1, 0).RowHeight = 100
```

```
End With

Set SG = WSL.Range("B2:D2").SparklineGroups.Add( _
    Type:=xlSparkLine, _
    SourceData:="Data!D2:F250")

Set SL = SG.Item(1)

Set AF = Application.WorksheetFunction
AllMin = AF.Min(WSD.Range("D2:F" & FinalRow))
AllMax = AF.Max(WSD.Range("D2:F" & FinalRow))
AllMin = Int(AllMin)
AllMax = Int(AllMax + 0.9)

' 允許 Excel 自動設定座標軸刻度區間，但三張走勢圖必須一致
With SG.Axes.Vertical
    .MinScaleType = xlSparkScaleCustom
    .MaxScaleType = xlSparkScaleCustom
    .CustomMinScaleValue = AllMin
    .CustomMaxScaleValue = AllMax
End With

' 新增用來顯示最高值與最低值的標籤
With WSL.Range("A2")
    .Value = AllMax & vbLf & vbLf & vbLf & vbLf _
        & vbLf & vbLf & vbLf & vbLf & AllMin
    .HorizontalAlignment = xlRight
    .VerticalAlignment = xlTop
    .Font.Size = 8
    .Font.Bold = True
    .WrapText = True
End With

' 將最後一筆資料值顯示在最右側
FinalVal = Round(WSD.Cells(Rows.Count, 6).End(xlUp).Value, 0)
Rg = AllMax - AllMin
RgTenth = Rg / 10
FromTop = AllMax - FinalVal
FromTop = Round(FromTop / RgTenth, 0) - 1
If FromTop < 0 Then FromTop = 0

Select Case FromTop
    Case 0
        RtLabel = FinalVal
    Case Is > 0
```

```
            RtLabel = Application.WorksheetFunction. _
                Rept(vbLf, FromTop) & FinalVal
    End Select

    With WSL.Range("E2")
        .Value = RtLabel
        .HorizontalAlignment = xlLeft
        .VerticalAlignment = xlTop
        .Font.Size = 8
        .Font.Bold = True
    End With
End Sub
```

變更走勢圖的樣式

走勢圖基本上只有關於各個圖表項目的色彩設定是可變動的。

在 Excel 2019 版本中提供了幾種設定色彩的方法；但在介紹走勢圖的這些可設定屬性之前，我們先來看一下在 Excel VBA 中設定色彩的兩種方式。

佈景主題色彩

從 Excel 2007 版本開始，活頁簿中就加入了佈景主題的概念。所謂的「佈景主題」是涵蓋了對內文字型、標題字型，以及一系列的效果和色彩的設定套組。

在佈景主題色彩中的前四組色彩，是用於文字和背景；接下來的六組色彩稱為「輔色」。超過 20 種以上的內建主題，都是以這些色彩去搭配出來。此外，還有另外兩種用於超連結，以及拜訪過的超連結的色彩。讓我們先把焦點放在輔色上。

從「版面配置」索引標籤找到「佈景主題」群組，選擇一個佈景主題。在「佈景主題」下拉式選單的旁邊有一個「色彩」下拉式選單。展開「色彩」下拉式選單，選取最下方的「自訂色彩」選項。接著 Excel 會跳出一個「建立新的佈景主題色彩」對話方塊（如圖 17.7 所示）。從這個對話方塊中，便能了解佈景主題色彩中的 12 個色彩與實際用途之間的關聯性。

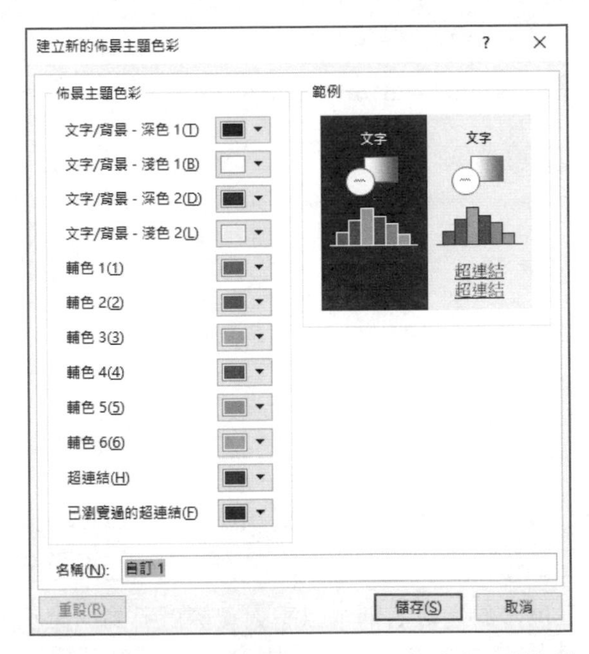

圖 17.7　目前的佈景主題色彩中，共可設定 12 種色彩。

Excel 中有許多與色彩設定有關的下拉式選單。如圖 17.8 所示，其中一個最常見的就是「佈景主題色彩」區塊。佈景主題色彩區塊中的第一列色彩，就顯示著 4 種文字色彩和 6 種輔色。

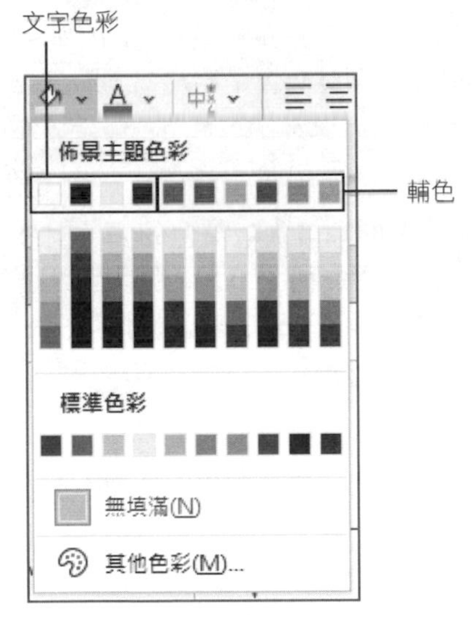

圖 17.8　除了與超連結相關的顏色之外，當前佈景主題中選用的色彩，都會列出在第一列中。

選取第一列的最後一個色彩的 VBA 程式碼如下：

```
ActiveCell.Font.ThemeColor = xlThemeColorAccent6
```

在圖 17.8 中，存取第一列的 10 種色彩方式如下：

```
xlThemeColorDark1
xlThemeColorLight1
xlThemeColorDark2
xlThemeColorLight2
xlThemeColorAccent1
xlThemeColorAccent2
xlThemeColorAccent3
xlThemeColorAccent4
xlThemeColorAccent5
xlThemeColorAccent6
```

Caution 用來存取前四個色彩的常數名稱，似乎與實際所見到的相反，xlThemeColorDark1 明明就是白色才對。但這是因為這些常數名稱是以「儲存格填滿是深色、還是淺色時，要使用的字型色彩」這樣的想法來命名的。例如，如果儲存格填滿色彩是深色，那麼就會想要用白色的字型。所以 xlThemeColor「Dark」1 才會是白色、而 xlThemeColor「Light」1 才會是黑色。

展開位於「常用」索引標籤的「填滿色彩」下拉式選單，觀察它的色彩。假如你套用的是「Office」預設佈景主題，那麼最後一欄應該會是深淺不同的綠色。位於第一列的，會是該佈景主題實際使用的色彩組合。接著往下五列，則是從非常淺的綠色到非常深的綠色。

你可以調整佈景主題色彩的深淺度，深淺度的程度從最深色的 -1、到最淺色的 +1。舉例來說，圖 17.8 中第二列淺綠色的深淺度值是 0.8，幾乎是最淺的顏色；然後再下一列的深淺度值是 0.6；再下去是 0.4。這三者就是比佈景主題色彩淺的選擇。而再往下兩列，則是比佈景主題色彩深的選擇，這兩列的深淺度值分別是 -0.25 與 -0.5。

如果你啟動巨集錄製器、並選擇其中一種色彩時，會錄製出一些讓人看不懂的程式碼：

```
.Pattern = xlSolid
.PatternColorIndex = xlAutomatic
.ThemeColor = xlThemeColorAccent6
.TintAndShade = 0.799981688894314
.PatternTintAndShade = 0
```

但假如使用的是單色，其實可以省略第 1、第 2 和第 5 行程式碼。

.TintAndShade 那一行看起來有點怪，其實是因為在處理十進位數值的無條件捨去或進位上有問題。要知道，電腦都是以二進位制儲存數字，就算是像 0.1 這種簡單的數字，如果用二進位制表示，就會成為一個循環小數。當巨集錄製器嘗試把 0.8 從二進位轉換成十進位，就會出現小小的誤差，然後得到一個非常接近的數字：0.799981688894314。這個數字的意思其實是指這個色彩應該比佈景主題色彩淺 80%。

在手動編寫程式碼時，其實只需要指定兩個值就能設定佈景主題色彩。首先把 .ThemeColor 屬性指定為從 xlThemeColorAccent1 到 xlThemeColorAccent6 的常數其中之一。如果你要使用的是佈景主題色彩本身，那麼 .TintAndShade 屬性只要設定為 0 或是直接忽略設定即可。如果要較淺色彩，就要對 .TintAndShade 設定正數值，反過來說，如果要較深的色彩，就設定負數值。

Tip 在「色彩」下拉式選單中所提供的五個色彩深淺度並不是全部的色彩。在 VBA 中，你可以指定從 -1.00 到 +1.00 之間的任何兩位小數值。如圖 17.9 所示，這裡是以 VBA 的 .TintAndShade 屬性，用同一佈景主題色彩所展示的 201 種不同深淺色調。

	B	C	D	E	F	G	H	I	J	K
1	Darker (Negative Tint & Shade)									
3	-1.00	-0.99	-0.98	-0.97	-0.96	-0.95	-0.94	-0.93	-0.92	-0.91
4	-0.90	-0.89	-0.88	-0.87	0.86	0.85	-0.84	0.83	-0.82	-0.81
5	-0.80	-0.79	-0.78	-0.77	-0.76	0.75	0.74	-0.73	-0.72	-0.71
6	-0.70	-0.69	-0.68	-0.67	-0.66	-0.65	-0.64	0.63	0.62	-0.61
7	0.60	0.59	0.58	0.57	-0.56	-0.55	-0.54	-0.53	-0.52	-0.51
8	-0.50	-0.49	0.48	0.47	-0.46	-0.45	-0.44	-0.43	-0.42	-0.41
9	-0.40	-0.39	-0.38	-0.37	-0.36	-0.35	-0.34	-0.33	-0.32	-0.31
10	-0.30	-0.29	-0.28	-0.27	-0.26	-0.25	-0.24	-0.23	-0.22	-0.21
11	-0.20	-0.19	-0.18	-0.17	-0.16	-0.15	-0.14	-0.13	-0.12	-0.11
12	-0.10	-0.09	-0.08	-0.07	-0.06	-0.05	-0.04	-0.03	-0.02	-0.01
14	Zero	0								
16	Lighter (Positive Tint & Shade)									
18	+0.01	+0.02	+0.03	+0.04	+0.05	+0.06	+0.07	+0.08	+0.09	+0.10
19	+0.11	+0.12	+0.13	+0.14	+0.15	+0.16	+0.17	+0.18	+0.19	+0.20
20	+0.21	+0.22	+0.23	+0.24	+0.25	+0.26	+0.27	+0.28	+0.29	+0.30
21	+0.31	+0.32	+0.33	+0.34	+0.35	+0.36	+0.37	+0.38	+0.39	+0.40
22	+0.41	+0.42	+0.43	+0.44	+0.45	+0.46	+0.47	+0.48	+0.49	+0.50
23	+0.51	+0.52	+0.53	+0.54	+0.55	+0.56	+0.57	+0.58	+0.59	+0.60
24	+0.61	+0.62	+0.63	+0.64	+0.65	+0.66	+0.67	+0.68	+0.69	+0.70
25	+0.71	+0.72	+0.73	+0.74	+0.75	+0.76	+0.77	+0.78	+0.79	+0.80
26	+0.81	+0.82	+0.83	+0.84	+0.85	+0.86	+0.87	+0.88	+0.89	+0.90
27	+0.91	+0.92	+0.93	+0.94	+0.95	+0.96	+0.97	+0.98	+0.99	+1.00

圖 17.9 單一佈景主題色彩就能有這麼多種深淺變化。

綜上所述，假如選擇使用佈景主題色彩，只需要設定兩個屬性：一是色彩，從佈景主題色彩中選擇六種輔色的其中之一，然後是深淺度，決定要比色彩深或是淺，如下所示：

```
.ThemeColor = xlThemeColorAccent6
.TintAndShade = 0.4
```

Note 使用佈景主題色彩的好處之一是走勢圖會隨著佈景主題不同而改變色彩。假設原本採用的是「Office」預設佈景主題，之後又決定換成「Metro（大都會）」佈景主題，那麼色彩也會隨之改變為該佈景主題相對應的顏色。

RGB 色彩

過去三十幾年，電腦能顯示的色彩已經超過一千六百多萬種，而這些色彩都是由調整光電顯示元件中紅、綠、藍，三種不同顏色的光量組合出來的。

還記得國小的美勞課嗎？那時應該學過，三原色是紅色、黃色和藍色。黃色和藍色混合就得到綠色；紅色加藍色等於紫色；黃色加紅色等於橘色。而筆者和所有調皮的男同學們也都很快地發現，把所有顏色混在一起就可以得到黑色。但這是顏料的規則、不是光學上的規則。

電腦螢幕像素的組成是光。在光譜中，三原色是紅色、綠色和藍色。用不同量的紅色、綠色和藍色這三種顏色就能混合出 RGB 色彩中的一千六百多萬種顏色，每種顏色的光量是以 0（不亮）到 255（全亮）來設定。

我們經常會見到以 RGB 函數表示的顏色。在該函數中，第一個參數值是紅色光的量，然後第二、第三個參數值則分別是綠色和藍色。

- 正紅色是：=RGB(255, 0, 0)。
- 正綠色是：=RGB(0, 255, 0)。
- 正藍色是：=RGB(0, 0, 255)。
- 如果你把 100% 全亮度的三種顏色加在一起是什麼顏色？答案是白色！白色是：=RGB(255, 255, 255)。
- 如果完全不亮呢？答案是黑色：=RGB(0, 0, 0)。
- 紫色是一些紅色、一些綠色再加一些藍色：=RGB(139, 65, 123)。
- 黃色是 100% 全亮度的紅色和綠色，不加藍色：=RGB(255, 255, 0)。
- 橘色是少了一些綠色的黃色：=RGB(255, 153, 0)。

在 VBA 中我們同樣可以使用 RGB 函數，但巨集錄製器並不喜歡使用 RGB 函數，而是直接把 RGB 函數產生的數值結果拿來用。以如下方式，你也可以從 RGB 函數的三個參數值計算出色彩數值：

- 把紅色參數值乘以 1。
- 再加上乘以 256 後的綠色參數值。
- 再加上乘以 65,536 後的藍色參數值。

Note 為何是乘以 65,536？其實這個數值是代表 256 的二次方（256*256）。

為走勢圖選擇紅色時，會看到巨集錄製器指定了「.Color = 255」。這是因為用上述的方法就可以算出「=RGB(255, 0, 0)」的執行結果會是 255。

但當你看到巨集錄製器錄製出「5287936」這樣的數值時，根本就搞不清是什麼顏色了。底下這個方法可以幫我們搞清楚：

1. 在 Excel 中輸入「=Dec2Hex(5287936)」之後，可以得到答案「50B000」，這是網頁設計師常用的「#50B000」色碼格式。
2. 然後打開搜尋引擎，搜索「色碼表」，然後從這些公用程式中找到可以輸入十六進位色碼格式的，接著輸入上面那串答案（50B000），就可以看到「#50B000」所代表的顏色為何，以及相對應的 RGB 值是「RGB(80, 176, 0)」

在這些色碼表網站上，通常還可以查到這些顏色的互補色為何，你可以隨意點擊，然後看看平常那些顏色的 RGB 值是什麼。

綜上所述：如果你採用的是 RGB 色彩設定方式、而非佈景主題色彩，那麼就直接透過 RGB 函數，把色彩值設定到 .Color 屬性即可。

變更折線走勢圖的樣式

預設樣式的折線走勢圖如圖 17.10 所示。這張折線圖，是以 12 筆績效與預算相減之後的資料組成。但光看圖並無法看出資料區間。

2		
3		
4		Over/Under Plan
5	Jan	17
6	Feb	12
7	Mar	1
8	Apr	-45
9	May	-32
10	Jun	-5
11	Jul	7
12	Aug	-7
13	Sep	12
14	Oct	22
15	Nov	18
16	Dec	15

圖 17.10 預設樣式的折線走勢圖。

假如折線圖中同時有正數和負數，顯示水平座標軸將會讓圖表更清楚；而有了水平軸，對於哪些點是高於預算，哪些點是低於預算就能一目瞭然。

要顯示水平座標軸，如下程式碼所示：

```
SG.Axes.Horizontal.Axis.Visible = True
```

顯示了水平軸後的折線圖如圖 17.11 所示。現在就能看出哪幾個月超出預算或低於預算了。

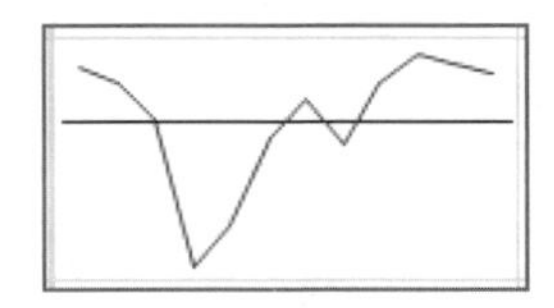

圖 17.11 增加水平軸來顯示出哪些月份是超出或低於預算。

利用本章先前「縮放走勢圖」小節中的技巧，我們還可以在折線圖左側的儲存格中，加上縱軸最高點與最低點的數值標示：

```
Set AF = Application.WorksheetFunction
MyMax = AF.Max(Range("B5:B16"))
MyMin = AF.Min(Range("B5:B16"))
LabelStr = MyMax & vbLf & vbLf & vbLf & vbLf & MyMin

With SG.Axes.Vertical
    .MinScaleType = xlSparkScaleCustom
```

```
        .MaxScaleType = xlSparkScaleCustom
        .CustomMinScaleValue = MyMin
        .CustomMaxScaleValue = MyMax
End With

With Range("D2")
        .WrapText = True
        .Font.Size = 8
        .HorizontalAlignment = xlRight
        .VerticalAlignment = xlTop
        .Value = LabelStr
        .RowHeight = 56.25
End With
```

執行結果如圖 17.12 所示。

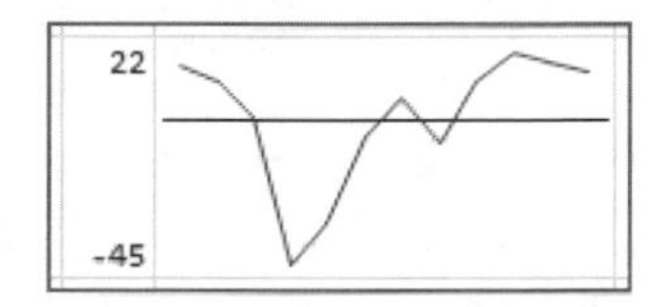

圖 17.12 利用非折線走勢圖本身的功能，來為垂直軸加上標籤。

要變更走勢圖的色彩，如下程式碼所示：

```
SG.SeriesColor.Color = RGB(255, 191, 0)
```

在「走勢圖工具」的「設計」索引標籤內，「顯示」群組裡提供了六種不同的標記選項。除此之外，還可以用「標記色彩」下拉式選單進一步設定這些標記點的顏色。如果顯示所有資料點的標記，就會如圖 17.13 所示。

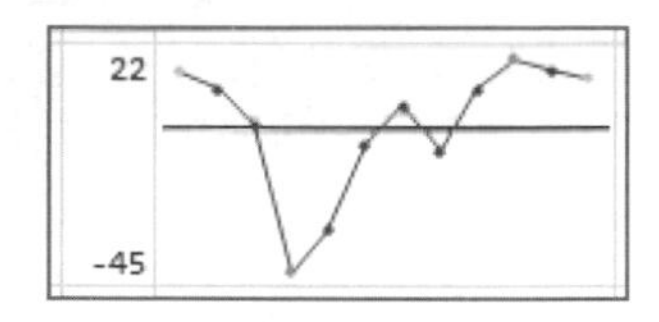

圖 17.13 顯示全部標記。

然後如下程式碼所示，把所有標記設定為黑色：

```
With SG.Points
        .Markers.Color.Color = RGB(0, 0, 0) ' 黑色
        .Markers.Visible = True
End With
```

除了顯示出所有資料標記點外，你也可以選擇只顯示折線圖上的低點、高點、第一點與最後點。底下這段程式碼，會將低點設定為紅色、高點設定為綠色、第一點與最後點設定為藍色：

```
With SG.Points
    .Lowpoint.Color.Color = RGB(255, 0, 0) ' 紅色
    .Highpoint.Color.Color = RGB(51, 204, 77) ' 綠色
    .Firstpoint.Color.Color = RGB(0, 0, 255) ' 藍色
    .Lastpoint.Color.Color = RGB(0, 0, 255) ' 藍色
    .Negative.Color.Color = RGB(127, 0, 0) ' 粉色
    .Markers.Color.Color = RGB(0, 0, 0) ' 黑色
    ' 設定要顯示哪些資料點標記
    .Highpoint.Visible = True
    .Lowpoint.Visible = True
    .Firstpoint.Visible = True
    .Lowpoint.Visible = True
    .Negative.Visible = False
    .Markers.Visible = False
End With
```

標記了高點、低點、第一點及最後點的折線走勢圖如圖 17.14 所示。

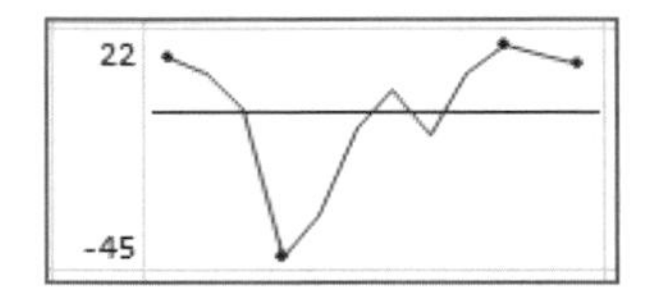

圖 17.14 只顯示了重點標記的折線圖。

Note 如果你設定的走勢圖是屬於「輸贏分析」的話，那麼此時「負點」標記反而更好用，請見接下來的說明。

變更輸贏分析的樣式

輸贏分析是一種特殊的走勢圖，用於追蹤分析不是黑、就是白，只有二元組成的事件。在輸贏分析中，正數值資料會以向上的直條、負數值會以向下的直條顯示。如果是 0，那麼就不會顯示任何直條。

這可以運用在成功或失敗的記錄。如圖 17.15 所示，這張輸贏分析所記錄的是著名的 1951 年大聯盟棒球冠軍賽中，布魯克林道奇隊和紐約巨人隊之間最後 25 場例行賽的比賽結果。圖表中顯示巨人隊是以七連勝的記錄打完了例行賽。同一時間，道奇隊的戰績則是 3-4，最後總勝場數與巨人隊打成平手，迫使季後賽必須以

三戰兩勝的方式舉行。巨人隊贏了第一場、卻輸了第二場，之後終於贏下第三場季後賽，晉級世界大賽。之後，巨人隊原本以 2-1 領先洋基隊，但最後卻連三敗輸了比賽。

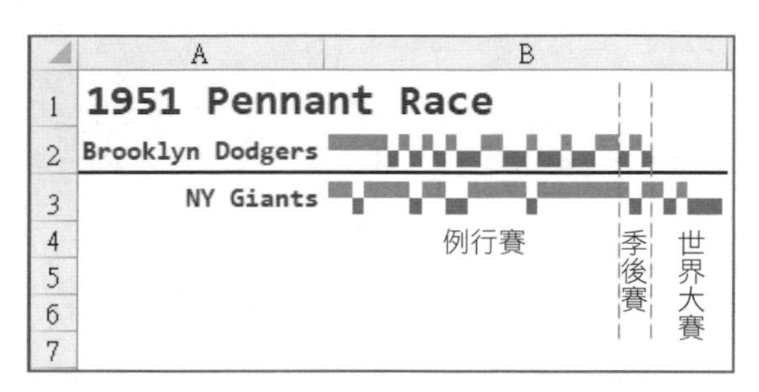

圖 17.15 這張輸贏分析圖表記錄了史上最著名的棒球冠軍賽。

Note 上圖中的「例行賽」、「季後賽」、「世界大賽」還有兩條虛線，都不是這張輸贏分析走勢圖的一部分，這些是以「插入」索引標籤中的「圖案」功能所手動額外加上去的說明。

要建立如上的圖表，呼叫 SparklineGroups.Add 然後指定走勢圖類型為 xlSparkColumnStacked100，如下所示：

```
Set SG = Range("B2:B3").SparklineGroups.Add( _
    Type:=xlSparkColumnStacked100, _
    SourceData:="C2:AD3")
```

通常贏和輸會用不同顏色來表示。最常見的是紅色代表輸，綠色代表贏。

但因為無法單獨改變向上標記的顏色，所以先把所有標記都改成綠色：

```
' 所有資料點標記以綠色顯示
SG.SeriesColor.Color = 5287936
```

然後再把負點標記改成紅色：

```
' 用紅色顯示代表輸的資料點
With SG.Points.Negative
    .Visible = True
    .Color.Color = 255
End With
```

但如果是這樣，還不如利用圖表項目中的漲跌線，至少那樣還不用額外手動設定不同顏色、而且縱軸的刻度區間也都很明確。

建立儀表板

走勢圖的優點之一是，能在有限的空間中傳達很多訊息，接下來在本章節段落中，讀者將會看到如何在一個頁面中放進一百三十張圖表。

如圖 17.16 所示，這是一份高達 180 萬列資料的資料集，在經過統計分析之後的結果。我們先用 Excel 的 PowerPivot 增益集把資料匯入，然後以下列三種方式將資料量化：

- 各分店當年各月的累計銷售額。
- 各分店去年各月的累計銷售額。
- 與去年同期相較的累計銷售額成長率百分比。

跟去年同期相比，今年的成績如何，這對於零售商來說是很重要的數據。此外，這些分析數據因為累計性質的關係，還有另一個好處：你只要比較今年和去年十二月的數據就可以知道全年營業額是下滑還是成長。

	A	B	C	D	E	F	G	H	I	J	K	L	M
1	YTD Sales - % Change from Previous Year												
2													
3	Store	Jan	Feb	Mar	Apr	May	Jun	Jul	Aug	Sep	Oct	Nov	Dec
4	Sherman	1.9%	-1.3%	-0.8%	-0.2%	-0.1%	-0.1%	0.2%	-0.1%	0.0%	0.7%	0.4%	1.1%
5	Brea Mal	6.3%	-0.5%	-0.2%	0.1%	0.1%	-0.8%	-0.1%	-0.7%	-0.5%	-0.3%	-0.5%	0.1%
6	Park Pla	4.4%	-0.8%	-0.4%	-0.5%	-0.4%	-0.4%	-0.3%	-0.8%	-0.9%	-0.6%	-1.1%	-1.5%
7	Galleria	-0.3%	-3.5%	-3.2%	-1.8%	-1.0%	-0.8%	-0.5%	-0.4%	-0.5%	-0.2%	-0.8%	-1.4%
8	Mission	7.3%	-0.1%	-1.2%	-0.8%	-0.2%	-0.3%	0.0%	0.0%	-0.2%	-0.3%	0.1%	0.1%
9	Corona [	5.2%	-0.2%	-1.0%	-0.1%	0.4%	0.6%	0.4%	0.1%	0.5%	0.8%	0.4%	0.4%
10	San Frar	0.6%	-1.8%	-2.0%	-0.9%	-0.6%	-0.9%	-0.5%	-1.1%	-0.7%	-0.6%	-0.4%	-0.5%

圖 17.16 180 萬筆記錄是海量的數據。

觀察走勢圖的特性

累積了許多走勢圖的使用經驗之後，我們可以觀察到以下的特性：

- 走勢圖是透明的，可以看穿到底下的儲存格。這代表儲存格中的填滿色彩、文字等，都會與走勢圖重疊顯示。
- 假如把字型設定得很小，並且和儲存格邊緣對齊，能讓文字看起來像走勢圖的標題或圖例。
- 假如使用自動換行功能，並讓儲存格的高度足夠容納五到十行的文字，就能在 VBA 中利用「vbLf」字元來控制文字在儲存格中的位置。
- 走勢圖在寬高較大的儲存格中效果比較好，本章所有的範例，都或多或少加大了欄寬或列高，亦或兩者皆有。

- 同時建立的走勢圖屬於同一群組。在同一群組的走勢圖中，對任何一個走勢圖設定作變動，其餘同群組的走勢圖也會一起被更動。
- 走勢圖與其資料來源可以分別位在不同的工作表中。
- 當走勢圖的四周有留空時效果較好。雖然要手動作出這個效果比較難，因為必須分別建立每一張走勢圖。所以用 VBA 來做會比較容易。

在儀表板上建立數以百計的走勢圖

在建立儀表板時可以把前述的特性納入考量。這邊我們會分別建立各個分店的走勢圖，以便讓每張走勢圖中間都間隔空白列和欄。

首先，插入一張新的工作表用來建立儀表板，然後用以下的程式碼設定儲存格的格式：

```
' 將儀表板的版面，設定為以間隔方式顯示走勢圖
For c = 1 To 11 Step 2
    WSL.Cells(1, c).ColumnWidth = 15
    WSL.Cells(1, c + 1).ColumnWidth = 0.6
Next c
For r = 1 To 45 Step 2
    WSL.Cells(r, 1).RowHeight = 38
    WSL.Cells(r + 1, 1).RowHeight = 3
Next r
```

並且以兩個變數記錄要放置下一張走勢圖的儲存格位置：

```
NextRow = 1
NextCol = 1
```

接著，找出「Data」工作表中所含的資料列數。使用迴圈從第 4 列開始走訪，直到最後一列為止。然後每一列都建立一張走勢圖。

底下的程式碼會以字串組合的方式，建立對 Data 工作表中資料列的參照，然後在建立走勢圖時，以此參照作為資料來源參數值：

```
ThisSource = "Data!B" & i & ":M" & i
Set SG = WSL.Cells(NextRow, NextCol).SparklineGroups.Add( _
    Type:=xlSparkColumn, _
    SourceData:=ThisSource)
```

現在要在資料數值 0 的位置增加水平軸。所有分店數據都落在 -5% 到 +10% 的範圍內，因此最高點的刻度設定為 0.15（也就是 15% 的意思）以便預留額外的位置給儲存格內要顯示的「標題」文字：

```
SG.Axes.Horizontal.Axis.Visible = True
```

```
With SG.Axes.Vertical
    .MinScaleType = xlSparkScaleCustom
    .MaxScaleType = xlSparkScaleCustom
    .CustomMinScaleValue = -0.05
    .CustomMaxScaleValue = 0.15
End With
```

如同前一個輸贏分析圖範例，這裡也把正向直條設定為綠色，負向直條設定為紅色：

```
' 先把所有直條設定為綠色
SG.SeriesColor.Color = RGB(0, 176, 80)
' 再把負向直條設定為紅色
SG.Points.Negative.Visible = True
SG.Points.Negative.Color.Color = RGB(255, 0, 0)
```

由於走勢圖的背景是透明的，因此我們可以在儲存格中寫上字體很小的文字，這樣看起來會很像是圖表標籤。

以下的程式碼會把分店名稱和該年度最終的增長百分比結合在一起作為圖表標題。程式會用很小的字體把這個標題置中並垂直對齊寫進儲存格：

```
ThisStore = WSD.Cells(i, 1).Value & " " & _
    Format(WSD.Cells(i, 13), "+0.0%;-0.0%;0%")
' 新增標籤
With WSL.Cells(NextRow, NextCol)
    .Value = ThisStore
    .HorizontalAlignment = xlCenter
    .VerticalAlignment = xlTop
    .Font.Size = 8
    .WrapText = True
End With
```

最後一個要設定的圖表項目是，以本年度最終的增長變化百分比是正向（成長）還是負向（下滑）來改變儲存格的填滿色彩。假如成長便填滿淡綠色；假如下滑便填滿淡紅色：

```
FinalVal = WSD.Cells(i, 13)
' 以最後結果的正負向來決定以淡綠色或淡紅色填滿儲存格
With WSL.Cells(NextRow, NextCol).Interior
    If FinalVal <= 0 Then
        .Color = RGB(255, 0, 0)
        .TintAndShade = 0.9
    Else
        .Color = RGB(197, 247, 224)
```

```
        .TintAndShade = 0.7
    End If
End With
```

在完成一張走勢圖設定後，將列與欄的位置記錄變數遞增，指向需要放置下一張走勢圖的儲存格位置：

```
NextCol = NextCol + 2
If NextCol > 11 Then
    NextCol = 1
    NextRow = NextRow + 2
End If
```

然後迴圈走訪到下一筆分店的資料。

完整的程式碼如下所示：

```
Sub StoreDashboard()
    Dim SG As SparklineGroup
    Dim SL As Sparkline
    Dim WSD As Worksheet ' Data worksheet
    Dim WSL As Worksheet ' Dashboard

    On Error Resume Next
        Application.DisplayAlerts = False
        Worksheets("Dashboard").Delete
    On Error GoTo 0

    Set WSD = Worksheets("Data")
    Set WSL = ActiveWorkbook.Worksheets.Add
    WSL.Name = "Dashboard"

    ' 將儀表板的版面，設定為以間隔方式顯示走勢圖
    For c = 1 To 11 Step 2
        WSL.Cells(1, c).ColumnWidth = 15
        WSL.Cells(1, c + 1).ColumnWidth = 0.6
    Next c
    For r = 1 To 45 Step 2
        WSL.Cells(r, 1).RowHeight = 38
        WSL.Cells(r + 1, 1).RowHeight = 3
    Next r

    NextRow = 1
    NextCol = 1
```

```
    FinalRow = WSD.Cells(Rows.Count, 1).End(xlUp).Row

    For i = 4 To FinalRow
        ThisStore = WSD.Cells(i, 1).Value & " " & _
            Format(WSD.Cells(i, 13), "+0.0%;-0.0%;0%")
        ThisSource = "Data!B" & i & ":M" & i
        FinalVal = WSD.Cells(i, 13)

        Set SG = WSL.Cells(NextRow, NextCol).SparklineGroups.Add( _
            Type:=xlSparkColumn, _
            SourceData:=ThisSource)

        SG.Axes.Horizontal.Axis.Visible = True
        With SG.Axes.Vertical
            .MinScaleType = xlSparkScaleCustom
            .MaxScaleType = xlSparkScaleCustom
            .CustomMinScaleValue = -0.05
            .CustomMaxScaleValue = 0.15
        End With

        ' 先把所有直條設定為綠色
        SG.SeriesColor.Color = RGB(0, 176, 80)
        ' 再把負向直條設定為紅色
        SG.Points.Negative.Visible = True
        SG.Points.Negative.Color.Color = RGB(255, 0, 0)

        ' 新增標籤
        With WSL.Cells(NextRow, NextCol)
            .Value = ThisStore
            .HorizontalAlignment = xlCenter
            .VerticalAlignment = xlTop
            .Font.Size = 8
            .WrapText = True
        End With

        ' 以最後結果的正負向來決定以淡綠色或淡紅色填滿儲存格
        With WSL.Cells(NextRow, NextCol).Interior
            If FinalVal <= 0 Then
                .Color = 255
                .TintAndShade = 0.9
            Else
                .Color = RGB(197, 247, 224)
                .TintAndShade = 0.7
            End If
        End With
```

```
            NextCol = NextCol + 2
            If NextCol > 11 Then
                NextCol = 1
                NextRow = NextRow + 2
            End If
        Next i
End Sub
```

最終完成的儀表板結果如圖 17.17 所示，在這樣的一張頁面上，就能夠總結 180 多萬筆的資料。

	A	B	C	D	E	F	G	H	I	J	K
1	Sherman Oaks Fashion Square +1.1%		Brea Mall +0.1%		Park Place -1.5%		Galleria at Roseville -1.4%		Mission Viejo Mall +0.1%		Corona Del Mar Plaza +0.4%
3	San Francisco Center -0.5%		Kierland Commons -0.1%		Scottsdale Fashion Square -1.2%		Valley Fair -0.5%		Bellevue Square -0.3%		Perimeter Mall +0.3%
5	Paseo Nuevo +0.6%		Topanga Plaza -0.2%		Broadway Plaza +0.2%		The Promenade Westlake -0.1%		Keystone -0.5%		Woodfield Mall -0.8%

圖 17.17　只用一頁就能簡潔分析出數百家分店的營業資料。

如果把頁面放大檢視就可以看到每個儲存格都各自傳達不同資訊。如圖 17.18 的圖表所示，像是儲存格「I33」中的 Park Meadows 分店，今年一月的績效成長很好，而且一路持續到整年各月份，年度總營業額比去年成長 0.8%。而雖然儲存格「I35」的 Lakeside 分店一月績效成長率也很不錯，但是二月開始急轉直下、三月更糟；雖然接下來勉強回到持平的 0%，但整體的年度總營業額則下滑了 0.7%。

Note　這份儀表板報表非常精美，害筆者不由得認真投入研究每張走勢圖的趨勢；但回過頭才想起來，這些不過是筆者在數週前，以「RandBetween」函數所「隨機產生」的 180 多萬筆資料而已。報表的魔力居然讓筆者認真看待了虛構的資料，真是神奇！

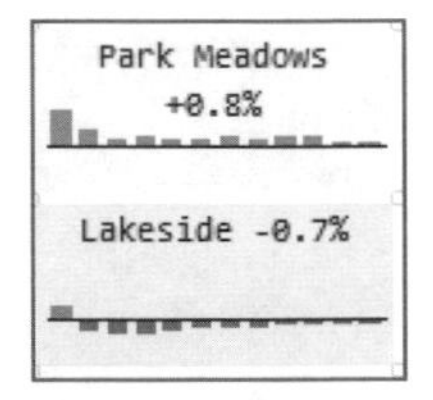

圖 17.18　放大來看兩張走勢圖的細節。

接下來的學習目標

接下來我們在《**Chapter18- 從網路上匯入匯出資料**》中將會介紹如何利用「Web 查詢」功能來從網路上自動匯入資料到 Excel 應用程式中。

Chapter 18

從網路上匯入匯出資料

在本章節中，我們將學習：

- 從網路上擷取資料
- 利用 Application.OnTime 定時分析資料
- 把資料發布到網頁上

網際網路的普及已經深深地改變了所有人的生活型態。只要有一台電腦就能隨時取得大量的資訊；此外，更可以在網頁上展示報表，讓數以百萬計的人立即查看這些資訊。

本章節將討論如何利用「Power Query 增益集」中的功能，自動從網路上擷取資料到試算表中。如何使用 VBA 來反覆呼叫同一網址，從該網頁上多個資料點擷取資料並匯集。此外，本章節還會告訴你，如何從試算表中把資料匯出到網路上。

從網際網路擷取資料

網際網路上可以取得的資料可說是上至天文下至地理，無奇不有。當我們需要從網路上擷取這些資料時，有兩種方式可以達成：一種作法是利用 Excel 使用者介面的操作建立查詢，然後再透過 VBA 來驅動並更新查詢。另外一種作法是，直接以「M 語言」（M Language）編寫查詢。Microsoft 在 Excel 2010 與 2013 版本中，加入了「Power Query」增益集，而後在 Excel 2019 版本時直接內建了此功能。當我們在使用「資料」索引標籤中「取得及轉換」群組內的「新查詢」功能時，其實就是跟之前一樣，使用以 M 語言編寫的 Power Query 增益集功能。

如果真的要從頭自行編寫從網路上匯入匯出資料的查詢操作，程式碼將會又臭又長，例如：

```
Sub CreatePowerQuery()
    ActiveWorkbook.Queries.Add Name:="Table 1", _
        Formula:="let" & Chr(13) & "" & Chr(10) & _
        " Source = Web.Page(Web.Contents(" & _
```

```
        """http://www.flightstats.com/go/FlightStatus/" & _
        "flightStatusByFlightPositionDetails.do?id=" & _
        "562694389&airlineCode=AA&flightNumber=5370""))," _
        & Chr(13) & "" & Chr(10) & " Data1 = Source{1}[Data]," _
        & Chr(13) & "" & Chr(10) & " #""Changed Type"" = " & _
        "Table.TransformColumnTypes(Data1,{{""UTC Time""," & _
        "type text}, {""Time At Departure"", type text}, " & _
        "{""Time At Arrival"", type text}, {""Spee" & _
        "d"", type text}, {""Altitude"", type text}, " & _
        "{""Latitude"", type number}, {""Longitude"", " & _
        "type number}})," & Chr(13) & "" & Chr(10) & " " & _
        "#""Removed Columns"" = Table.RemoveColumns" & _
        "(#""Changed Type"",{""UTC Time"", ""Time At " & _
        "Departure""})," & Chr(13) & "" & Chr(10) & _
        " #""Split Column by Position"" = Table.Split" & _
        "Column(#""Removed Columns"",""Time At Arrival""," & _
        "Splitter.SplitTextByPositions({0, 6}, false),"
    Formula = Formula & _
        "{""Time At Arrival.1"", ""Time At Arrival.2""})," & Chr(13) & _
        "" & Chr(10) & " #""Changed Type1"" = " & _
        "Table.TransformColumnTypes(#""Split Column by " & _
        "Position"",{{""Time At Arrival.1"", type date}," & _
        "{""Time At Arrival.2"", type time}})," & Chr(13) & _
        "" & Chr(10) & " #""Removed Columns1"" = " & _
        "Table.RemoveColumns(#""Changed Type1"",{""Time At Arrival.1" _
        "})," & _
        Chr(13) & "" & Chr(10) & " #""Split Column by Delimiter"" = " & _
        "Table.SplitColumn(#""Removed Columns1"",""Spe" & _
        "ed"",Splitter.SplitTextByEachDelimiter({"" ""}, " & _
        "null, false),{""Speed.1"", ""Speed.2""})," & Chr(13) & _
        "" & Chr(10) & " #""Changed Type2"" = " & _
        "Table.TransformColumnTypes(#""Split Column by Delimiter""," & _
        "{{""Speed.1"", Int64.Type}, {""Speed.2"", type text}})," & _
        Chr(13) & "" & Chr(10) & " #""Removed Columns2"" = " & _
        "Table.RemoveColumns(#""Changed Type2"",{""Speed.2""})," & _
        Chr(13) & "" & Chr(10) & " #""Split Column by Delimiter1"" " & _
        "= Table.SplitColumn(#""Removed Columns2""," & _
        """Altitude"",Splitter.SplitTextByEachDelimiter({"" ""}, " & _
        "null, false),{""Altitude.1"", ""Altitude.2""})," & _
        Chr(13) & "" & Chr(10) & " #""Changed Type3"" = "
    Formula = Formula & "Table.TransformColumnTypes(#""Split " & _
        "Column by Delimiter1""," & _
        "{{""Altitude.1"", Int64.Type}, {""Altitude.2"",
            type text}})," & _
        Chr(13) & "" & Chr(10) & " #""Removed Columns3"" = " & _
```

```
        "Table.RemoveColumns(#""Changed Type3"",{""Altitude.2""})" & _
        Chr(13) & "" & Chr(10) & "in" & Chr(13) & "" & Chr(10) & " " & _
        " #""Removed Columns3"""
    Sheets.Add After:=ActiveSheet
    With ActiveSheet.ListObjects.Add(SourceType:=0, _
        Source:="OLEDB;Provider=Microsoft.Mashup.OleDb.1;" & _
        "Data Source=$Workbook$;Location=Table1", _
        Destination:=Range("$A$1")).QueryTable .CommandType = xlCmdSql
        .CommandText = Array("SELECT * FROM [Table 1]")
        .RowNumbers = False
        .FillAdjacentFormulas = False
        .PreserveFormatting = True
        .RefreshOnFileOpen = False
        .BackgroundQuery = True
        .RefreshStyle = xlInsertDeleteCells
        .SavePassword = False
        .SaveData = True
        .AdjustColumnWidth = True
        .RefreshPeriod = 0
        .PreserveColumnInfo = False
        .ListObject.DisplayName = "Table_1"
        .Refresh BackgroundQuery:=False
    End With
    Selection.ListObject.QueryTable.Refresh BackgroundQuery:=False
End Sub
```

因此，最簡單的作法還是先透過 Power Query 介面，建立好查詢作業後，再以程式碼來驅動更新查詢，如下所示：

```
Sub RefreshPowerQuery()
    ActiveWorkbook.RefreshAll
End Sub
```

用 VBA 建立多次查詢

假設我們今天想從一個氣象歷史資料的網站上收集資料（爬蟲），比如說，在「http://www.wunderground.com/history/airport/KCAK/2018/6/17/DailyHistory.html」這個網頁上，有各大機場每小時的氣象資料。網址中的「KCAK」字樣是國際民航組織代碼（ICAO code），代表的是美國（地區代碼為 K）在俄亥俄州的阿克倫坎頓機場（IATA 機場代碼為 CAK），而 2018/6/17 代表的就是 2018 年 6 月 17 日。因此不難理解，我們能夠以機場代碼與日期，組合出網址，從這個網站走訪氣象資料。

這個爬資料的流程是：首先新建出 Power Query 查詢作業、驅動並更新查詢，然後把取得的資料複製到一張新建的工作表中，最後把 Power Query 查詢作業刪除。接著再往下一個要查詢的機場或日期繼續走訪。

假設我們要收集 24 個月的氣象資料，那麼就要執行上述這個流程 700 次以上，要是這個流程以人工手動來執行，將會天昏地暗。

首先我們要來處理網址的組合。網址的第一部分因為是固定的，所以可以直接寫死：

```
"URL;http://www.wunderground.com/history/airport/K"
```

第二部分是除了地區代碼以外的三碼 IATA 機場代碼，如果你要走訪多個機場那麼這部分就會是變動的：

CAK

第三部分是以斜線與「YYYY/M/D」格式的日期組成，最後再額外加上一條斜線：

```
/2018/6/17/
```

最後也是可以寫死的固定部分：

```
"DailyHistory.html"
```

首先新增一張工作表，建立一個用來放置資料輸出的表格。在 A2 儲存格中，輸入你想要查詢的起始日期，接著利用「填滿」功能讓日期自動遞增到今日為止。

接著在隔壁的 B2 儲存格，輸入公式「="/"&Text(A2,"YYYY/M/D")&"/"」。

在工作表的第一列，你可以寫下一些方便閱讀欄位標題，以便辨識資料。

爬梳查詢的資料

接下來就是對資料做出抉擇、去蕪存菁的時候了。這個「Weather Underground」網站上的資料格式基本上都不太會有更動，就算我查詢的是位處根本不會下雪的夏威夷群島中、茂宜島（Maui）的 JHM 機場（卡帕露亞，西茂宜島機場），網站都還是會顯示出降雪量數據這一資訊。因此，只要你能夠確定類似資訊欄位（例如，降雨量）一定會出現在查詢結果的 B28 儲存格中，就可以直接寫一個巨集，從該儲存格擷取資料。但保險起見，我們還是以查找公式從整份工作表的開頭開始，找出所需資料的欄位標籤，再把資料擷取出來。如圖 18.1 所示，這邊利用了「VLOOKUP」公式，分別從網頁查詢結果中擷取出最高溫、最低溫、降雨量，以及降雪量等資訊。

G	H	I	J	K	L
				High	Low
Words in web page results:				Max Temperature	Min Temperature
			Result:	81 °F	68 °F
			Formula:	=VLOOKUP(K2,Web!$A:$B,2,FALSE	=VLOOKUP(L2,Web!$A:$B,2,FALSI

圖 18.1 在查詢結果工作表開頭，以 VLOOKUP 公式擷取出需要的資料。

Note 資料位於網頁上的格式，比一般人所想的還要容易發生變動。例如，如果今天要擷取的是姓名與地址等資訊，那麼就會發現，有的地址以三行顯示、有的則會顯示為四行格式；然後再隔一行後，才是接續後面的其他資料。甚至有的股市資料網站還會根據現在是開市、還是閉市，而以不同格式展示資料。因此如果你是在下午 03:45 啟動查詢作業，那可能執行到下午 04:00 就會當掉了。也因為如此，最好還是以 VLOOKUP 語法多作一層保障，以便確認你能夠從網頁查詢結果中，獲取正確的資料。

在已錄製好的 Power Query 查詢作業程式碼前頭，加上如下程式碼：

```
Dim WSD as worksheet
Dim WSW as worksheet
Set WSD = Worksheets("Data")
Set WSW = Worksheets("Web")
FinalRow = WSD.Cells(Rows.Count, 1).End(xlUp).Row
```

然後以如下迴圈，走訪查詢作業，查詢所有資料：

```
For i = 2 to FinalRow
    ThisDate = WSD.Cells(I, 2).value
    ' 組合出查詢網址
    CS = "URL: URL;http://www.wunderground.com/history/airport/KCAK"
    CS = CS & ThisDate & "DailyHistory.html"
```

然後在查詢結果要寫入工作表之前，先把爬梳出來的資料搬到右側去。接著把已爬梳完成的查詢結果區域清空：

```
For Each qt In WSD.QueryTables
    qt.Delete
Next qt
WSD.Range("A10:A300").EntireRow.Clear
```

接著就能修改先前錄製好的查詢作業程式碼，把「QueryTables.Add」這一行的內容，修改為如下所示：

```
With WSD.QueryTables.Add(Connection:= CS, Destination:=WSW.Range("A10"))
```

在查詢作業結尾加上幾行程式碼，更新報表上 VLOOKUP 公式的執行結果，複製結果，然後完成迴圈的編寫：

```
    WSW.Calculate
    WSD.Cells(i, 3).Resize(1, 4).Value = WSW.Range("B4:E4").Value
Next i
```

第一遍先以「偵錯」選單中的「逐行」選項執行方式，確認程式碼的運作無誤。這邊應該會注意到每次 .Refresh 執行起來可能要花上 5 到 10 秒的時間，因此，抓取 2 到 3 年的網頁記錄，可能要花上一小時左右。之後你大可以放著巨集讓它自動執行，人先去吃個午餐，回來就能看到一份完美的資料集了。

完整的程式碼

在最後版本的巨集中，筆者停用了畫面更新，並在下方狀態列中顯示目前巨集已處理到第幾列的進度資訊。此外，也從錄製下來的查詢作業程式碼中，刪除了一些不必要的屬性設定動作：

```
Sub GetData()
    Dim WSD As Worksheet
    Dim WSW As Worksheet
    Set WSD = Worksheets("Data")
    Set WSW = Worksheets("Web")
    FinalRow = WSD.Cells(Rows.Count, 1).End(xlUp).Row

    For i = 1 To FinalRow
        ThisDate = WSD.Cells(i, 2).Value
        ' 組合出查詢網址
        CS = "URL;http://www.wunderground.com/history/airport/KCAK/"
        CS = CS & ThisDate
        CS = CS & "DailyHistory.html"
        ' 先清除前一次的查詢結果
        For Each qt In WSW.QueryTables
            qt.Delete
        Next qt
        WSD.Range("A10:A300").EntireRow.Clear

        With WSW.QueryTables.Add(Connection:=CS, _
            Destination:=Range("$A$10"))
            .Name = "DailyHistory"
            .FieldNames = True
            .RowNumbers = False
            .FillAdjacentFormulas = False
            .PreserveFormatting = True
            .RefreshOnFileOpen = False
```

```
            .BackgroundQuery = True
            .RefreshStyle = xlInsertDeleteCells
            .SavePassword = False
            .SaveData = True
            .AdjustColumnWidth = True
            .RefreshPeriod = 0
            .WebSelectionType = xlEntirePage
            .WebFormatting = xlWebFormattingNone
            .WebPreFormattedTextToColumns = True
            .WebConsecutiveDelimitersAsOne = True
            .WebSingleBlockTextImport = False
            .WebDisableDateRecognition = False
            .WebDisableRedirections = False
            .Refresh BackgroundQuery:=False
        End With

        WSD.Range("K3:N3").FormulaR1C1 = _
            "=VLOOKUP(R[-1]C,Web!C1:C2,2,FALSE)"
        WSD.Cells(i, 3).Resize(1, 4).Value = _
            WSD.Range("K3:N3").Value
    Next i
End Sub
```

一小時之後，巨集就會從數以百計的網頁中完成資料擷取了（如圖 18.2 所示）。

	A	B	C	D	E	F
1	Date	Format	High	Low	Rain	Snow
2	2018/6/27	/2018/6/27/	70 °F	66 °F	0	0
3	2018/6/26	/2018/6/26/	82 °F	55 °F	0	0
4	2018/6/25	/2018/6/25/	80 °F	60 °F	0	0
5	2018/6/24	/2018/6/24/	81 °F	63 °F	0	0
6	2018/6/23	/2018/6/23/	79 °F	66 °F	0	0
7	2018/6/22	/2018/6/22/	73 °F	65 °F	0	0
8	2018/6/21	/2018/6/21/	81 °F	59 °F	0	0
9	2018/6/20	/2018/6/20/	81 °F	65 °F	0	0
10	2018/6/19	/2018/6/19/	81 °F	68 °F	0	0

圖 18.2 執行 Web 查詢數百次所得到的結果。

用 Web 查詢功能從網站上擷取資料的實例

筆者在過去數年來經常使用 Web 查詢這個功能。以下是幾個實例：

- 搜尋財星 1000 大企業財務長的名字和公司地址，以便向他們推廣自己的 Power Excel 研討會。

- 為筆者所屬的出版協會建立會員名冊（原本已經有紙本的名冊，但是電子版的名冊更方便用來篩選，以及找出特定城市的出版商）。
- 建立美國所有公共圖書館的郵寄地址。
- 建立 Chipotle 連鎖餐廳的完整分店清單（後來這些分店都被輸入到我的 GPS 導航中了，這段故事或許將來會寫進尚未動筆的另一本《**Microsoft MapPoint**》書中）。

使用 Application.OnTime 定時分析資料

VBA 也提供了一個 OnTime 方法，可以設定在一天的特定時間、或是每經過了多少時間之後，就執行 VBA 程序。

我們可以寫一個固定每小時擷取資料一次的巨集，這個巨集就需要把時間寫死。如下所示，以下的程式碼會固定每小時整點從指定的網站擷取資料：

```
Sub ScheduleTheDay()
    Application.OnTime EarliestTime:=TimeValue("8:00 AM"), _
        Procedure:= "CaptureData"
    Application.OnTime EarliestTime:=TimeValue("9:00 AM"), _
        Procedure:= "CaptureData"
    Application.OnTime EarliestTime:=TimeValue("10:00 AM"), _
        Procedure:= "CaptureData"
    Application.OnTime EarliestTime:=TimeValue("11:00 AM"), _
        Procedure:= "CaptureData"
    Application.OnTime EarliestTime:=TimeValue("12:00 AM"), _
        Procedure:= "CaptureData"
    Application.OnTime EarliestTime:=TimeValue("1:00 PM"), _
        Procedure:= "CaptureData"
    Application.OnTime EarliestTime:=TimeValue("2:00 PM"), _
        Procedure:= "CaptureData"
    Application.OnTime EarliestTime:=TimeValue("3:00 PM"), _
        Procedure:= "CaptureData"
    Application.OnTime EarliestTime:=TimeValue("4:00 PM"), _
        Procedure:= "CaptureData"
    Application.OnTime EarliestTime:=TimeValue("5:00 PM"), _
        Procedure:= "CaptureData"
End Sub

Sub CaptureData()
    Dim WSQ As Worksheet
    Dim NextRow As Long
    Set WSQ = Worksheets("MyQuery")
```

```
    ' 驅動並更新網頁查詢
    WSQ.Range("A2").QueryTable.Refresh BackgroundQuery:=False
    ' 等待查詢作業完成
    Application.Wait Now + TimeValue("0:00:10")
    ' 將查詢所得的資料複製到另外一列
    NextRow = WSQ.Cells(Rows.Count, 1).End(xlUp).Row + 1
    WSQ.Range("A2:B2").Copy WSQ.Cells(NextRow, 1)
End Sub
```

排程程序需要就緒模式

OnTime 方法要能順利執行的唯一條件是，到了執行的排定時間時，Excel 必須處於「就緒」、「複製剪貼」或「尋找及取代」等模式下。假如在上午 07:59:55 開始編輯一個儲存格，並且一直處於「編輯」模式的話，到了原訂應該開始執行 CaptureData 巨集的上午 08:00 時，Excel 是無法開始執行程式的。

在前述的程式碼範例中，筆者只有設定開始執行程序的時間，因此 Excel 會一直不斷等待，直到工作表回復到「就緒」模式之後，才會盡速執行排程。

最常發生的狀況是，使用者在上午 07:59 開始編輯一個儲存格，接著主管就走進來、把你找去開臨時會議。假如你把工作表留在「編輯」模式就去開會，到上午 10:30 才回到座位，這個程式就會錯過三次更新。一旦使用者回到座位上，按了 <Enter> 鍵跳出編輯模式，此時程式就會一口氣、把之前錯過的三次更新通通完成。以前述的程式碼範例而言，遇到這個狀況時，就會發現這三次更新的資料都集中在上午 10:30 到上午 10:31 之間。

指定作業執行的時間段

另一個可行的方法是，給 Excel 指定一個該執行作業的時間段。以下的程式碼會告訴 Excel 在上午 08:00 到 08:05 之間才需要執行作業：

```
Application.OnTime EarliestTime:=TimeValue("8:00 AM"), _
    Procedure:= "CaptureData ", _
    LatestTime:=TimeValue("8:05 AM")
```

假如這五分鐘 Excel 都處於「編輯」模式的話，作業就會從此被略過。

取消已排程的巨集

要撰寫取消之前排程的巨集並不容易。首先必須知道巨集排定的確切執行時間。取消擱置作業的方法是，再次呼叫 OnTime 方法，並且以 Schedule:=False 參數來取消排程。以下的程式碼會取消上午 11:00 的 CaptureData 執行：

```
Sub CancelEleven()
    Application.OnTime EarliestTime:=TimeValue("11:00 AM"), _
        Procedure:= "CaptureData", Schedule:=False
End Sub
```

OnTime 排程是由執行中的 Excel 執行個體管理。假如你只是關閉了含有排程程序巨集的活頁簿、但檯面上這個 Excel 執行作業階段還開著，該排程依舊會被執行。以下是一個假設的狀況：

1. 上午 07:30 打開 Excel 軟體。
2. 開啟「Schedule.xlsm」執行巨集、將一個作業排程在上午 08:00 執行。
3. 關閉「Schedule.xlsm」，但 Excel 仍然執行中。
4. 開啟新的活頁簿，開始輸入資料。

於是等上午 08:00 一到，Excel 會自動把 Schedule.xlsm 打開，執行已排定的巨集。但 Excel 不會自動關閉 Schedule.xlsm，如果這不在使用者預料之中的話，肯定是一件很惱人的事。因此若是會頻繁利用到 Application.OnTime，應該要以一個單獨的 Excel 執行個體去執行排程，然後你自己在另一個 Excel 執行個體中作其他工作。

Note 當你要使用巨集去設定在一段時間後執行另一個巨集的排程，可以選一個不會用到的儲存格來記錄所設定的時間，以便在需要取消排程時有所依據。細節請參考後續「把巨集排定在 X 分鐘之後執行」的內容。

關閉 Excel 執行個體，取消所有排程作業

如果你以「檔案」索引標籤下的「關閉」選項，結束 Excel 軟體，那麼所有已排程的巨集作業都會被取消。萬一你想要取消的是排程執行時間點不明的作業，那麼結束 Excel 執行個體是你唯一可以防止該巨集作業執行的方式。

把巨集排定在 X 分鐘之後執行

你可以把巨集作業排程在一段時間之後執行。如下範例巨集所示，利用 TIME 函數來取得現在時間後，再往上加兩分鐘三十秒，到你預定要執行的時間點。於是以下程式碼會將作業排程在兩分三十秒之後開始：

```
Sub ScheduleAnything()
    ' 你可以利用這個巨集來排程任何作業
    WaitHours = 0
    WaitMin = 2
    WaitSec = 30
    NameOfScheduledProc = "CaptureData"
```

```
    ' --- 設定區段結尾 -------

    ' 找出應排程的執行時間點
    NextTime = Time + TimeSerial(WaitHours, WaitMin, WaitSec)

    ' 將目標程序排入排程當中
    Application.OnTime EarliestTime:=NextTime,
Procedure:=NameOfScheduledProc
End Sub
```

不過之後如果有需要取消這個已排程的作業，卻是難上加難。因為我們不清楚用 TIME 函數所擷取出來的時間點為何。因此建議可以把這個時間值，記錄在一個不會被用到的儲存格中：

```
Sub ScheduleWithCancelOption
    NameOfScheduledProc = "CaptureData"

    ' 找出應排程的執行時間點
    NextTime = Time + TimeSerial(0,2,30)
    Range("ZZ1").Value = NextTime

    ' 將目標程序排入排程當中
    Application.OnTime EarliestTime:=NextTime, _
        Procedure:=NameOfScheduledProc
End Sub

Sub CancelLater()
    NextTime = Range("ZZ1").value
    Application.OnTime EarliestTime:=NextTime, _
        Procedure:=CaptureData, Schedule:=False
End Sub
```

排程的語音提醒

Excel 的「文字轉換語音」是很有趣的功能。例如，底下這份巨集會設定一個排程，然後以語音提醒你，該去開會了：

```
Sub ScheduleSpeak()
    Application.OnTime EarliestTime:=TimeValue("9:14 AM"), _
        Procedure:="RemindMe"
End Sub

Sub RemindMe()
    Application.Speech.Speak _
```

```
        Text:=" 該去開會了比爾 "
End Sub
```

這可以用來對主管作個小小的惡作劇。排定一個時間讓 Excel 自動啟用「讀出儲存格」功能，如下步驟所示：

1. 邀請主管，說你要在 4 月 1 日（愚人節）當天請他出去吃午餐。
2. 然後當天早上趁主管不在座位上（例如，去倒咖啡時）執行如下所示的 ScheduleSpeech 巨集。把巨集設定在你們去吃午餐後的十五分鐘啟動。
3. 把你主管帶出門吃飯。
4. 等你們去吃飯時，已排程的巨集就會啟動。
5. 等主管回來上班，開始在 Excel 中輸入資料時，電腦就會即時念出主管所輸入的每一筆資料。就像美劇《**星艦迷航記**》中，電腦會複述烏瑚拉上尉所下達的每一條命令一樣。

這時還可以假裝無辜，畢竟在惡作劇開始發生時，你們可是有完美不在場證明的。整段程式碼如下所示：

```
Sub ScheduleSpeech()
    Application.OnTime EarliestTime:=TimeValue("12:15 PM"), _
        Procedure:="SetUpSpeech"
End Sub

Sub SetupSpeech()
    Application.Speech.SpeakCellOnEnter = True
End Sub
```

Note 要關閉「讀出儲存格」功能的方法有兩種：一種是從 Excel「自訂快速存取工具列」對話方塊中，從「不在功能區的命令」群組內，找到「讀出儲存格 - 停止讀出儲存格」按鈕。或者是，透過 VBA 程式，把 SetupSpeech 巨集中的 True 值改為 False 後再執行一次。

每兩分鐘執行一次的巨集排程

假設我們今天想要讓 Excel 每兩分鐘就執行一次巨集。不過，我們也不希望萬一不巧因為臨時開會而把活頁簿留在「編輯」模式下、導致排程作業被推遲，而之後回到「就緒」模式時，一下子就發動幾十次作業。

簡單的解決方法就是寫一個 ScheduleAnything 程序，以遞迴方式，將自己排入兩分鐘之後的排程作業中。如以下程式碼所示，會將自己排定在兩分鐘後再執行一次，每次在排程後都會呼叫 CaptureData 程序：

```
Sub ScheduleAnything()
    ' 你可以利用這個巨集來排程任何作業
    ' 在這邊設定每隔多少分鐘或小時後，就要再執行一次
    WaitHours = 0
    WaitMin = 2
    WaitSec = 0
    NameOfThisProcedure = "ScheduleAnything"
    NameOfScheduledProc = "CaptureData"
    ' --- 設定區段結尾 -------

    ' 找出應排程的執行時間點
    NextTime = Time + TimeSerial(WaitHours, WaitMin, WaitSec)

    ' 將目標程序排入排程當中
    Application.OnTime EarliestTime:=NextTime, _
        Procedure:=NameOfThisProcedure

    ' 執行作業
    Application.Run NameOfScheduledProc
End Sub
```

這種方法的好處是，不需要一次就設定好之後的幾千幾萬次作業；每次都只會把下一次的作業排入排程當中。因此，如果之後決定不想再每 15 秒就看一次國債市場資訊，就只需要註解掉 Application.OnTime 這一行程式碼，然後等 15 秒後執行最後一次更新即可。

把資料發布到網頁上

我們在本章節中介紹了許多關於從網路上獲取、匯入資料的細節，但其實也可以反過來，把資料匯出到網路上。本章節段落將探討此點。

先前在《**Chapter11- 以進階篩選進行資料探勘**》我們曾在「RunReportForEachCustomer」這個巨集範例中，示範過如何針對公司中所有客戶都個別產製報表。但產製完成的報表，除了可以列印出來、傳真給需要的人之外，要是能夠將 Excel 檔案轉成 HTML 網頁、把報表結果直接張貼到公司內網上的話，那麼客服單位就能立即根據最新的報表做出反應了。

在 Excel 使用者介面中，我們可以很容易地把報表另存為網頁，建立這份資料的 HTML 檢視畫面。

在 Excel 2019 版本，從「檔案」索引標籤下的「另存新檔」對話方塊中，在「存檔類型」下拉式選單內，選取「網頁 (*.htm;*.html)」項目。你還可以設定要顯示在視窗標題列的標題文字，也就是網頁本身在瀏覽器上會顯示的標題。只要點

擊下方的「變更標題」按鈕，就能修改網頁「<Title>」標籤的內容。最後，請為網頁檔案取名，並且以「.htm」或「.html」副檔名格式結尾後，點擊「儲存」按鈕。

你可以用任意網頁瀏覽器開啟這份檔案，網頁會正確地顯示與報表相同的字型大小、數值資料格式等設定，如圖 18.3 所示。

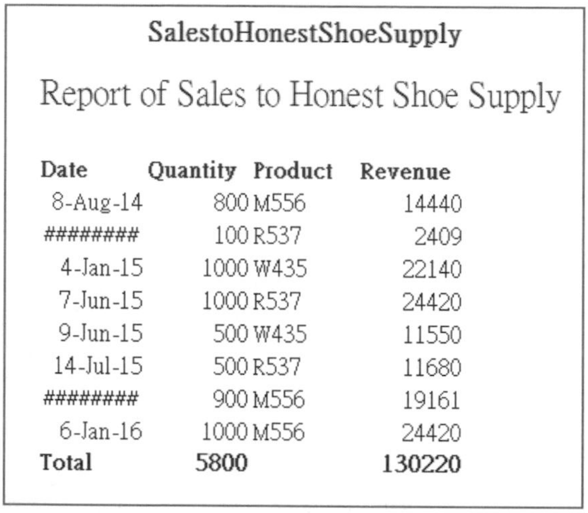

SalestoHonestShoeSupply

Report of Sales to Honest Shoe Supply

Date	Quantity	Product	Revenue
8-Aug-14	800	M556	14440
########	100	R537	2409
4-Jan-15	1000	W435	22140
7-Jun-15	1000	R537	24420
9-Jun-15	500	W435	11550
14-Jul-15	500	R537	11680
########	900	M556	19161
6-Jan-16	1000	M556	24420
Total	**5800**		**130220**

圖 18.3 儲存為網頁後，格式上與原來的工作表仍舊相差無幾。

如果我們以第十一章範例中使用 WBN.SaveAs 的段落作為示範，那麼只要作如下修改，就能輸出成網頁了：

```
HTMLFN = "C:\Intranet\" & ThisCust & ".html"
On Error Resume Next
    Kill HTMLFN
On Error GoTo 0
With WBN.PublishObjects.Add( _
    SourceType:=xlSourceSheet, _
    Filename:=HTMLFN, _
    Sheet:="Sheet1", _
    Source:="", _
    HtmlType:=xlHtmlStatic, _
    DivID:="A", _
    Title:="Sales to " & ThisCust)
    .Publish True
    .AutoRepublish = False
End With
```

雖然在圖 18.3 中，資料在格式上設定並未差距太大，但整體看來不夠驚豔；具例來說，上面沒有公司的商標圖樣，也沒有提供一個導覽列、方便使用者繼續往下查看其他報表。

使用 VBA 來建立自訂網頁

早在 Excel 開始提供另存為網頁的功能之前，許多使用者早就懂得運用 VBA 來把 Excel 資料以 HTML 形式發布出去了。這樣作的好處是，可以自行加上 HTML 語法，顯示公司商標圖樣或導覽列等額外內容與功能。

一般我們常見的網頁，通常會包含如下要素：

- 在網頁上方顯示商標圖樣、在側邊顯示導覽列
- 網頁本身要呈現的內容
- 其他用以完善 HTML 網頁的程式碼內容

以下的巨集會讀取 HTML 網頁背後的程式碼內容，並匯入到 Excel 中：

```
Sub ImportHTML()
    ThisFile = "C:\Intranet\schedule.html"
    Open ThisFile For Input As #1
    Ctr = 2
    Do
        Line Input #1, Data
        Worksheets("HTML").Cells(Ctr, 2).Value = Data
        Ctr = Ctr + 1
    Loop While EOF(1) = False
    Close #1
End Sub
```

只要像這樣，直接把網頁本身的純文字格式內容匯入 Excel 中，就算不懂 HTML 語法，通常也能找到第一行含有網頁本身內容的程式碼。

在 Excel 中仔細檢視這些 HTML 程式碼。把網頁本身內容之前，用來建構出網頁開頭的程式碼複製下來，複製到取名為 Top 的工作表中。再把網頁本身內容之後，用來建構出網頁結尾部分的程式碼，複製到取名為 Bottom 的工作表中。

於是 VBA 中的流程就成為了：把 Top 工作表的內容寫到網頁上、把報表工作表的內容接續寫到網頁上、最後再把 Bottom 工作表的內容也寫進網頁就好了。

用 Excel 作為內容管理系統

全球有大約五億人都會使用 Excel，而世界各地的公司都在使用 Excel 處理資料，這些公司內許多人也都習慣於用 Excel 管理資料。但要這些人全部從頭學習編寫

HTML 網頁程式碼既費時又費力，何不建立一個內容管理系統來把這些 Excel 資料轉成自訂網頁呢？

讀者手上大概也會有一些需要張貼到網路上的 Excel 資料。如前所述，你可以利用上面那段「ImportHTML」巨集，把心儀的 HTML 網頁讀入 Excel 後，只要保留網頁中開頭與結尾的部分，接著就能只把網頁本身內容的部分、替換為報表內容。用這些工具來建立內容管理系統其實非常簡單，就讓筆者示範給各位讀者看。除了現有的報表外，我們新增兩張工作表。在名為 Top 的工作表中，儲存了用於建構網頁導覽列所需的 HTML 程式碼；在名為 Bottom 的工作表中，則儲存了建構網頁結尾所需的 HTML。Bottom 工作表的內容如圖 18.4 所示。

	A	B
1	Sequenc	Content
2	1	</UL></p>
3	2	
4	3	
5	4	Contact: Bill Jelen P.O. Box 82, Uniontown, OH 44685;
6	5	online at: www.mrexcel.com ; and by email at Bill@mrexcel.com
7	6	</p>
8	7	
9	8	<center>###</center>
10	9	
11	10	
12	11	
13	12	</p>
14	13	</font>
15	14	<p></td>
16	15	</tr>
17	16	</table>
18	17	</td>
19	18	</tr>
20	19	</table>
21	20	
22	21	<p align="center"><font size="1" color="#1E2463">Excel is a registered trademark
23	22	of the Microsoft® Corporation. MrExcel is a registered trademark of Tickling Keys,Inc.</font></p>
24	23	<p align="center"><font size="1" color="#1E2463">All contents Copyright
25	24	
26	25	1998-2015 by MrExcel Consulting.</font></p>
27	26	</font></p>
28	27	
29	28	</body>
30	29	
31	30	</html>

圖 18.4 世界各地有這麼多企業在使用 Excel 管理與更新各式各樣的資料。何不把 Excel 再稍微加上一點 VBA 程式碼，就能從 Excel 製作出自訂的 HTML 網頁？

這份巨集程式碼會以純文字格式檔案的形式，開啟名為 directory.html 作為輸出目標。第一步，先將所有在 Top 工作表中的 HTML 程式碼內容寫出到檔案內。接著，以迴圈走訪會員清單，把每一資料列都寫到檔案中。最後，結束迴圈後，把 Bottom 工作表中的 HTML 內容也寫到檔案去。

```
Sub WriteMembershipHTML()
    ' 輸出成網頁
    Dim WST As Worksheet
    Dim WSB As Worksheet
```

```
Dim WSM As Worksheet
Set WSB = Worksheets("Bottom")
Set WST = Worksheets("Top")
Set WSM = Worksheets("Membership")

' 活頁簿所在檔案路徑位置
MyPath = ThisWorkbook.Path

LineCtr = 0

FinalT = WST.Cells(Rows.Count, 1).End(xlUp).Row
FinalB = WSB.Cells(Rows.Count, 1).End(xlUp).Row
FinalM = WSM.Cells(Rows.Count, 1).End(xlUp).Row

MyFile = "sampleschedule.html"

ThisFile = MyPath & Application.PathSeparator & MyFile
ThisHostFile = MyFile

' 先刪除前次輸出結果
On Error Resume Next
    Kill (ThisFile)
On Error GoTo 0

' 網頁標題
ThisTitle = "<Title>LTCC 會員清單 </Title>"
WST.Cells(3, 2).Value = ThisTitle

' 開啟輸出用的檔案
Open ThisFile For Output As #1

' 將網頁上半部的 HTML 程式碼輸出到檔案
For j = 2 To FinalT
    Print #1, WST.Cells(j, 2).Value
Next j

' 走訪會員資料，將每一筆資料都寫出成一行到 HTML 檔案中
For j = 2 To FinalM
    ' 在會員姓名資料加上清單標籤
    Print #1, "<li>" & WSM.Cells(j, 1).Value
Next j

' 加上檔案建立的時間戳記
Print #1, " 此網頁於 " & Format(Date, "mmmm dd, yyyy") & _
    " " & Format(Time, "h:mm AM/PM") & " 建立 "
```

```
    ' 將網頁下半部的 HTML 程式碼輸出到檔案
    For j = 2 To FinalB
        Print #1, WSB.Cells(j, 2).Value
    Next j

    ' 關閉輸出用的檔案
    Close #1

    Application.StatusBar = False
    Application.CutCopyMode = False
    MsgBox "web pages updated"
End Sub
```

完成的網頁如圖 18.5 所示。與 Excel 以另存為網頁功能所輸出的一般頁面格式相比，這個網頁看起來好多了，也可以與公司內部其他網頁的質感相符。

這類產製系統提供許多好處。負責維護這些資料的人已經熟悉 Excel 的使用，長久以來也已經習慣於用 Excel 在日常工作中管理這些資料。現在同樣只要繼續專注於管理這些資料，但多點一個按鈕後、便能產製出新版的報表網頁格式。

當然，負責公司網站的設計師，並不知道我們是使用 Excel 在製作這份網頁的。不過就算設計師某天決定要更改網站版面設計，我們也只要把新版網頁的範例頁面（例如，sample.html）下載下來，用記事本之類的軟體打開，接著把新版本的 Top 與 Bottom 內容複製到工作表內即可。

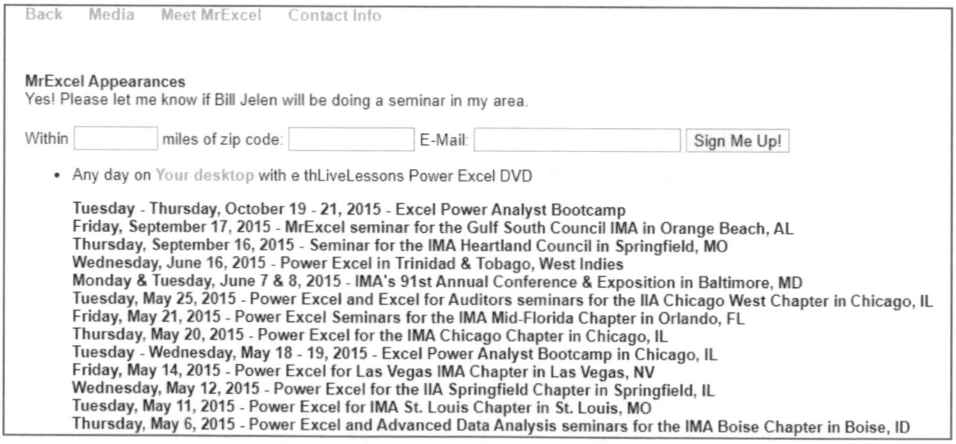

Back Media Meet MrExcel Contact Info

MrExcel Appearances
Yes! Please let me know if Bill Jelen will be doing a seminar in my area.

Within [ ] miles of zip code: [ ] E-Mail: [ ] Sign Me Up!

- Any day on Your desktop with e thLiveLessons Power Excel DVD

Tuesday - Thursday, October 19 - 21, 2015 - Excel Power Analyst Bootcamp
Friday, September 17, 2015 - MrExcel seminar for the Gulf South Council IMA in Orange Beach, AL
Thursday, September 16, 2015 - Seminar for the IMA Heartland Council in Springfield, MO
Wednesday, June 16, 2015 - Power Excel in Trinidad & Tobago, West Indies
Monday & Tuesday, June 7 & 8, 2015 - IMA's 91st Annual Conference & Exposition in Baltimore, MD
Tuesday, May 25, 2015 - Power Excel and Excel for Auditors seminars for the IIA Chicago West Chapter in Chicago, IL
Friday, May 21, 2015 - Power Excel Seminars for the IMA Mid-Florida Chapter in Orlando, FL
Thursday, May 20, 2015 - Power Excel for the IMA Chicago Chapter in Chicago, IL
Tuesday - Wednesday, May 18 - 19, 2015 - Excel Power Analyst Bootcamp in Chicago, IL
Friday, May 14, 2015 - Power Excel for Las Vegas IMA Chapter in Las Vegas, NV
Wednesday, May 12, 2015 - Power Excel for the IIA Springfield Chapter in Springfield, IL
Tuesday, May 11, 2015 - Power Excel for IMA St. Louis Chapter in St. Louis, MO
Thursday, May 6, 2015 - Power Excel and Advanced Data Analysis seminars for the IMA Boise Chapter in Boise, ID

圖 18.5 只用 Excel 就能建立出簡單的內容管理系統，產製出網頁來。而且網頁的外觀與格式，都與網站其他頁面一致。完全不需要什麼複雜的網頁查詢功能，Excel 就能作到這一點。

而且，與使用 Excel 另存為網頁功能的結果相較，這種作法的檔案大小還比較小：大約只有前者的六分之一大小而已。

Note 以上範例所示範的內容管理系統，在實務上通常只會用於較單純性質的資料管理，例如公司組織的行事曆、董事會成員名單等等。利用這份活頁簿，只需要用一個按鈕就能同時管理 41 個網頁。

加碼時間：Excel 的 FTP 傳檔功能

雖然我們現在已經能夠用 Excel 產製出網頁來，但最終還是得手動用其他 FTP 軟體，把網頁檔案從你的電腦硬碟上傳到網路上才行。這時許多 Excel 專家們又遇到一個問題，會使用 Excel、但不一定熟悉 FTP 的操作。

於是 Ken Anderson 幫大家編寫了一份很讚的免費命令列 FTP 公用程式。請先從「http://www.softlookup.com/display.asp?id=20483」下載「WCL_FTP」軟體，然後把「WCL_FTP.exe」存檔到硬碟中的根目錄下，接著就能利用下面這份程式碼，將 HTML 檔案自動上傳到網頁伺服器上了：

```
Sub DoFTP(fname, pathfname)
    ' 執行這份範例時，請先將 wcl_ftp.exe 複製到 C:\ 根目錄下
    ' 下載位置 http://www.softlookup.com/display.asp?id=20483

    ' 先組合出呼叫指令字串，指令語法如下
    ' WCL_FTP.exe "<說明文字>" <伺服器位址> <帳號> <密碼> <遠端目錄> _
    ' <遠端檔案名稱> <本地端檔案名稱> <get/put> 0（代表Ascii1Binanry傳檔格式）
      0（代表不寫記錄） _
    ' 0（代表背景執行） 1（代表結束時自動結束軟體） 1（代表被動模式） 1（代表回傳錯
      誤訊息）

    If Not Worksheets("Menu").Range("I1").Value = True Then Exit Sub

    s = """c:\wcl_ftp.exe "" " _
        & """上傳檔案到網站"" " _
        & "ftp.MySite.com FTPUser FTPPassword www " _
        & fname & " " _
        & """" & pathfname & """ " _
        & "put " _
        & "0 0 0 1 1 1"

    Shell s, vbMinimizedNoFocus
End Sub
```

接下來的學習目標

接下來我們在《**Chapter19- 純文字檔案處理**》中將會介紹如何從純文字檔案中匯入匯出資料。當我們需要把資料匯出、提供給另一個系統作為輸入時，這類匯出到到純文字檔案的功能將會非常實用。

Chapter 19

純文字檔案處理

在本章節中，我們將學習：

- 如何匯入純文字檔案
- 如何寫出到純文字檔案

VBA 簡化了對純文字檔案的讀寫作業；本章節內容將會說明如何匯入純文字檔案，以及寫出到純文字檔案的方法。在需要將 Excel 資料以純文字檔案的形式提供給另一個系統使用、或是在需要製作 HTML 網頁時，寫出成純文字檔案的功能非常實用。

匯入純文字檔案

匯入純文字檔案的方式，基本分為兩種：假如資料少於 1,048,576 筆，只需要用 Workbooks.OpenText 方法就能輕易將檔案匯入。假如檔案所含的資料多於 1,048,576 筆，就必須一筆一筆地進行讀取匯入。

匯入少於 1,048,576 筆資料的純文字檔案

純文字檔案通常是以下列兩種格式呈現。一種是每筆資料之間都用「分隔符號」分開，像是逗點（,）直立線符號（|）或 Tab 鍵。另一種格式是，每個欄位都有特定字元數的位置。這稱為「固定寬度」檔案（fixed-width file），過去在 COBOL 程式語言被廣泛使用的時期非常普遍。

這兩種檔案格式 Excel 都能匯入，也都適用 OpenText 方法來開啟檔案。但不論是哪一種檔案格式，最好的方式都是先把匯入檔案的過程錄製下來，然後再把錄製下來的巨集程式拿來使用。

固定寬度檔案

如圖 19.1 所示，在這份純文字檔案中，每個欄位在檔案中都佔有固定的資料空間。要從頭編寫開啟此類檔案的程式碼稍有難度，因為你必須在程式碼中指明每個欄位

所佔的字元長度。筆者手邊還保留著一把鐵尺；這把鐵尺是早期 COBOL 程式設計師用來測量點陣式印表機列印出來的欄位中含有幾個字元。而在理論上，你也可以把檔案中的字體改成等寬字型，以此計算每個欄位有多少字元。不過，用巨集錄製器來找答案應該會是比較跟得上時代的做法。

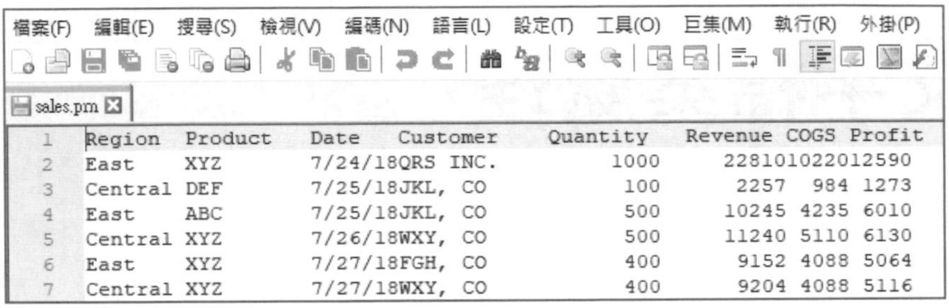

檔案(F) 編輯(E) 搜尋(S) 檢視(V) 編碼(N) 語言(L) 設定(T) 工具(O) 巨集(M) 執行(R) 外掛(P)

sales.prn

```
1  Region  Product  Date     Customer    Quantity  Revenue COGS Profit
2  East    XYZ      7/24/18QRS INC.         1000    228101022012590
3  Central DEF      7/25/18JKL, CO           100     2257  984 1273
4  East    ABC      7/25/18JKL, CO           500    10245 4235 6010
5  Central XYZ      7/26/18WXY, CO           500    11240 5110 6130
6  East    XYZ      7/27/18FGH, CO           400     9152 4088 5064
7  Central XYZ      7/27/18WXY, CO           400     9204 4088 5116
```

圖 19.1 這是一份固定寬度的檔案，由於需要準確指明檔案中每個欄位的長度，所以處理這類檔案匯入時相當麻煩。

首先從「開發人員」索引標籤中，點按「錄製巨集」工具圖示，啟動巨集錄製器。接著選按「檔案」索引標籤中的「開啟舊檔」選項，把檔案類型改成「所有檔案」來找出所需的純文字檔案。

在「匯入字串精靈－步驟 3 之 1」對話方塊中，將「原始資料類型」設定為「固定寬度」後點擊「下一步」按鈕。

接下來 Excel 會檢視資料並試著猜出每個欄位開始和結束的位置。如圖 19.2 所示，這是 Excel 對這份檔案猜測的結果。但由於 Date 欄位跟 Customer 欄位的資料太過接近，所以 Excel 並未在這兩個欄位之間劃上分欄線，也因此就少辨識出了一個欄位。

為了要在「匯入字串精靈－步驟 3 之 2」的對話方塊中，增加遺失的欄位，請在下方的「預覽分欄結果」尺規上適合的地方點擊一下，新增一條分欄線。如果不小心點錯了位置，也可以直接拖動分欄線到正確的位置就好。要是情況反過來，Excel 多辨識出了一個欄位，也可以直接在分欄線上雙擊，將多餘的分欄線移除掉。如圖 19.3 所示，現在預覽分欄結果中，顯示的就是我們手動修正後的結果。注意資料預覽上方的尺規，當我們點擊尺規新增分欄線時，此時 Excel 幕後其實正在作著「Customer 這個欄位是從 25 字元位置開始、欄位寬度 11 字元」這樣複雜的記錄。

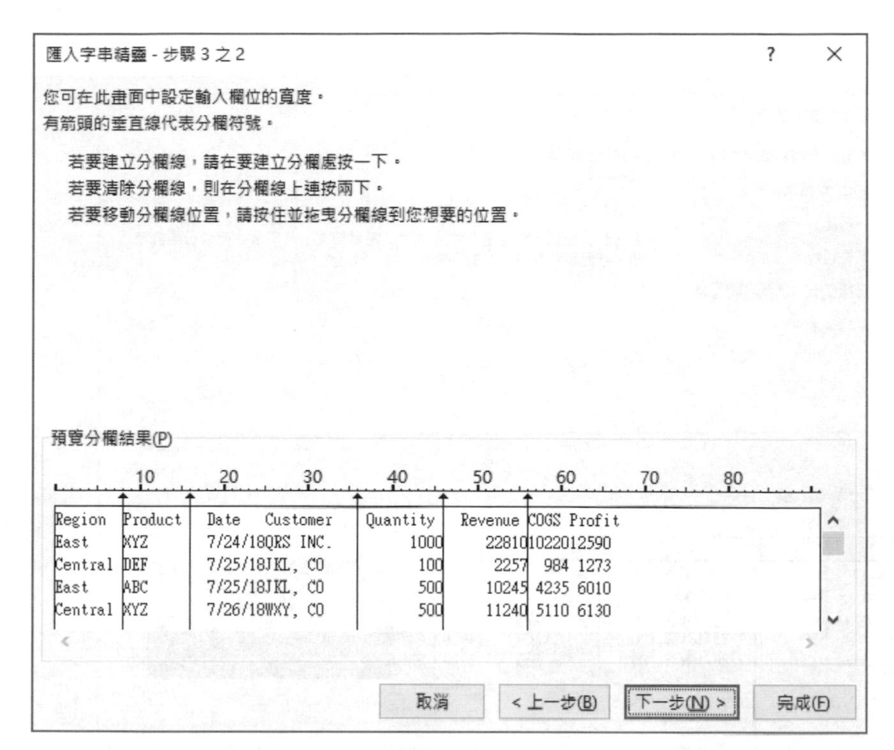

圖 19.2 Excel 會猜測每個欄位的開始與結束位置。但在此例中 Excel 誤將兩個欄位當成了一個。

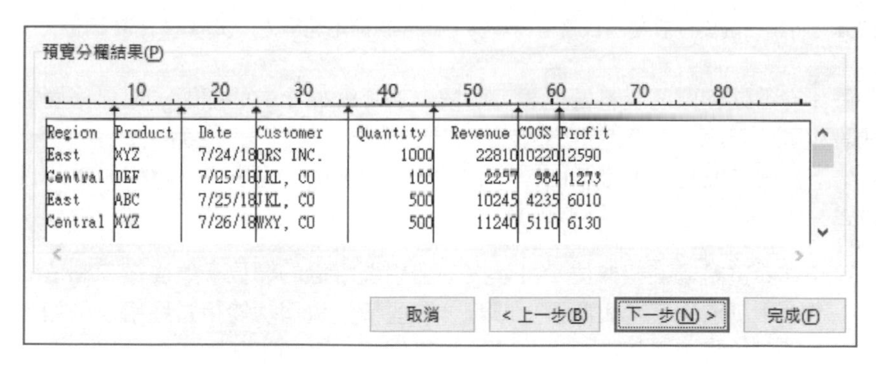

圖 19.3 在新增分欄線並將其移至 Customer 與 Quantity 欄位之間的正確位置後，我們便能透過 Excel 錄製下來的程式碼，了解每個欄位的起始位置與寬度。

接著在「匯入字串精靈－步驟 3 之 3」中，Excel 會先假設每個欄位都是「一般」資料格式。如果有任何欄位需要做特殊處理，可以趁現在更改格式。例如，先按一下第三欄，再從對話方塊的「欄位的資料格式」區塊中選擇適合的格式。我們對此範例檔案的設定，如圖 19.4 所示。

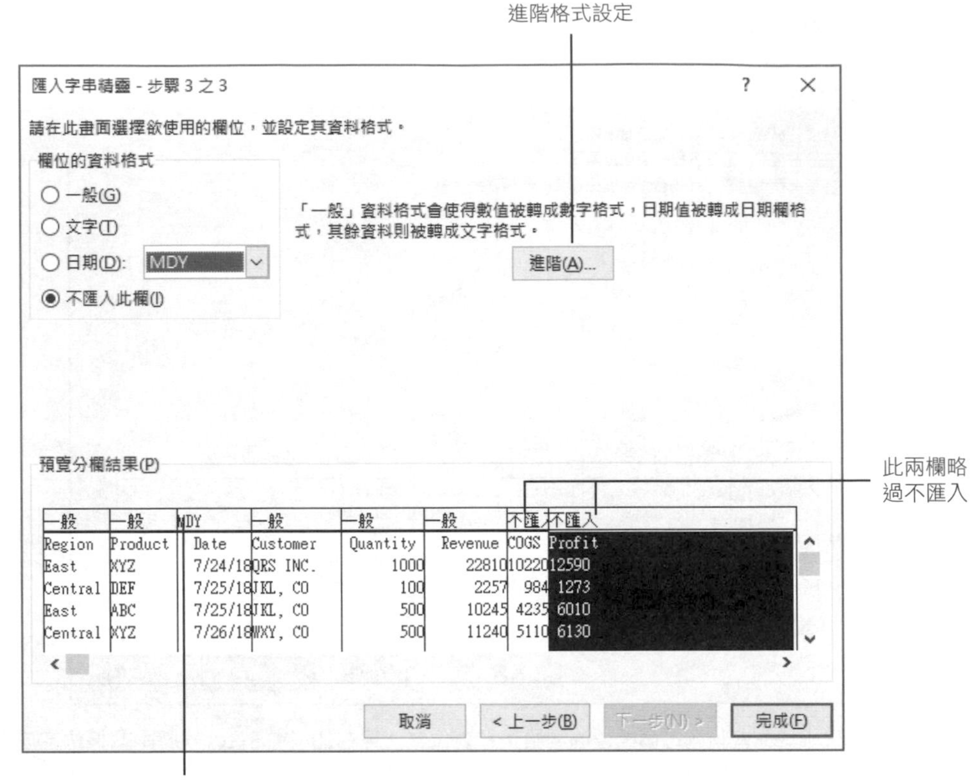

圖 19.4 將第三個欄位設定為日期格式資料；此外我們不想匯入 Cost 與 Profit 欄位。

假如有日期相關的資料欄位，可以按一下那一欄上方的標題，把那一欄的資料格式設定為「日期」；而要是檔案中的日期資料，是以「年 - 月 - 日」或是「日 - 月 - 年」格式呈現的，也可以從「日期」旁邊的下拉式選單中選取相對應的日期資料格式。

萬一你希望略過某些欄位，可以按一下想要略過的欄位，然後從「欄位的資料格式」選項中選取「不匯入此欄」即可。有些情況這個功能相當好用，例如，檔案中含有不希望給客戶看的敏感資料時，就可以將之略過不匯入。假設現在處理的是一份給客戶的報表，而我們不希望讓客戶知道貨物成本或利潤，在進行匯入時就可以選擇略過這些欄位。除此之外，有時也會碰到一些純文字檔案中既有固定寬度、同時也有用直立線符號分隔的資料。這時就可以用這個方法，把直立線符號當作一個獨立欄位「不匯入此欄」加以排除。

文字欄位如果只含有英數字元的話，可以選擇「一般」格式就好。但有一種情況會需要選擇「文字」格式，那就是需要把數值資料以文字處理時。實際的例子像是文件中含有以「0」開頭的帳戶號碼或是郵遞區號，這種情況下就可以把欄位變更為「文字」格式，以確保「01234」這種郵遞區號在匯入之後不會少了開頭的 0。

Note 在匯入純文字檔案並將其中一欄位設定為「文字」資料格式後，該欄的儲存格行為模式將會變得有些奇怪。可以試著插入一列，然後在新列中該欄的儲存格處，輸入一條公式；你會發現，Excel 不會跑出公式的執行結果，而是直接把公式原原本本地顯示在儲存格中。要解決這個問題，就只能先刪除公式、把該欄設定為「通用」資料格式後，再重新輸入一次公式了。

在完成開啟檔案之後，關閉巨集錄製器，檢視所錄製的程式碼，應如下所示：

```
Workbooks.OpenText Filename:="C:\sales.prn", Origin:=437,
StartRow:=1, _
    DataType:=xlFixedWidth, FieldInfo:=Array(Array(0, 1), Array(8, 1), _
    Array(17, 3), Array(27, 1), Array(54, 1), Array(62, 1), Array(71, 9), _
    Array(79, 9)), TrailingMinusNumbers:=True
```

其中最讓人看不懂的當屬 FieldInfo 參數了吧。這裡寫著的程式碼，是一個以「含有兩個元素的陣列」作為元素，所組成的陣列；每一個陣列元素內的兩個元素值，都代表著純文字檔案中欄位的起始位置，以及該欄位的資料格式。

所有欄位的起始點是以「0」為始，例如 Region 這個欄位的起始，是位於第一個字元的位置，因此起始點的值就是「0」了。

欄位的資料格式是以一個數值代表。如果是自行編寫的程式碼，你可以直接用 xlColumnDataType 常數名稱，比較符合可閱讀性；但不知何故，這邊巨集錄製器卻選擇採用常數背後代表的數值，因此較難讓人理解。

表 19.1 列出了 FieldInfo 中各陣列元素的資料格式常數，據此我們可以解讀出該參數的意義。例如「Array(0, 1)」的意思是，這個欄位是從檔案左邊數來的第 0 個字元位置起始，資料格式設定為「一般」（通用格式）。下一個欄位的「Array(8, 1)」則指出是從檔案左邊數來的第 8 個字元位置起始，資料格式同樣是「一般」。再下一個欄位的「Array(17, 3)」則指出是從檔案左邊數來的第 17 個字元位置起始，而且是「MDY」的「日期」資料格式。

表 19.1 xlColumnDataType 常數值列表

值	常數	說明
1	xlGeneralFormat	一般
2	xlTextFormat	文字
3	xlMDYFormat	MDY 日期
4	xlDMYFormat	DMY 日期
5	xlYMDFormat	YMD 日期

值	常數	說明
6	xlMYDFormat	MYD 日期
7	xlDYMFormat	DYM 日期
8	xlYDMFormat	YDM 日期
9	xlSkipColumn	不匯入欄位
10	xlEMDFormat	EMD 日期（民國年月日）

如上所述，我們可以看到，在處理固定寬度檔案時 FieldInfo 這個參數的程式碼不僅難寫、而且還很難看懂；這也是為什麼最好還是能利用巨集錄製器，先錄好程式碼後再加以運用，較為簡易。

分隔符號檔案

如圖 19.5 所示，這是一份以逗點（,）分隔了所有欄位的純文字檔案。開啟這類檔案時，最重要的事項是告訴 Excel：檔案中的分隔符號是逗點，然後確認是否有欄位屬於特殊的資料格式。舉例來說，在此例中的第 3 欄需要被設定為「MDY」日期資料格式。

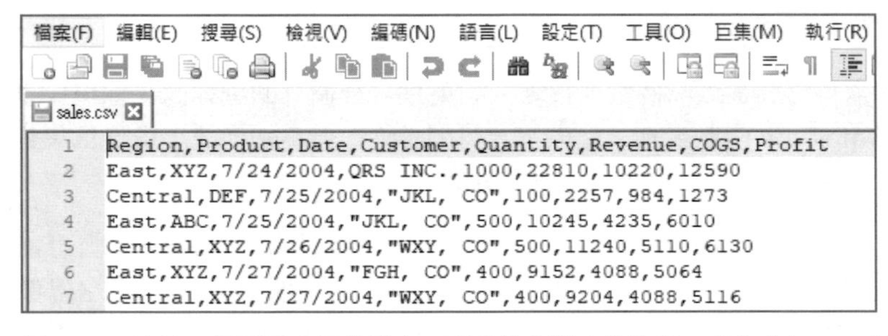

圖 19.5 這是一個逗點分隔的檔案。開啟這個檔案的流程，首先告知 Excel 這份檔案是以逗點作為欄位分隔符號；然後設定特殊資料格式，像是第 3 欄位是日期資料格式。這比處理固定寬度檔案容易得多。

Note 如果逗點分隔符號檔案名稱副檔名是「.csv」的話，當我們錄製巨集時，會發現 Excel 不是使用「Workbooks.OpenText」而是「Workbooks.Open」方法開啟檔案。因此，如果你想要如先前章節段落那般，控制各個欄位的資料格式設定的話，可先將副檔名更名為「.txt」再錄製巨集。之後只要將錄製下來的程式中，檔案名稱結尾改回「.csv」就好。

開啟巨集錄製器，錄製開啟此純文字檔案的過程。在「匯入字串精靈－步驟 3 之 1」中，將「原始資料類型」設定為「分隔符號」選項。

在「匯入字串精靈－步驟 3 之 2」中，一開始的預覽分欄結果可能看起來會非常的亂。這是因為 Excel 預設上是以定位字元（Tab 鍵）作為欄位的分隔符號（如圖 19.6 所示）。

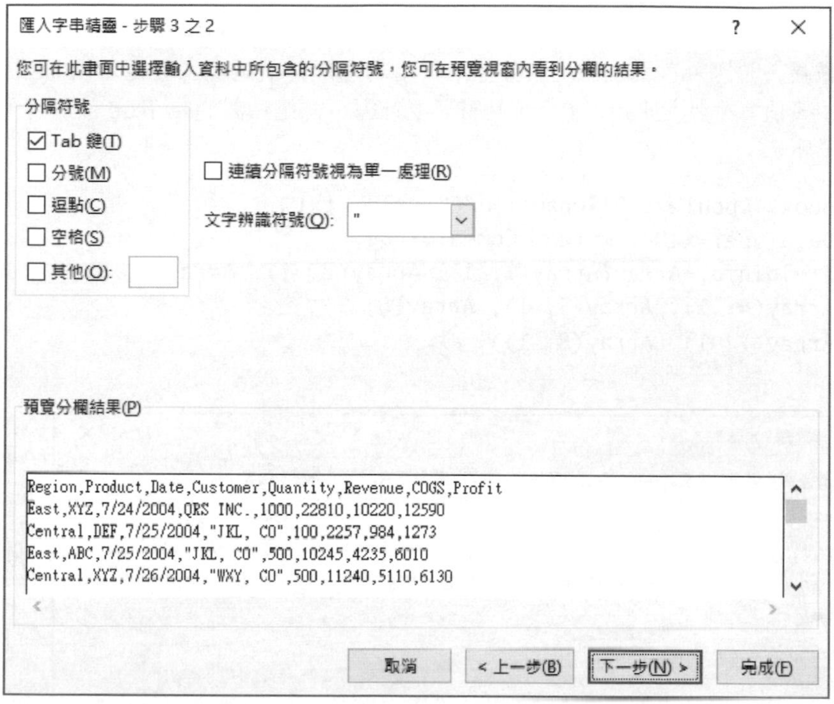

圖 19.6 在真正匯入資料前，預覽分欄結果中的資料看起來都亂成一團。這是因為 Excel 預設是以 Tab 鍵作為分隔符號，但其實逗點才是這份檔案真正的分隔符號。

取消勾選「Tab 鍵」核取方塊，改選正確的分隔符號選項（在此例中是「逗點」）之後，預覽結果看起來就比較正常了，如圖 19.7 所示。

「匯入字串精靈－步驟 3 之 3」跟固定寬度檔案的第三步驟完全一樣，這邊需要將第 3 欄指定為「日期」資料格式。點選「完成」按鈕後，就會得到如下的巨集錄製結果：

```
Workbooks.OpenText Filename:="C:\sales.txt", Origin:=437, _
    StartRow:=1, DataType:=xlDelimited,
TextQualifier:=xlDoubleQuote, _
    ConsecutiveDelimiter:=False, Tab:=False, Semicolon:=False, _
Comma:=True, Space:=False, Other:=False, _
    FieldInfo:=Array(Array(1, 1), Array(2, 1), _
    Array(3, 3), Array(4, 1), Array(5, 1), Array(6, 1), _
    Array(7, 1), Array(8, 1)), TrailingMinusNumbers:=True
```

雖然這段程式碼看起來較先前固定寬度檔案的結果要長，但其實比較單純。在 FieldInfo 參數中，陣列元素的兩個元素值，第一個代表的是欄位序號，起始為 1 代表的是第一個欄位，接著第二個元素值就是表 19.1 中的 xlColumnDataType 常數值。舉例而言「Array(2, 1)」代表的是：第二個欄位是「一般」資料格式。「Array(3, 3)」表達的是：第三個欄位是「MDY 日期」資料格式。之所以這份程式碼比較長，是因為前面明確地將其他不採用的分隔符號選項都設定為 False 值；但既然預設值本來就是 False 了，那其實只要針對目標選項設定為 True 值即可。如下程式碼所示：

```
Workbooks.OpenText Filename:= "C:\sales.txt", _
    DataType:=xlDelimited, Comma:=True, _
    FieldInfo:=Array(Array(1, 1), Array(2, 1), Array(3, 3), _
    Array(4, 1), Array(5, 1), Array(6, 1), _
    Array(7, 1), Array(8, 1))
```

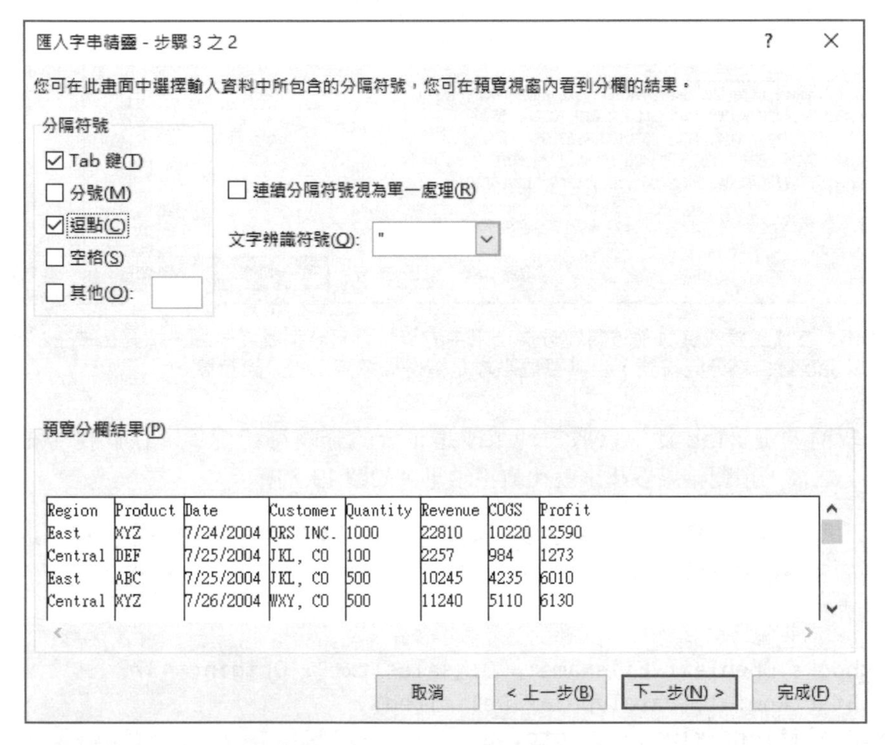

圖 19.7 再把欄位分隔符號設定為逗點後，預覽分欄結果看起來就完美了。這比先前固定寬度檔案的步驟 2 來得簡單許多。此外這邊也可以注意到，由於 Customer 欄位資料有以雙引號（"）圍住，因此資料中間的逗點便不會被 Excel 認定為分隔用符號。

最後，可以用常數名稱來取代實際常數值，讓程式碼更具可閱讀性：

```
Workbooks.OpenText Filename:="C:\sales.txt", _
    DataType:=xlDelimited, _Comma:=True, _
    FieldInfo:=Array(Array(1, xlGeneralFormat), _
    Array(2, xlGeneralFormat), _
    Array(3, xlMDYFormat), Array(4, xlGeneralFormat), _
    Array(5, xlGeneralFormat), Array(6, xlGeneralFormat), _
    Array(7, xlGeneralFormat), Array(8, xlGeneralFormat))
```

Excel 內建的分隔符號選項有 Tab 鍵、分號、逗點，以及空格；但其實任意字元都能在 Excel 中作為分隔符號來處理。假設今天有人給你的是一份以直立線（|）分隔的純文字檔案，此時只要將 Other 參數設定為 True 值，並且在 OtherChar 參數中，設定你要實際用來作為分隔符號的字元即可：

```
Workbooks.OpenText Filename:= "C:\sales.txt", Origin:=437, _
    DataType:=xlDelimited, Other:=True, OtherChar:= "|", FieldInfo:=...
```

多於 1,048,576 列的純文字檔案匯入

用「匯入字串精靈」讀取內含多於 1,048,576 筆資料的檔案時，會得到一個「檔案無法完全載入」的錯誤訊息；然後只有前 1,048,576 筆會被正常匯入。

而若是在巨集程式碼中以 Workbooks.OpenText 開啟多於 1,048,576 筆的資料檔案，將不會出現任何「檔案無法完全載入」之類的訊息。在 Excel 2019 版本中，會先匯入前 1,048,576 筆的資料，之後便讓巨集繼續往下執行了。直到有人跟你說銷售報表中的資料似乎並不完整時，你才會注意到原來資料並未完整匯入。如果你所經手的檔案有可能超過這個資料量級，最好是能在匯入後，檢查一下「A1048576」儲存格是否非空白。假如 A1048576 儲存格是非空白，就代表資料沒有完整匯入。

逐筆讀入純文字檔案

遇到超過 1,048,576 筆資料的純文字檔案時，處理方式就是得逐筆讀取。

首先需要以「Input As #1」的陳述式來開啟檔案，之所以是「#1」代表這是程式中開啟的第一份檔案。以此類推，如果之後還要接著開啟另一份檔案，就可以用「#2」作為代表。接著便能以「Line Input #1」語法，從檔案中逐筆讀入到一個變數中。如下程式碼所示，會開啟一份「sales.txt」檔案，然後從檔案中讀入 10 筆資料，匯入到工作表的前 10 個儲存格中，再關閉檔案：

```
Sub Import10()
    ThisFile = "C\sales.txt"
    Open ThisFile For Input As #1
```

```
    For i = 1 To 10
        Line Input #1, Data
        Cells(i, 1).Value = Data
    Next i
    Close #1
End Sub
```

但我們需要的不只是讀取 10 筆資料而已，而是想要把整份檔案都匯入。在檔案處理時，Excel 會自動更新一個名為「EOF」的變數資料，例如，我們以「Input As #1」開啟檔案的話，就能以「EOF(1)」檢查是否已讀到檔案的最後一筆資料。

這樣一來便能以「Do...While」迴圈走訪所有資料，直到檔案結尾：

```
Sub ImportAll()
    ThisFile = "C:\sales.txt"
    Open ThisFile For Input As #1
    Ctr = 0
    Do
        Line Input #1, Data
        Ctr = Ctr + 1
        Cells(Ctr, 1).Value = Data
    Loop While EOF(1) = False
    Close #1
End Sub
```

但在使用上述程式碼匯入資料後，會發現如圖 19.8 所示，資料並未被分拆為各欄位，整份檔案中的資料，所有欄位全部都擠在 A 欄當中。

所有 8 個欄位都擠在儲存格 A1 中

A1 | fx | Region Product Date Customer Quantity Revenue COGS Profit

	A	B	C	D	E	F	G	H	I	J	K
1	Region Product Date Customer Quantity Revenue COGS Profit										
2	East XYZ 7/24/18QRS INC. 1000 228101022012590										
3	Central DEF 7/25/18JKL, CO 100 2257 984 1273										
4	East ABC 7/25/18JKL, CO 500 10245 4235 6010										
5	Central XYZ 7/26/18WXY, CO 500 11240 5110 6130										
6	East XYZ 7/27/18FGH, CO 400 9152 4088 5064										
7	Central XYZ 7/27/18WXY, CO 400 9204 4088 5116										
8	East DEF 7/27/18RST INC. 800 18552 787210680										
9	Central ABC 7/28/18EFG S.A. 400 6860 3388 3472										
10	East DEF 7/30/18UVW, INC. 1000 21730 984011890										

圖 19.8 逐筆讀取純文字檔案之後，所有資料欄位都會擠在 A 欄當中。

此時就要使用 TextToColumns 方法來將資料分欄剖析。TextToColumn 的參數設定方式，跟 OpenText 方法幾乎一模一樣：

```
Cells(1, 1).Resize(Ctr, 1).TextToColumns Destination:=Range("A1"), _
    DataType:=xlDelimited, Comma:=True, FieldInfo:=Array(Array(1, _
    xlGeneralFormat), Array(2, xlMDYFormat), Array(3, xlGeneralFormat), _
    Array(4, xlGeneralFormat), Array(5, xlGeneralFormat), Array(6, _
    xlGeneralFormat), Array(7,xlGeneralFormat), Array(8, xlGeneralFormat), _
    Array(9, xlGeneralFormat), Array(10,xlGeneralFormat), Array(11, _
    xlGeneralFormat))
```

Note 在同一個作業階段中，Excel 會一直記得這個分隔符號的設定。Excel 有一個惱人的缺點（或者該說是功能？）一旦 Excel 記住用逗點或 Tab 鍵作為分隔符號後，之後只要是從剪貼簿把資料貼上到 Excel，這些資料就會自動被 OpenText 方法中指定的分隔符號剖析。因此，如果所貼的資料裡有「ABC, Inc.」這種資料，那麼這些文字就會被剖析為兩個欄位，「ABC」一欄、「Inc.」另一欄。

另外，比起原本直接在程式碼中以「#1」這樣寫死的方式來處理檔案開啟，這邊建議改用 FreeFile 函式較為安全。這個函式會回傳一個整數值，代表的是下一個可用於 Open 陳述式的檔案讀取序號。用來讀取少於 1,048,576 筆資料檔案的完整程式碼如下所示：

```
Sub ImportAll()
    ThisFile = "C:\sales.txt"
    FileNumber = FreeFile
    Open ThisFile For Input As #FileNumber
    Ctr = 0
    Do
        Line Input #FileNumber, Data
        Ctr = Ctr + 1
        Cells(Ctr, 1).Value = Data
    Loop While EOF(FileNumber) = False
    Close #FileNumber
    Cells(1, 1).Resize(Ctr, 1).TextToColumns Destination:=Range("A1"), _
        DataType:=xlDelimited, Comma:=True, _
        FieldInfo:=Array(Array(1, xlGeneralFormat), _
        Array(2, xlMDYFormat), Array(3, xlGeneralFormat), _
        Array(4, xlGeneralFormat), Array(5, xlGeneralFormat), _
        Array(5, xlGeneralFormat), Array(6, xlGeneralFormat), _
        Array(7, xlGeneralFormat), Array(8, xlGeneralFormat), _
        Array(9, xlGeneralFormat), Array(10, xlGeneralFormat), _
        Array(10, xlGeneralFormat), Array(11, xlGeneralFormat))
End Sub
```

多於 1,048,576 筆資料的純文字檔案匯入

對於這類較大的純文字檔案，我們可以利用「Line Input」方法匯入資料。一種不錯的作法是，先依序把資料匯入到 A1:A1048575，剩餘的資料，則從 AA2 儲存格開始一路往下。之所以第二部分要從第 2 列開始，是因為這樣一來就能直接把第一部分開頭的標題（如果有的話）直接複製過來。假如檔案大到把 AA 欄也填滿了，那就依此類推往 BA2、CA2 繼續匯入。

此外，建議對單一欄的寫入，應寫到第 1,048,574 列時打住，距離工作表底部留下兩條空白列；這樣一來才能確保「Cells(Rows.Count, 1).End(xlup).Row」這段程式碼，可以正確找到你資料集中的最後一筆列數。將大型純文字檔案匯入為多欄的程式碼如下所示：

```
Sub ReadLargeFile()
    ThisFile = "C:\sales.txt"
    FileNumber = FreeFile
    Open ThisFile For Input As #FileNumber

    NextRow = 1
    NextCol = 1
    Do While Not EOF(1)
        Line Input #FileNumber, Data
        Cells(NextRow, NextCol).Value = Data
        NextRow = NextRow + 1
        If NextRow = (Rows.Count -2) Then
            ' 將單筆資料分拆為欄位
            Range(Cells(1, NextCol), Cells(Rows.Count, NextCol)) _
                .TextToColumns _
                Destination:=Cells(1, NextCol), DataType:=xlDelimited, _
                Comma:=True, FieldInfo:=Array(Array(1, xlGeneralFormat), _
                Array(2, xlMDYFormat), Array(3, xlGeneralFormat), _
                Array(4, xlGeneralFormat), Array(5, xlGeneralFormat), _
                Array(6, xlGeneralFormat), Array(7, xlGeneralFormat), _
                Array(8, xlGeneralFormat), Array(9, xlGeneralFormat), _
                Array(10, xlGeneralFormat), Array(11, xlGeneralFormat))
            ' 從已匯入的第一部分複製欄位標題過來
            If NextCol > 1 Then
                Range("A1:K1").Copy Destination:=Cells(1, NextCol)
            End If
            ' 設定下一部分匯入的欄位置
            NextCol = NextCol + 26
            NextRow = 2
        End If
    Loop
    Close #FileNumber
```

```
    ' 檔案結尾的匯入處理
    FinalRow = NextRow - 1
    If FinalRow = 1 Then
        ' 萬一剛好是第 1048574 筆資料時的狀況
        NextCol = NextCol - 26
    Else
        Range(Cells(2, NextCol), Cells(FinalRow, NextCol)).TextToColumns _
            Destination:=Cells(1, NextCol), DataType:=xlDelimited, _
            Comma:=True, FieldInfo:=Array(Array(1, xlGeneralFormat), _
            Array(2, xlMDYFormat), Array(3, xlGeneralFormat), _
            Array(4, xlGeneralFormat), Array(5, xlGeneralFormat), _
            Array(6, xlGeneralFormat), Array(7, xlGeneralFormat), _
            Array(8, xlGeneralFormat), Array(9, xlGeneralFormat), _
            Array(10, xlGeneralFormat), Array(11, xlGeneralFormat))
        If NextCol > 1 Then
            Range("A1:K1").Copy Destination:=Cells(1, NextCol)
        End If
    End If
    DataSets = (NextCol - 1) / 26 + 1
End Sub
```

一般來說，這邊會建議把 DataSets 這個變數的最後結果，寫到活頁簿的一個具名儲存格中，這樣之後才會知道工作表中共有多少組資料集。

如上所述，利用這種方式可以匯入最多 660,601,620 筆資料到單一工作表內；只是這樣一來，先前用於篩選資料、與從資料產製報表的程式，也將會變得複雜。所以讀者可能會需要先建立各組資料集的樞紐分析表，以便取得各組資料的概要；最後，再從這些概要資料表當中，建立出最終實際需要的樞紐分析表。這時你應該就會開始質疑，其實這項工作應該交由 Access 軟體來進行才對，把資料存於 Access 中，再由 Excel 擔任前端的報表產製作業角色即可；而這也就是我們會在**《Chapter21- 利用後端 Access 強化多使用者資料存取》**章節中會討論的內容。

利用 Power Query 將大型檔案匯入為資料模型

如果你匯入純文字檔案是為了從資料建立樞紐分析表，那其實根本就不用匯入到工作表的儲存格中，可以直接這些數百萬計的資料匯入為資料模型即可。在 Excel 2019 版本中已有內建 Power Query 功能，所以巨集錄製器也可以錄下你以 Power Query 功能把資料匯入為資料模型的過程。步驟如下所示：

1. 在「資料」索引標籤下的「Power Query」群組中（在 Excel 2016 版本為「取得及轉換」群組）點開「新查詢」選單，從選單中選擇「從檔案」底下的「從文字」選項。
2. 瀏覽並找到要匯入的純文字檔案。

3. 在隨後出現的「Power Query」索引標籤中，點開「載入」下拉式選單，然後選擇「載入至」選項。
4. 在「載入至」對話方塊中，選擇「只建立連線」並勾選「新增此資料至資料模型」選項後，點擊「載入」按鈕。隨即資料便會被載入到 Power Pivot 驅動元件中。

如果讀者有使用巨集錄製器把這段過程錄下來，就會看到在程式碼中以 M 語言所呈現的資料查詢方式：

```
Sub ImportToDataModel()
    '
    ' ImportToDataModel 巨集
    ActiveWorkbook.Queries.Add Name:="demo", Formula:= _
        "let" & Chr(13) & "" & Chr(10) & _
        " Source = Csv.Document(File.Contents(""C:\demo.txt""), " & _
        "[Delimiter="","",Encoding=1252])," & Chr(13) & "" & Chr(10) & _
        " #""First Row as Header"" = Table.PromoteHeaders(Source)," & _
        Chr(13) & "" & Chr(10) & _
        " #""Changed Type"" = Table.TransformColumnTypes(" & _
        "#""First Row as Header""," & _
        "{{""StoreID"", Int64.Type}, {""Date"", type date}," & _
        "{""Division"", type text}, {""Units"", Int64.Type}," & _
        "{""Revenue"", Int64.Type}})" & Chr(13) & "" & Chr(10) & "i" & _
        """Changed Type"""
    Workbooks("Book4").Connections.Add2 "Power Query - demo", _
        "Connection to the 'demo' query in the workbook.", _
        "OLEDB;Provider=Microsoft.Mashup.OleDb.1;" & _
        "Data Source=$Workbook$;Location=demo", _
        """demo""", 6, True, False
End Sub
```

現在你可以使用插入（Insert）標籤、按下樞紐分析表（Pivot Table）並指定此活頁簿資料模型（This Workbook Data Model）作為樞紐分析表的來源。

匯出純文字檔案

匯出純文字檔案的方式與匯入類似，同樣需要先指定一個檔案路徑並開啟為「#1」之類的檔案指標。然後走訪你要匯出的資料記錄，以「Print #1」陳述式逐筆寫出到檔案中。

但在你開啟檔案、開始匯出之前，先確認所有之前用來測試的同名檔案已經刪除。這邊可以利用 Kill 語法來刪除檔案，但如果檔案本就不存在，那麼呼叫 Kill

就會回傳錯誤；因此可以再加上「On Error Resume Next」避免程式被這則錯誤中斷。

以下的程式碼會將資料匯出為純文字檔案，以便提供給其他應用程式使用：

```
Sub WriteFile()
    ThisFile = "C:\Results.txt"

    ' 先刪除昨日的作業輸出檔
    On Error Resume Next
        Kill ThisFile
    On Error GoTo 0

    ' 開啟檔案
    Open ThisFile For Output As #1
    FinalRow = Cells(Rows.Count, 1).End(xlUp).Row
    ' 將資料匯出到檔案中
    For j = 1 To FinalRow
        Print #1, Cells(j, 1).Value
    Next j
End Sub
```

以上這則範例是比較單純的情境，但其實同樣的方式可用來輸出任何格式的純文字檔案；像是我們先前在《**Chapter18- 從網路上匯入匯出資料**》的程式碼範例最後，也利用了同樣方法，把網頁內容匯出到一個 HTML 檔案中（HTML 檔案也是純文字檔案的一類）。

接下來的學習目標

下一個章節的內容將會暫時跨出 Excel 世界觀，說明如何將 Excel 資料轉換到 Microsoft Word 文件檔中。接下來我們在《**Chapter20-Word 自動化**》中將會介紹如何利用 Excel VBA 程式，來達成 Word 的自動化操作。

Chapter 20

Word自動化

在本章節中，我們將學習：

- 以早期或晚期繫結形式，參照 Word 檔案
- 以 New 關鍵字建立 Word 應用程式元件
- 以 CreateObject 函式新建 Word 檔案
- 以 GetObject 函式存取 Word 檔案
- 使用 Word 常數項
- 介紹 Word 當中可利用的元件
- 控制 Word 當中的表單欄位

Word、Excel、PowerPoint、Outlook 和 Access 全都可以使用 VBA 語言來操作，唯一不同的是物件模組；舉例來說，Excel 有 Workbooks 物件，Word 則有 Documents 物件。以上這些物件模組，只要相關的應用程式已安裝在環境中，隨時都可以透過其中一者存取另一者的物件模組。

要在 Excel 中利用 Word 的物件函式庫，則必須先以早期或晚期繫結的形式建立連結。所謂的「早期繫結」指的是當程式碼在編譯時，就已經建立起對應用程式物件的參照；而「晚期繫結」則表示，真正的參照是要直到程式被執行起來了才建立。

本章節將會簡介從 Excel 操作 Word 的方法。

Note 本章節的主旨並不是要介紹 Word 或是其他應用程式的物件模組。如果讀者想要了解這些模組，可參考各個應用程式中 VBA 編輯器的物件瀏覽器。

早期繫結參照

以早期繫結形式建立參照的程式碼，在執行速度上會比晚期繫結形式的程式碼快。而且因為是以早期繫結參照 Word 物件函式庫，因此在編寫程式碼時可以直接從物件瀏覽器中查看到 Word 的物件、屬性和方法等。除此之外，如圖 20.1 所示，也可以直接查看到例如串列這類物件成員的自動完成提示資訊。

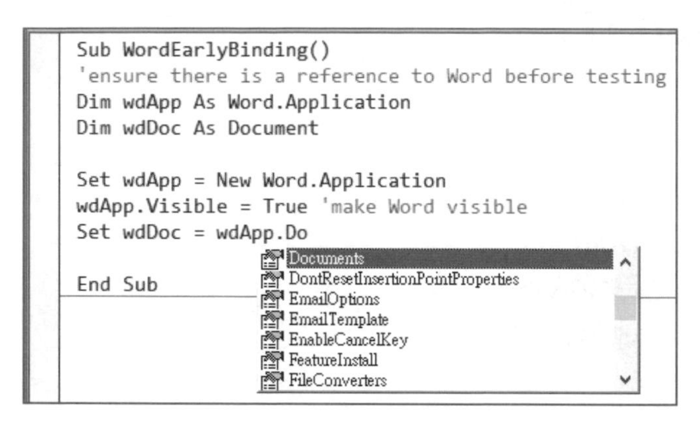

圖 20.1 早期繫結允許編寫程式碼時查看 Word 物件的使用語法。

但早期繫結的缺點是，參照的對象物件函式庫必須是已經存在於系統環境中的狀態。舉例來說，如果你編寫的巨集是參照 Word 2019 版本的物件函式庫，可是執行你巨集的人，安裝的卻是 Word 2010 版本，那麼程式執行就會發生錯誤，因為在執行環境中找不到 Word 2019 版本的物件函式庫。

透過 VB 編輯器便能加入物件函式庫，步驟如下：

1. 在「工具」選單下，選按「設定引用項目」選項。
2. 在「可引用的項目」清單中，勾選「Microsoft Word 16.0 Object Library」選項（如圖 20.2 所示）。如果沒有在清單中看到該選項，表示尚未安裝 Word 應用程式；要是看到的是另外一種版本（例如 12.0），那就表示 Word 已安裝，只是安裝的是不同版本而已，同樣可以使用。
3. 點選「確定」按鈕。

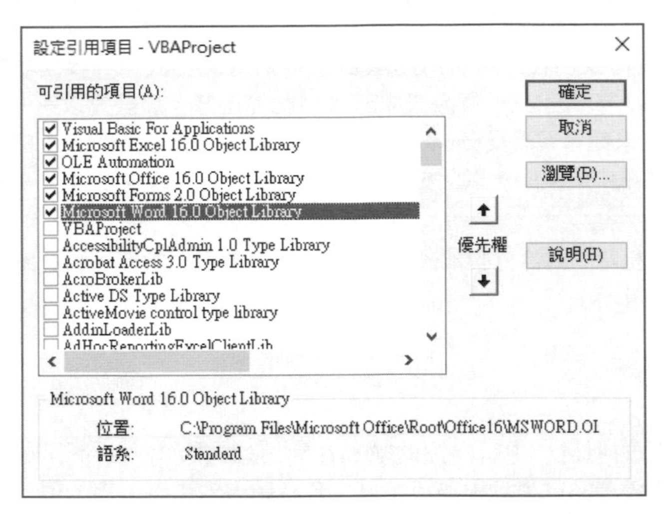

圖 20.2　從「可引用的項目」清單中勾選需要的物件函式庫。

設定好引用項目之後，便能以 Word 所支援的變數型態（例如 Document）來宣告變數；而如果你都是以「As Object」作為物件變數的宣告型態，就又會回到晚期繫結形式。以下範例會以早期繫結形式在 Excel 中操作 Word 應用程式，新建一個 Word 物件並且開啟一份既存的 Word 檔案：

```
Sub WordEarlyBinding()
    Dim wdApp As Word.Application
    Dim wdDoc As Document
    Set wdApp = New Word.Application
    wdApp.Visible = True ' 以前景模式開啟 Word 應用程式
    Set wdDoc = wdApp.Documents.Open(ThisWorkbook.Path & _
        "\Automating Word.docx")
    Set wdApp = Nothing
    Set wdDoc = Nothing
End Sub
```

範例中宣告的 wdApp 和 wdDoc 變數都是 Word 物件類型。wdApp 是對 Word 應用程式的參照，就像我們在 Excel 中以 Application 物件參照 Excel 應用程式本身一樣。接著用 New Word.Application 就可以開啟一個新的 Word 執行個體；但如果僅僅只是以 Word 執行個體開啟檔案，也不會在桌面上顯示出 Word 應用程式來。如果你希望真正意義上的「開啟」Word 應用程式，就要先以「wdApp.Visible = True」解除背景隱藏模式。執行完成後把 wdApp 設為 Nothing 就可以中斷與 Word 之間的連接。

Tip Excel 會搜尋先前我們在「可引用的項目」中勾選的函式庫，找出該物件型態所對應的參照。如果不只一個函式庫有提供此種型態，那麼會以第一個找到的參照為主。如果你希望改變參照的採用優先順序，可以在「可引用的項目」調整函式庫在清單中的順序，以此更改。

執行完成後記得將相關的物件變數都設為 Nothing 以便釋出被應用程式所佔用的記憶體空間，如下所示：

```
Set wdApp = Nothing
Set wdDoc = Nothing
```

如果你在「可引用的項目」中所參照的 Word 應用程式版本，並不存在於系統環境中，當程式碼在編譯時就會拋出錯誤訊息。此時請查看「可引用的項目」清單，如果有找不到的物件函式庫項目就會標示出來，並顯示為「遺漏」字樣，如圖 20.3 所示。

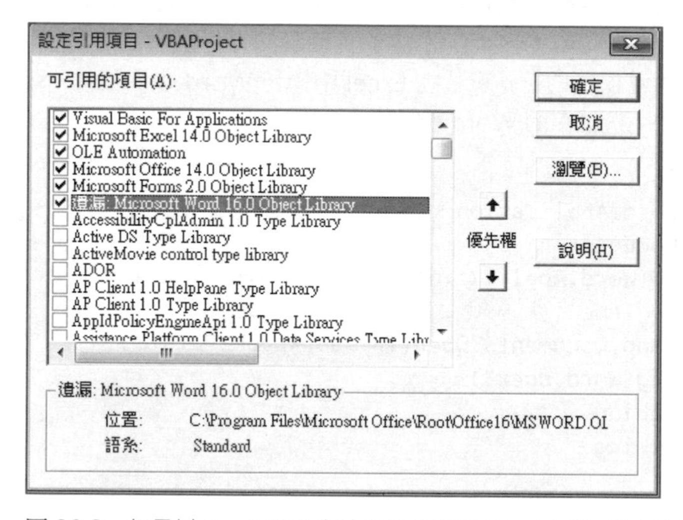

圖 20.3 如果以 Excel 2010 版本開啟參照了 Word 2019 版本物件函式庫的活頁簿檔案，就會出現錯誤。

不過假如環境中有舊版的 Word 可供使用，也可以嘗試在執行程式前改為舊版本的物件函式庫參照。大多數的物件在新舊版本中都是相同的。

晚期繫結參照

所謂的晚期繫結參照，就是在程式中以物件去操作 Word 應用程式時，其實尚未實際與 Word 函式庫建立起連結。由於並未事先使用引用項目，因此不同環境間 Word 不同版本唯一會造成的影響，就是物件、屬性、方法是否實際存在的問題而已。如果要處理不同版本間的議題，可以事先確認版本號，以便根據不同版本、採用不同的物件。

但晚期繫結的缺點是，由於 Excel 並不知道你實際上是在對 Word 物件進行操作，因此從頭到尾都被蒙在鼓裡。這樣一來在編寫程式參照 Word 物件時，就無法利用到 IntelliSense 自動完成提示的好處；此外，也無法直接查看可使用的常數項名稱列表。而這也表示，當 Excel 在編譯程式碼時，就無法協助你驗證這些對 Word 物件的操作語法正確與否。必須要一直到程式實際開始執行了、對 Word 函式庫的連結實際建立了，才有可能偵測出程式中的錯誤缺陷。

以下範例會以晚期繫結形式在 Excel 中操作 Word 應用程式，新建一個 Word 物件並且開啟一份既存的 Word 檔案：

```
Sub WordLateBinding()
    Dim wdApp As Object, wdDoc As Object
    Set wdApp = CreateObject("Word.Application")
    Set wdDoc = wdApp.Documents.Open(ThisWorkbook.Path & _
        "\Automating Word.docx")
    wdApp.Visible = True
    Set wdApp = Nothing
    Set wdDoc = Nothing
End Sub
```

範例中的變數 wdApp 是以 Object 型態宣告，然後以「CreateObject("Word.Application")」設定為參照到 Word 應用程式；另一個 wdDoc 變數也是以 Object 型態宣告，用於對 Word 物件模組的參照。像這樣都以 Object 型態宣告了 wdApp 與 wdDoc 變數，就會啟用晚期繫結形式，因為直到執行 CreateObject 函式之前，程式都不會與 Word 物件模組真正建立起連結。

以 New 關鍵字建立 Word 應用程式參照

在早期繫結的範例中，我們使用 New 關鍵字來參照 Word 應用程式；注意 New 關鍵字只能運用於早期繫結中，不能跟晚期繫結並用。雖然在建立參照上也可以使用 CreateObject 或 GetObject 函式，但是在此還是以 New 最適合作為範例。另外要注意 GetObject 函式是用於對象應用程式已經有執行個體在執行中的情況。

Caution 在採用早期繫結形式時，如果你有確實在程式碼中將 Word 執行個體設為「Visible」，而且開啟 Word 檔案的程式也沒拋出錯誤，但就是沒在畫面上看到 Word 應用程式，此時請打開「工作管理員」檢查是否有 WinWord.exe 這個程序。如果程序確實存在，那麼可以試著從 Excel 的 VBA 編輯器「即時運算」窗格中，執行如下指令：

```
Word.Application.Visible = True
```

要是工作管理員中出現不只一個 WinWord.exe 程序，就必須先關閉多餘的 WinWord.exe，然後再將執行個體設為前景顯示。

新建執行個體的 CreateObject 函式

在晚期繫結的範例中，我們使用 CreateObject 函式來參照 Word 應用程式；但其實這招同樣也可以用於早期繫結範例中。這個函式的功用是新建一個物件個體，以此例而言指的當然就是 Word 應用程式了。在使用 CreateObject 函式時，需要設定一個「class」參數，參數值內容是對象物件的名稱與型別所組成的字串（< 名稱 >.< 型別 >）。以本章節的範例來說，這個參數值就會是「Word.Application」，當中「Word」是名稱、而「Application」是型別。

參照既存執行個體的 GetObject 函式

我們還可以使用 GetObject 函式來參照已經在執行中的 Word 應用程式執行個體；不過要是該應用程式實際上沒有執行中的個體，就會拋出錯誤。反過來說也可以利用此點，當攔截到錯誤時，就在程式碼中再去新建執行個體就好。

GetObject 函式有兩個參數，但都只是非必要的參數。第一個參數指定要開啟的完整檔案路徑；第二個參數指定用來開啟這個檔案的應用程式。以下範例省略了第二個參數，以系統環境中該檔案類型所定義的預設應用程式為主（也就是 Word）來開啟 Word 文件檔案：

```
Sub UseGetObject()
    Dim wdDoc As Object
    Set wdDoc = GetObject(ThisWorkbook.Path & "\Automating Word.
docx")
    wdDoc.Application.Visible = True
    ' 此處寫入要與 Word 應用程式互動的操作程式碼
    Set wdDoc = Nothing
End Sub
```

以下範例則視情況，要是有既存的 Word 執行個體，就會以該執行個體來開啟文件檔案；反之，則會新建一個執行個體。此外，也會確保將 Word 應用程式的前景顯示 Visible 屬性設為 True 值。但要注意的是，顯示為前景模式時，用的是「wdDoc.Application.Visible」，因為此處 wdDoc 參照到的不是應用程式本身、而是文件檔案。

Note 雖然此處程式碼將 Word 應用程式的 Visible 屬性設定為 True 值，但這並不表示 Word 應用程式會自動成為顯示在最上層的應用程式。大多數時候在你的螢幕畫面上，當前使用中的應用程式還是會維持在 Excel，而 Word 應用程式則是會出現在工作列上。

以下範例利用了錯誤攔截，來確認是否有既存的 Word 執行個體，然後再把選定的圖表貼在文件檔案的尾端。要是 Word 應用程式尚未啟動，就會先開啟 Word 再新建一份文件檔案：

```
Sub IsWordOpen()
    Dim wdApp As Word.Application ' 早期繫結形式
    ActiveChart.ChartArea.Copy
    On Error Resume Next ' 如果 Word 尚未開啟就會是 Nothing
        Set wdApp = GetObject(, "Word.Application")
        If wdApp Is Nothing Then
            ' Word 尚未啟動，先開啟應用程式
            Set wdApp = GetObject("", "Word.Application")
            With wdApp
                .Documents.Add
                .Visible = True
            End With
        End If
    On Error GoTo 0

    With wdApp.Selection
        .EndKey Unit:=wdStory
        .TypeParagraph
        .PasteSpecial Link:=False, DataType:=wdPasteOLEObject, _
            Placement:=wdInLine, DisplayAsIcon:=False
    End With
    Set wdApp = Nothing
End Sub
```

在此例中，當我們試圖要將 wdApp 參照一個不存在的應用程式物件時，就會發生錯誤；但由於「On Error Resume Next」這一行的關係，因此就算遇到錯誤，程式還是會試著繼續往下執行。此時 wdApp 維持尚未被設值的狀態，於是下一行

「If wdApp Is Nothing Then」就會利用此點，執行新建 Word 執行個體的作業，開啟一份空檔並將應用程式設為前景模式。最後再以「On Error Goto 0」還原回到 VBA 預設的錯誤處理模式。

Tip 我們可以看到「GetObject("", "Word.Application")」中第一個參數設定了一個空字串，這是另一種利用 GetObject 函式來新建 Word 應用程式的方法。

使用常數項

在先前的例子中，我們使用了 Word 特有的常數：像是 wdPasteOLEObject 和 wdInLine 這些。若是採用早期繫結形式編寫程式，Excel 可以直接將這些常數名稱顯示在物件成員清單的提示中。

若是採用晚期繫結形式，IntelliSence 不會有任何反應，那該怎麼辦？你可以試著在編寫程式時先採用早期繫結，等寫完編譯過確認無誤、都測試好了之後，再改回晚期繫結形式。只是這樣一來，因為 Excel 認不得這些常數項名稱的緣故，結果你的程式又變得無法通過編譯了。

但其實「wdPasteOLEObject」與「wdInLine」這種字眼，只是為了方便程式設計師而提供的名稱而已，這些文字名稱背後所代表的值才是 VBA 真正所需要的。因此這個問題的解決方案，就是在晚期繫結程式碼中要改用實際的常數值以代替常數名稱。

用監看視窗來擷取常數的真值

其中一種擷取出常數值的方式是把常數加入監看，接著，在你「逐行」步進式地執行程式碼時，就能在「監看」窗格中確認該常數項背後所代表的數值，如圖 20.4 所示。

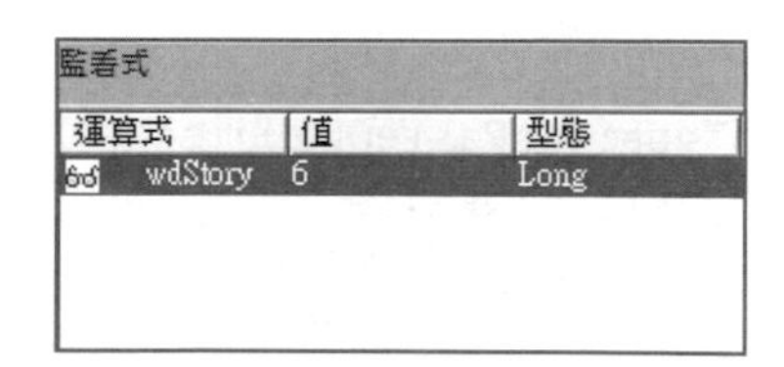

圖 20.4 利用監看來取得 Word 常數所代表的實際值。

Note 如果想了解更多關於使用監看窗格的細節，請參考本書《**Chapter2-名字很像 BASIC，為何卻看起來不一樣？**》的「使用監看式窗格來查詢」小節。

用物件瀏覽器來擷取常數的真值

另一種擷取出常數值的方式，是利用物件瀏覽器；但這需要事先將 Word 函式庫加入參照的引用項目中，才能利用此方法。在設定好引用後，只要對著常數名稱點擊右鍵，然後選按「定義」選項，就會在物件瀏覽器中開啟關於該常數的內容、顯示出常數值來（如圖 20.5 所示）。

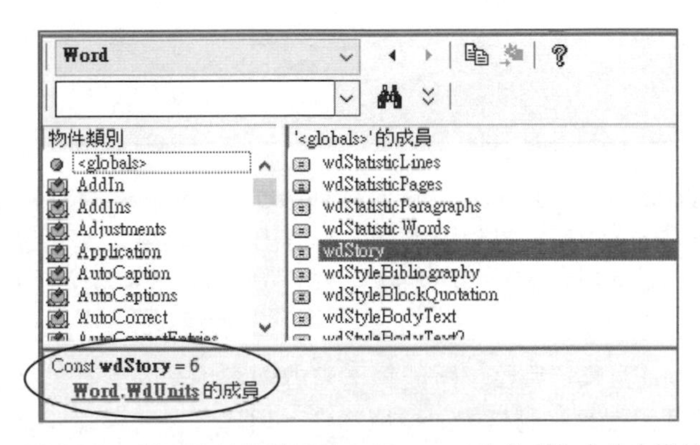

圖 20.5 利用物件瀏覽器來取得 Word 常數所代表的實際值。

Tip 雖然在利用物件瀏覽器時需要設定 Word 函式庫為引用項目，但這並不代表你的程式需要跟著改為早期繫結形式。設定引用項目只是表示你可以隨時進行參照，但程式碼是否採用晚期繫結形式還是操之在你。反正開關函式庫的引用只需按幾次按鍵就行了。

於是就能把先前範例中的常數名稱，替換為實際常數值了，如下所示：

```
With wdApp.Selection
    .EndKey Unit:=6
    .TypeParagraph
    .PasteSpecial Link:=False, DataType:=0, Placement:=0, _
        DisplayAsIcon:=False
End With
```

不過，要是等過了一個月再回頭看這些程式碼，但卻想不起這些數字的意義又該如何？有幾種解決方法。有些程式設計師會在程式碼中寫下註解，說明這是對

Word 哪個常數的參照；而另一些程式設計師則會另以變數存放這些常數值，然後以這些變數取代原先的常數名稱，如下所示：

```
Const xwdStory As Long = 6
Const xwdPasteOLEObject As Long = 0
Const xwdInLine As Long = 0

With wdApp.Selection
    .EndKey Unit:=xwdStory
    .TypeParagraph
    .PasteSpecial Link:=False, DataType:=xwdPasteOLEObject, _
        Placement:=xwdInLine, DisplayAsIcon:=False
End With
```

簡介 Word 物件

雖然我們可以透過 Word 本身的巨集錄製器，對 Word 的物件模組得到一定程度的了解；但就如同使用 Excel 的巨集錄製器那樣，錄製出來的結果又臭又長。當想要使用巨集錄製器作為了解物件、屬性、方法的手段時，請務必留心這一點。

Caution 而且透過 Word 巨集錄製器，所能錄下來的內容也是受到其設計上的限制。像是我們習慣用滑鼠來移動指標並選取物件，但這移動的過程或路徑是不會被錄下來的；反之，透過鍵盤達成的移動操作就沒有這種限制。

比方說，以下是當我們在 Word 中從「檔案」索引標籤下的「新增」選項中，選擇「空白文件」新增檔案時，透過巨集錄製器所得的結果：

```
Documents.Add Template:="Normal", NewTemplate:=False, DocumentType:=0
```

但其實在 Word 裡更有效率的方法是：

```
Documents.Add
```

在巨集錄製結果中出現的「Template」、「NewTemplate」、「DocumentType」這些屬性，其實都是非必要的。除非你真的不打算採用這些屬性的預設值、或是純粹想確保屬性設定如你所預期，否則根本沒必要。

如前所述，如果想在 Excel 中使用同樣的程式碼，首先需要的是對 Word 物件函式庫的參照連結。在建立連結後，剩下的就只是對 Word 物件操作的熟悉度問題而已了。接下來的章節段落，會簡介部分 Word 物件的使用，足夠一般讀者的基本操作了；要是還想了解更多，請參考 Word 應用程式本身的 VB 編輯器。

Document 物件

Word 的 Document 物件角色等同於 Excel 的 Workbook 物件。一份 Document 物件是以字符、文字、句子、段落、章節、頁首、頁尾等構成的。透過 Document 物件的方法與屬性操作，都是對整份文件全局的影響：像是列印、關閉、搜尋與檢視設定等等。

新增檔案

使用 Add 方法，就可以在既存的 Word 執行個體中建立空白文件，如下所示：

```
Sub NewDocument()
    Dim wdApp As Word.Application

    Set wdApp = GetObject(, "Word.Application")
    wdApp.Documents.Add
    ' 其他對 Word 的操作寫在這邊

    Set wdApp = Nothing
End Sub
```

以上範例會以預設的範本新建一份空白的文件檔案：

Note 之前說明過如何在尚未啟動 Word 應用程式的情況下新建檔案：請利用 GetObject 與 CreateObject 函式。

而如果要以特定範本來新建文件檔案，則如下所示：

```
wdApp.Documents.Add Template:="Interoffice Memo (Professional design)
.dotx"
```

以上範例是以「辦公室間的備忘錄（專業設計）」範本建立一份新的文件檔案；Template 參數的設定可以是根據預設內建的範本名稱、也可以是某份檔案的路徑與檔案名稱。

開啟舊檔

使用 Open 方法，就可以開啟一份既存的文件檔案。其中有一些參數可以設定，像是「ReadOnly」或「AddtoRecentFiles」等。以下的範例會以唯讀模式開啟舊檔、並且讓檔案不要顯示在「檔案」索引標籤下的「最近」檔案清單中：

```
wdApp.Documents.Open _
    Filename:="C:\Excel VBA 2019 by Jelen & Syrstad\" & _
    "Chapter 8 - Arrays.docx", ReadOnly:=True, AddtoRecentFiles:=False
```

儲存檔案

修改文件檔案內容後，應該會想要存檔。如果要儲存在現有檔案中，方法如下所示：

```
wdApp.Documents.Save
```

但如果你今天是一份尚未命名的新建文件檔案，那麼以上面這種方式呼叫 Save 方法就不會有任何反應、什麼事都不會發生。因此如果要以新的檔案名稱另存新檔，就要改用 SaveAs2 方法：

```
wdApp.ActiveDocument.SaveAs2 _
    "C:\Excel VBA 2019 by Jelen & Syrstad\MemoTest.docx"
```

但是在呼叫 SaveAs2 方法時，需要透過 Document 物件底下的另一個 ActiveDocument 成員。

Note 原本的 SaveAs 方法仍舊可用，只是不在 IntelliSense 的推薦使用行列之中，而且 SaveAs2 本身就具備相容模式設定。如果不想使用 SaveAs2 還是可以改回 SaveAs 方法。

關閉檔案

使用 Close 方法，就可以關閉特定的或是全部已開啟的文件檔案。在預設情況下，任何尚未儲存變更的文件檔案都會跳出一個「另存新檔」對話方塊，不過這個預設行為可以用「SaveChanges」參數來設定變更。如果要直接以不儲存變更關閉所有文件檔案，如下所示：

```
wdApp.Documents.Close SaveChanges:=wdDoNotSaveChanges
```

如果只要關閉特定文件，例如關閉正在使用中的檔案，如下所示：

```
wdApp.ActiveDocument.Close
```

或是要關閉特定名稱的檔案，如下所示：

```
wdApp.Documents("Chapter 8 - Arrays.docx").Close
```

列印文件

使用 PrintOut 方法，就可以把一部分或全部的文件列印出來。如果要直接以預設的列印設定來列印當前文件，如下所示：

```
wdApp.ActiveDocument.PrintOut
```

預設上列印範圍會是整份文件，但也可以透過 PrintOut 方法的 Range 與 Pages 參數設定要列印的範圍。例如，如果只想列印當前文件的第 2 頁，如下所示：

```
wdApp.ActiveDocument.PrintOut Range:=wdPrintRangeOfPages, Pages:="2"
```

Selection 物件

Selection 物件代表了文件中被選取的範圍，這個範圍可以是一個字詞、一個句子或一個插入點。這個物件底下有一個「Type」屬性，會傳回選取範圍的類型，舉例來說，像是 wdSelectionIP、wdSelectionColumn 或是 wdSelectionShape 等等。

以 HomeKey 與 EndKey 移動選取範圍

使用 HomeKey 與 EndKey 這兩個方法，可以改變選取範圍的所在位置；其實這兩個方法所對應的就是鍵盤上的 <Home> 鍵與 <End> 鍵。這兩個方法都有兩個參數：Unit 與 Extend。Unit 參數代表的是要以什麼為單位，來移動到該單位的「首」（home）或「尾」（end），例如：一行的首尾（wdLine）、一份文件的首尾（wdStory）、一欄的首尾（wdColumn）或一列的首尾（wdRow）。而 Extend 參數代表的是移動選取範圍的「模式」，例如：wdMove 只會純粹移動選取範圍，但 wdExtend 則會直接把選取範圍拉伸，從現在所在的插入點、延伸到移動後的新插入點為止。

如果想將游標移到整份文件的開頭，如下程式碼所示：

```
wdApp.Selection.HomeKey Unit:=wdStory, Extend:=wdMove
```

而如果是想要從當前插入點開始，一路選取到文件尾端，如下程式碼所示：

```
wdApp.Selection.EndKey Unit:=wdStory, Extend:=wdExtend
```

以 TypeText 插入文字

使用 TypeText 方法，就可以在 Word 文件中插入文字內容。不過一些設定會影響到此方法的執行結果，例如 ReplaceSelection 設定就會在有文字被選取的情況下，影響此時文字插入文件會發生的效果。如下範例所示，首先設定為會覆寫被選取的文字，接著把文件中第二個段落選取起來（這邊會利用到 Range 物件，後續章節段落會介紹），然後再覆寫過去：

```
Sub InsertText()
    Dim wdApp As Word.Application
    Dim wdDoc As Document
    Dim wdSln As Selection
    Set wdApp = GetObject(, "Word.Application")
```

```
    Set wdDoc = wdApp.ActiveDocument
    wdDoc.Application.Options.ReplaceSelection = True
    wdDoc.Paragraphs(2).Range.Select
    wdApp.Selection.TypeText "把被選取的段落文字取代掉"

    Set wdApp = Nothing
    Set wdDoc = Nothing
End Sub
```

Range 物件

Range 物件的使用語法如下：

```
Range(<起點>, <終點>)
```

Range 物件代表文件中的一到多個連續的範圍，每個範圍都是以起始字元位置，以及結束字元位置來定義。這個物件所代表的可以是一個插入點、一個範圍的文字內容、也可以是整份文件，甚至可以涵蓋到空格或段落標記這種非列印字元。

Range 物件跟 Selection 物件很類似，但在某些方面更優於 Selection 物件。舉例來說，Range 物件可以讓使用者撰寫更少的程式碼來達成相同的任務，而它的功能也更多。此外，由於 Range 物件在進行操作時，不需要事先在 Word 中移動游標或是選取文件中的內容，因此更具效率與節省記憶體空間。

設定範圍

在定義 Range 範圍時，必須輸入開始和結束位置，如下程式碼所示：

```
Sub RangeText()
    Dim wdApp As Word.Application
    Dim wdDoc As Document
    Dim wdRng As Word.Range
    Set wdApp = GetObject(, "Word.Application")
    Set wdDoc = wdApp.ActiveDocument
    Set wdRng = wdDoc.Range(0, 50)
    wdRng.Select

    Set wdApp = Nothing
    Set wdDoc = Nothing
    Set wdRng = Nothing
End Sub
```

以上範例的執行結果如圖 20.6 所示。會將前 50 個字元選取起來，這當中也包括了如段落分隔符號等非列印字元。

·Chapter20、Word 自動化

在本章節中，我們將學習：

- → 以早期或晚期繫結形式，參照 Word 檔案
- → 以 New 關鍵字建立 Word 應用程式元件
- → 以 CreateObject 函式新建 Word 檔案
- → 以 GetObject 函式存取 Word 檔案
- → 使用 Word 常數項
- → 介紹 Word 當中可利用的元件
- → 控制 Word 當中的表單欄位

圖 20.6　利用 Range 物件將範圍中所有內容選取起來。

Note　我們在圖 20.6 中之所以進行選取（wdRng.Select）只是為了方便讀者直接以視覺理解，但實際上在透過 Range 物件操作時，是不需要特地先選取的。例如，要刪除一個範圍中的內容時，直接如下操作即可：

```
wdRng.Delete
```

整份文件開頭的第一個字元位置索引起始從 0 開始，而最後一個字元位置索引則等同於整份文件的字元總數。

Range 物件也能用來選取整個段落。以下程式碼會將當前文件的第三個段落複製起來，然後貼上到 Excel 中。根據貼上時的方式不同，這些文字可以被貼上為一個文字方塊（如圖 20.7 所示）或是貼入到一個儲存格中：

```
Sub SelectSentence()
    Dim wdApp As Word.Application
    Dim wdRng As Word.Range
    Set wdApp = GetObject(, "Word.Application")

    With wdApp.ActiveDocument
        If .Paragraphs.Count >= 3 Then
            Set wdRng = .Paragraphs(3).Range
            wdRng.Copy
        End If
    End With

    ' 由於 PasteSpecial 在處理 Word 文字時的預設行為
    ' 所以這一行的執行結果會是貼上為一個文字方塊
```

```
    Worksheets("Sheet2").PasteSpecial

    ' 這一行才會是將文字貼入到儲存格 A1 中
    Worksheets("Sheet2").Paste Destination:=Worksheets("Sheet2").
Range("A1")

    Set wdApp = Nothing
    Set wdRng = Nothing
End Sub
```

The Range object also selects paragraphs. The following example copies the third paragraph in the active document and pastes it into Excel. Depending on how the paste is done, the text can be pasted into a text box (see Figure 207) or into a cell:

圖 20.7 把 Word 文字貼到 Excel 中，形成了一個文字方塊。

對範圍設定格式

在設定範圍後，可以對範圍中的內容設定格式（如圖 20.8 所示）。底下的程式範例會走訪當前文件中的所有段落，然後把每個段落開頭的第一個字詞，設為粗體格式：

```
Sub ChangeFormat()
    Dim wdApp As Word.Application
    Dim wdRng As Word.Range
    Dim count As Integer
    Set wdApp = GetObject(, "Word.Application")

    With wdApp.ActiveDocument
        For count = 1 To .Paragraphs.Count
            Set wdRng = .Paragraphs(count).Range
            With wdRng
                .Words(1).Font.Bold = True
                .Collapse ' 取消操作後對文字內容的選取狀態
            End With
        Next count
    End With

    Set wdApp = Nothing
    Set wdRng = Nothing
End Sub
```

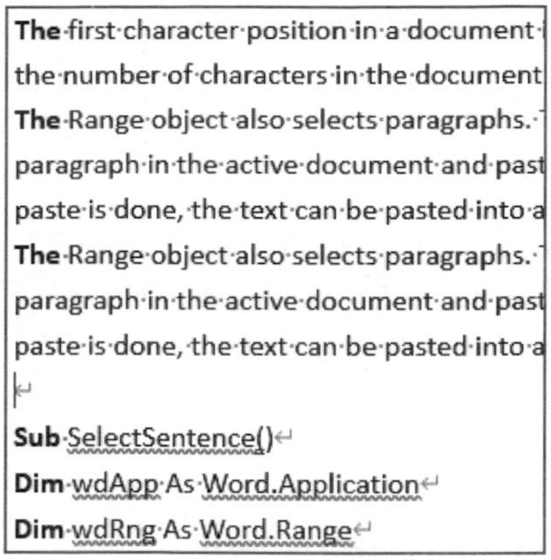

The·first·character·position·in·a·document·
the·number·of·characters·in·the·document
The·Range·object·also·selects·paragraphs.·
paragraph·in·the·active·document·and·past
paste·is·done,·the·text·can·be·pasted·into·a
The·Range·object·also·selects·paragraphs.·
paragraph·in·the·active·document·and·past
paste·is·done,·the·text·can·be·pasted·into·a

Sub·SelectSentence()
Dim·wdApp·As·Word.Application
Dim·wdRng·As·Word.Range

圖 20.8　把每個段落頭一個字詞的格式設定為粗體。

而另一種快速變更整個段落格式的方式是利用樣式的套用（如圖 20.9 與圖 20.10 所示）。底下的程式範例會把文件中原本屬於「內文」樣式的段落找出來，然後變更為「標題 3」樣式：

```
Sub ChangeStyle()
    Dim wdApp As Word.Application
    Dim wdRng As Word.Range
    Dim count As Integer
    Set wdApp = GetObject(, "Word.Application")

    With wdApp.ActiveDocument
        For Count = 1 To .Paragraphs.Count
            Set wdRng = .Paragraphs(Count).Range
            With wdRng
                If .Style = "Normal" Then
                    .Style = "H3"
                End If
            End With
        Next Count
    End With

    Set wdApp = Nothing
    Set wdRng = Nothing
End Sub
```

The·first·character·position·in·a·document·is·always·zero,·and·the·last·is·equivalent·to·the·number·of·characters·in·the·document.↵
The·Range·object·also·selects·paragraphs.·The·following·example·copies·the·third·paragraph·in·the·active·document·and·pastes·it·into·Excel.·Depending·on·how·the·paste·is·done,·the·text·can·be·pasted·into·a·text·box·(see·Figure·20-7)·or·into·a·cell:↵
The·Range·object·also·selects·paragraphs.·The·following·example·copies·the·third·paragraph·in·the·active·document·and·pastes·it·into·Excel.·Depending·on·how·the·paste·is·done,·the·text·can·be·pasted·into·a·text·box·(see·Figure·20-7)·or·into·a·cell:↵

圖 20.9　變更前：原本只是普通的內文樣式段落。

▪ The·first·character·position·in·a·document·is·always·zero,·and·the·last·is·equivalent·to·the·number·of·characters·in·the·document.↵

▪ The·Range·object·also·selects·paragraphs.·The·following·example·copies·the·third·paragraph·in·the·active·

圖 20.10　變更後：一下子就變更為標題 3 樣式段落了。

Bookmarks 書籤

Bookmarks（書籤）是 Document、Selection，以及 Range 等物件底下都有的成員。書籤的作用在於方便你快速在 Word 中操作移動。不需要再費時費力地選取字詞、句子或是段落，利用書籤功能就可以迅速地操作文件檔案中的章節段落。

Note　使用者不必受限於文件檔案中既存的書籤，也可以透過程式自行新建書籤。

書籤在 Word 文件中是以一個灰色的大型「I」字長條、或是左右中括弧「[]」來表示的。在 Word「檔案」索引標籤下「選項」中的「進階」「顯示文件內容」內，可以把「顯示書籤」勾選起來，這樣就能直接以肉眼看到書籤的所在位置。

之後只要在文件中設定好書籤，就能利用書籤功能快速針對該書籤功能所代表的範圍插入文字或其他像是圖表之類的物件。底下這則範例利用文件中已建立好的書籤，自動往書籤範圍中插入文字內容與一張圖表。執行結果則如圖 20.11 所示：

```
Sub FillInMemo()
    Dim myArray()
    Dim wdBkmk As String
    Dim wdApp As Word.Application
    Dim wdRng As Word.Range

    myArray = Array("To", "CC", "From", "Subject", "Chart")
    Set wdApp = GetObject(, "Word.Application")

    ' 插入文字內容
    Set wdRng = wdApp.ActiveDocument.Bookmarks(myArray(0)).Range
    wdRng.InsertBefore ("Bill Jelen")
    Set wdRng = wdApp.ActiveDocument.Bookmarks(myArray(1)).Range
    wdRng.InsertBefore ("Tracy Syrstad")
    Set wdRng = wdApp.ActiveDocument.Bookmarks(myArray(2)).Range
    wdRng.InsertBefore ("MrExcel")
    Set wdRng = wdApp.ActiveDocument.Bookmarks(myArray(3)).Range
    wdRng.InsertBefore ("Fruit & Vegetable Sales")

    ' 插入圖表
    Set wdRng = wdApp.ActiveDocument.Bookmarks(myArray(4)).Range
    Worksheets("Fruit Sales").ChartObjects("Chart 1").Copy
    wdRng.PasteAndFormat Type:=wdPasteOLEObject

    wdApp.Activate
    Set wdApp = Nothing
    Set wdRng = Nothing
End Sub
```

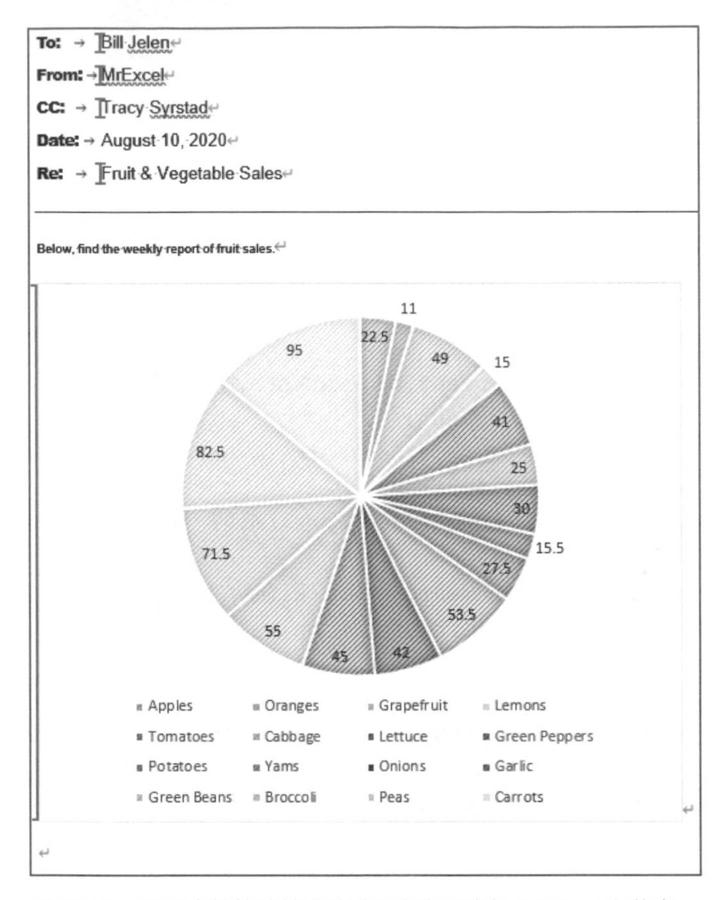

圖 20.11　利用書籤快速精準地將文字與圖表插入 Word 文件中。

控制 Word 表單欄位

到目前為止已經介紹過如何插入圖表與文字內容、設定格式、刪除文字內容等等，但文件中還有其他一些項目是可以操作的，例如控制項。

為了示範底下這則範例，我們先建立好一份名為「New Client.dotx」的範本檔，這份範本檔中有著既存的文字內容與書籤設定；書籤的位置在「Name」與「Date」這兩個欄位標題後方。文件當中還有一些內含核取方塊的表單欄位，這些控制項可以在 Word 應用程式「開發人員」索引標籤下「控制項」群組中「舊版工具」下拉式選單內的「舊表單」中找到，如圖 20.12 所示。此外可以看到在程式碼中，這些表單控制項也已經事先設定好名稱，以便辨識用途，例如，其中一個核取方塊原名為「Checkbox5」，重新命名後為「chk401k」。如果讀者也想要更改核取方塊控制項的名稱，可以選取控制項後選按「屬性」，然後在「標籤」欄位中設定你想要的文字。

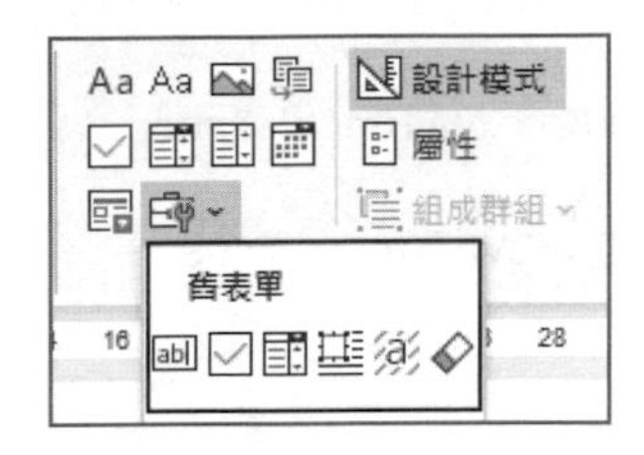

圖 20.12 可以用舊表單底下的控制項工具在文件中新增核取方塊。

底下這個問卷是以 Excel 建立的，B1 與 B2 儲存格的內容開放讓填寫者自由寫入任何文字；而 B3 儲存格與 B5:B8 的儲存格，則是以資料驗證機制，提供下拉式選單選項。如圖 20.13 所示。

	A	B	C
1	Name	Tracy Syrstad	
2	Date	2020/8/10	
3	Are you a new customer?	Yes	
4	Are you interested in the following options:		
5	401K	Yes	
6	Roth	No	
7	Stocks	Yes	
8	Bonds	Yes	
9		Yes	
10		No	

圖 20.13 以 Excel 工作表作為填寫資料介面。

將底下這段程式碼放在 Excel 活頁簿的標準模組下，填寫完並執行巨集後，就會自動將姓名與日期等填寫內容，輸出到文件檔案中了：

```
Sub FillOutWordForm()
    Dim TemplatePath As String
    Dim wdApp As Object
    Dim wdDoc As Object

    ' 新建 Word 執行個體並開啟範本檔
    TemplatePath = ThisWorkbook.Path & "\New Client.dotx"
    Set wdApp = CreateObject("Word.Application")
    Set wdDoc = wdApp.documents.Add(Template:=TemplatePath)

    ' 將文字內容輸出到文件檔中
    With wdApp.ActiveDocument
        .Bookmarks("Name").Range.InsertBefore Range("B1").Text
        .Bookmarks("Date").Range.InsertBefore Range("B2").Text
    End With

    ' 以簡單的邏輯判斷式決定核取方塊控制項的狀態
```

```
    If Range("B3").Value = "Yes" Then
        wdDoc.formfields("chkCustYes").CheckBox.Value = True
    Else
        wdDoc.formfields("chkCustNo").CheckBox.Value = True
    End If

    With wdDoc
        If Range("B5").Value = "Yes" Then .Formfields("chk401k"). _
            CheckBox.Value = True
        If Range("B6").Value = "Yes" Then .Formfields("chkRoth"). _
            CheckBox.Value = True
        If Range("B7").Value = "Yes" Then .Formfields("chkStocks"). _
            CheckBox.Value = True
        If Range("B8").Value = "Yes" Then .Formfields("chkBonds"). _
            CheckBox.Value = True
    End With
    wdApp.Visible = True

ExitSub:
    Set wdDoc = Nothing
    Set wdApp = Nothing
End Sub
```

圖 20.14　透過 Excel 控制 Word 中的表單欄位，就能自動幫你完成文件表單的填寫。

核取方塊會用邏輯來驗證使用者選取的是「Yes」或「No」，以確認相對應的核取方塊是否應被選取。圖 20.14 顯示了一個完成的文件範例。

接下來的學習目標

第十九章示範如何從其他系統的純文字檔案匯入資料，本章也討論如何與其他 Office 應用程式建立連結，並操作當中的物件模組。接下來我們將介紹如何與 Access 資料庫建立連結、如何將資料寫出到 Access 的多維度模型資料庫（MDB，multidimensional database）檔案中。與純文字檔案操作相比，Access 檔案效率更高，還能建立資料索引，而且允許多位使用者存取資料。

Chapter 21

利用後端Access 強化多使用者資料存取

在本章節中，我們將學習：

- 何謂 ADO 與 DAO
- ADO 工具
- 新增一筆記錄到資料庫中
- 從資料庫中查詢一筆記錄
- 更新既存的記錄內容
- 透過 ADO 刪除記錄
- 以 ADO 對記錄進行統計分析
- SQL Server 範例

第十九章結尾的範例提到如何在 Excel 的工作表內寫入高達 660,601,620 筆的資料記錄。但我們不得不承認，雖然 Excel 真的是非常厲害的軟體，有些狀況更適合利用 Access 多維度模型資料庫檔案（MDB，multidimensional database）的優勢。

就算沒有幾百萬筆資料需要處理，還是有採用 MDB 資料檔案的好理由：不需要煩惱共用活頁簿檔案會造成的問題，就能讓多人共享資料存取。

雖然 Microsoft Excel 也提供了共用活頁簿的功能，但在共用活頁簿時，就無法同時利用到原本一些重要的功能。例如，活頁簿一旦共用之後，就不能使用自動加總、樞紐分析表、群組為大綱模式、分析藍本、保護工作表、設定樣式、插入圖片、插入圖表或插入工作表等等的功能。

但如果將 Excel VBA 僅僅作為前端、然後把資料另外儲存在 MDB 資料庫中，就能結合兩者的優點。既有 Excel 處理資訊的功能和彈性，也有了 Access 的多使用者存取功能。

Tip MDB 是 Microsoft Access 和 Microsoft Visual Basic 有支援的檔案格式；這表示，就算客戶沒有 Microsoft Access 軟體，我們依舊可以提供透過 MDB 檔案讀寫資料的 Excel 解決方案。不過身為解決方案的開發者，當然還是能夠有套 Access 應用程式軟體最好，因為你可以利用 Access 本身的前端介面，來設置資料表，以及建立查詢作業。

Tip 本章節中的範例，會使用到 Microsoft Jet 資料庫引擎，作為從 Access 資料庫讀寫資料的工具。這個 Jet 引擎支援 Access 97 到 2013 版本的資料存取功能，如果讀者確定所有會執行到這段巨集的使用者，都是採用 Office 2007 以上的版本，也可以改為使用 ACE 引擎。此外，Microsoft 也僅有在 ACE 引擎中支援 64 位元版本，Jet 引擎則無。

ADO 與 DAO

過去幾年 Microsoft 一直提倡以「資料存取物件」（Data Access Objects，DAO）來從外部資料庫存取資料。於是 DAO 漸漸地被廣泛採用，許多程式架構都以此為主。但 Microsoft 自從 Excel 2000 版本後，卻又開始推廣另外一套「ActiveX 資料物件」（ActiveX Data Object，ADO）。這兩者之間的概念相近，使用上也差異不大。因此筆者在本章節中選用 ADO，但如果讀者是以數十年前的程式作為改寫基礎，就可能會遇到 DAO 版本的程式碼。除了少數語法需要修改外，ADO 與 DAO 這兩者之間其實相差不遠。

如果要直接使用本章節所提供的程式碼，請照以下步驟：開啟 VB 編輯器，選按「工具」選單中的「設定引用項目」選項，然後從「可引用的項目」清單中勾選「Microsoft ActiveX Data Objects Library」項目，如圖 21.1 所示。

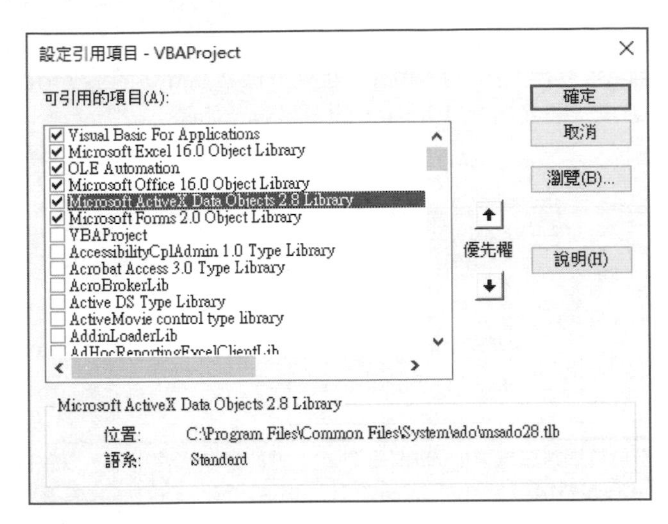

圖 21.1 要讀寫 Access MDB 檔案，需要引用「Microsoft ActiveX Data Objects Library」2.8 以上的版本。

Note 如果讀者的作業系統環境是 Windows 7 版本以上，應該會找到 6.1 版的函式庫；在 Windows Vista 中則是 6.0 版本函式庫。但如果這份解決方案會提供給仍在使用 Windows XP 的使用者，建議還是選用 2.8 版本就好。

案例研究 CaseStudy：建立共用存取 Access 資料庫

假設 Linda 與 Janine 是一家連鎖零售商的採購人員。每天早上她們都會從進銷存系統匯入資料，以取得共兩千多種商品的最新營業額和庫存資料；然後在那天之中，採購人員各自都可能會從各分店之間進行調貨。因此 Linda 與 Janine 都希望能夠看到彼此發出的調貨請求情形。

這兩位採購員的電腦中，都安裝有可支援 VBA 執行的 Excel 應用程式軟體，她們都會從進銷存系統匯入資料，利用 VBA 程式協助建立出樞紐分析報表，以便評估進貨。

但要是同樣以 Excel 檔案來處理調貨資料就會遇到問題。因為當一個採購人員在對 Excel 檔案輸入資料時，另外一個採購人員此時就只能唯讀資料。而且在共用活頁簿模式下，也無法利用 Excel 建立樞紐分析表的功能，但這正好是她們需要的。

由於 Linda 與 Janine 都沒有購買專業版的 Office 軟體，因此電腦上沒有安裝 Access 應用程式。解決方案是，在她們雙方都能存取到的網路磁碟機中建立一個 Access 資料庫檔案，如下所示：

1. 首先利用裝有 Access 軟體的另一台電腦，建立一份名為 transfers.mdb 的資料庫檔案，並新增一個名為 tblTransfer 的資料表，如圖 21.2 所示。

tblTransfer

欄位名稱	資料類型
ID	自動編號
Style	簡短文字
FromStore	數字
ToStore	數字
Qty	數字
TDate	日期/時間
Sent	是/否
Receive	是/否

圖 21.2　透過這份位於網路磁碟機上的 MDB 檔案，就能讓多名使用者，以各自的 Excel 活頁簿同時進行資料讀寫。

2. 把建立好的 transfers.mdb 檔案移動到網路磁碟機上。在不同電腦中，這個公用資料夾可能會有不同的磁碟機代號。在 Janine 的電腦中可能是「I:\Common\」，而在 Linda 的電腦中則是「H:\Common\」。
3. 在兩人的電腦上，分別打開 VB 編輯器，並在「工具」選單下的「設定引用項目」中，把「ActiveX Data Objects Library」設定進去。
4. 在兩人的 Excel 應用程式報表中，先找一個不會被用到的儲存格，把各自電腦上對 transfer.mdb 檔案的路徑字串，記錄在儲存格中；然後將這個儲存格範圍參照命名為「TPath」。

這個應用程式讓這兩位採購人員能輕易地存取共用檔案。於是 Linda 與 Janine 終於可以同時對資料進行讀寫了。唯一可能會發生資料衝突的狀況，是在兩個人同時對同一筆資料記錄，要進行改寫更新操作的時候。

除了用來記錄了 transfers.mdb 路徑的儲存格之外，兩位採購員都不會特別察覺她們的資料是儲存在共用的 Access 資料表中，也不需要在兩人的電腦中加裝 Access 軟體。

接下來，本章節將提供一些程式碼範例，以上面這份 CaseStudy 中的情境為基礎，告訴你如何從 tblTransfer 這個資料表中讀寫資料。

ADO 工具

在使用 ADO 來連結外部資料來源時，常會聽或看到以下這些專有名詞：

- **記錄集：**所謂的「記錄集」（Record set）指的是在連結到 Access 資料庫時，資料庫中的資料表、或是對資料庫的查詢結果。大多數的 ADO 方法最後都會傳回一個記錄集。讀者也可以編寫一道 SQL 查詢語法，從資料表中擷取部分資料子集出來，以此建立自訂的查詢。
- **連線：**所謂的「連線」（Connection）指的是對資料庫路徑與類型的定義。例如說，在使用 Access 資料庫時，需要指定此連線是使用 Microsoft Jet Engine。
- **游標：**所謂的「游標」（Cursor）可以想像成一種會記憶使用者正在資料庫中使用哪一筆記錄的指標。游標有幾種不同類型，而且還可以選擇要將游標記憶在兩種不同地方之一（請參見後續說明）。
- **游標類型：**「動態游標」（dynamic cursor）是最具彈性的游標。假如使用者設定好記錄集作為查詢結果，此時卻有其他人更新了記錄集範圍中的一筆資料，在動態游標啟用的狀況下，你會看到被更新後的資料樣態。雖然這很彈性，但也會增加額外負荷。假如這個資料庫的交易頻率不高、作業量不大，可以採用「靜態游標」（static cursor）就好；靜態游標會在游標建立時，傳回當下資料集的快照。
- **游標控制：**游標可以選擇記憶在使用者端（client）或伺服器端（server）。如果 Access 資料庫就在你本地端電腦的硬碟中，那麼選擇伺服器端游標，就表示由本地端電腦中的 Access Jet Engine 控制游標；反之，使用者端游標則是由 Excel 來控制。如果這份外部資料集的量體龐大，建議應該由伺服器端來控制游標就好；反之，如果資料集不大，使用者端游標效率較高。
- **鎖定類型：**本章節最大的重點，就是要讓多位使用者同時存取資料集。而鎖定類型則定義了在兩名使用者同時對同一筆資料進行更新時，ADO 該如何避免資料毀損。如果是採用「樂觀鎖」（optimistic lock）原則，只有在「更新」操作時，才會鎖定該筆被更新的記錄；假如應用程式百分之九十的時間都只用來讀取、偶爾才執行更新的話，樂觀鎖就是完美的選擇。但要是每次讀取資料後，幾乎都會更新資料的話，那麼應該改用「悲觀鎖」（pessimistic lock）原則比較好。使用悲觀鎖時，一旦開始讀取，記錄就會事先被鎖定。假如很確定自己不會需要寫回資料庫，也可以採用唯讀鎖（read-only lock），這樣在您讀取記錄的同時，別的使用者也能同時寫入。

存取 MDB 檔案所需的主要物件是 ADO 連線和 ADO 記錄集。

ADO 連線是用來設定資料庫路徑，並指定要使用 Microsoft Jet Engine 來進行連線。

在建立與資料庫之間的連線後，一般就會用這個連線來查詢記錄集。所謂的記錄集可能是資料表、或資料表中的記錄子集，或是一個在 Access 資料庫中預先設定好的查詢作業。要開啟記錄集，就需要設定 CursorType、CursorLocation、LockType 與 Options 等參數。

假設每次最多都只有兩名使用者會同時存取資料表，那麼可以採用動態游標與樂觀鎖就好。若是資料集規模較大，可以將 CursorLocation 設定為「adUseServer」，這樣就不需要佔用本地端電腦的記憶體空間，由資料庫伺服器來處理記錄。假如資料集規模較小，那麼把 CursorLocation 設定為「adUseClient」，這樣處理速度才會比較快。當開啟記錄時，所有資料記錄都會被送入本地端電腦的記憶體空間中，在走訪資料記錄時就能比較快。

當資料記錄規模少於 1048576 筆時，從 Access 資料庫讀取資料的方式就非常簡單。只要利用 CopyFromRecordset 方法，就能把記錄集中所有被選中的資料記錄，複製到工作表的空白處。

要在 Access 資料表中新增一筆資料時，則可以使用 AddNew 方法，指定對資料表中每個欄位要寫入的值，並使用 Update 方法來把這些變更寫回資料庫中。

要刪除資料表中的記錄時，可以用「傳遞查詢」的方式，來刪除符合條件的記錄。

Note 假如讀者曾經對於使用 ADO 感到挫折，心裡出現這樣的想法：「如果能直接開啟 Access 的話，我就能用一個 SQL 陳述式來作我想作的事了」，那麼傳遞查詢肯定滿足這種想法的讀者們。所謂的「傳遞查詢」（pass-through query）指的是將程式中組合好的 SQL 陳述式，作為請求直接送往資料庫，然後由資料庫來執行；這樣就能處理那些明明資料庫能作到、但 ADO 工具卻不支援的作業了。但依照讀者所連線的資料庫類型不同，傳遞查詢能處理的 SQL 陳述式類型也會不同。

ADO 也有其他功能可用來確認特定資料表是否存在，或是特定欄位是否存在於資料表之中。也可以使用 VBA，依照需求隨時為資料表增加新欄位。

新增記錄到資料庫中

回到本章節 CaseStudy 中討論的案例。其中的應用程式含有一個自訂表單，可以讓採購員輸入調貨資料。為了讓與 Access 資料庫之間的作業簡單化，有一系列的公用程式模組可利用來處理 ADO 與資料庫的連線；有了這些公用程式的協助，在自訂表單中只要呼叫「AddTransfer(Style, FromStore, ToStore, Qty)」就能輕鬆達成任務。

在設定連線之後，新增記錄的步驟如下：

5. 開啟指向資料表的記錄集。請參考下列程式碼中，寫有「開啟連線」、「設定記錄集」和「開啟資料表」等註解的段落。
6. 呼叫 AddNew 來新增一筆空記錄。
7. 對新增記錄中的每個欄位更新欄位值。
8. 呼叫 Update 來更新記錄集。
9. 關閉記錄集，然後關閉連線。

以下程式碼會在 tblTransfer 資料表中增加新的記錄：

```
Sub AddTransfer(Style As Variant, FromStore As Variant, _
    ToStore As Variant, Qty As Integer)
    Dim cnn As ADODB.Connection
    Dim rst As ADODB.Recordset

    MyConn = "J:\transfers.mdb"

    ' 開啟連線
    Set cnn = New ADODB.Connection
    With cnn
        .Provider = "Microsoft.Jet.OLEDB.4.0"
        .Open MyConn
    End With

    ' 設定記錄集
    Set rst = New ADODB.Recordset
    rst.CursorLocation = adUseServer

    ' 開啟資料表
    rst.Open Source:="tblTransfer", _
        ActiveConnection:=cnn, _
        CursorType:=adOpenDynamic, _
        LockType:=adLockOptimistic, _
        Options:=adCmdTable

    ' 新增一筆記錄
    rst.AddNew

    ' 設定該記錄中每個欄位的欄位值
    ' 前四個欄位的內容，來自於自訂表單中
    ' 日期相關欄位則是直接以當前日時為主
    rst("Style") = Style
    rst("FromStore") = FromStore
```

```
        rst("ToStore") = ToStore
        rst("Qty") = Qty
        rst("tDate") = Date
        rst("Sent") = False
        rst("Receive") = False

        ' 將欄位值寫入記錄中
        rst.Update

        ' 關閉連線
        rst.Close
        cnn.Close
    End Sub
```

從資料庫查詢記錄

從 Access 資料庫讀取記錄的方式非常簡單。在設定記錄集時，也同時送出一條 SQL 陳述式字串，來傳回想要的記錄。

Note 要建立 SQL 陳述式有一種好方法：你可以事先在 Access 軟體中設計好用於查詢記錄的字串。在使用 Access 軟體查看資料庫時，可以在上方「建立」索引標籤中的「查詢」群組中，點開「查詢設計」；接著在隨後出現的「查詢工具」「設計」索引標籤內，點開「檢視」下拉式選單選按「SQL 檢視」選項。Access 會出現一個窗格，讓你輸入執行查詢所需的 SQL 陳述式。於是你就能在這邊事先編寫並模擬查詢結果，之後再把這條 SQL 查詢字串，複製貼上到 VBA 程式碼中。

設定好記錄集後，呼叫 CopyFromRecordset 方法就能從 Access 資料庫把所有符合條件的記錄，複製到工作表中的指定範圍內。

以下的程序會查詢 Transfer 資料表，找出所有 Sent 欄位尚未被設定為「True」值的記錄：

```
Sub GetUnsentTransfers()
    Dim cnn As ADODB.Connection
    Dim rst As ADODB.Recordset
    Dim WSOrig As Worksheet
    Dim WSTemp As Worksheet
    Dim sSQL as String
    Dim FinalRow as Long
```

```
    Set WSOrig = ActiveSheet

    ' 組合出 SQL 查詢字串，查詢所有尚未被送出的調貨請求資料
    sSQL = "SELECT ID, Style, FromStore, ToStore, Qty, tDate" _
        & "FROM tblTransfer"
    sSQL = sSQL & " WHERE Sent=FALSE"

    ' Transfers.mdb 資料庫檔案路徑
    MyConn = "J:\transfers.mdb"

    Set cnn = New ADODB.Connection
    With cnn
        .Provider = "Microsoft.Jet.OLEDB.4.0"
        .Open MyConn
    End With

    Set rst = New ADODB.Recordset
    rst.CursorLocation = adUseServer
    rst.Open Source:=sSQL, ActiveConnection:=cnn, _
        CursorType:=AdForwardOnly, LockType:=adLockOptimistic, _
        Options:=adCmdText

    ' 新建一張工作表用於暫存查詢結果
    Set WSTemp = Worksheets.Add

    ' 加上欄位標頭
    Range("A1:F1").Value = Array("ID", "Style", "From", "To", "Qty",
"Date")

    ' 把查詢所得的記錄集複製到從第 2 列開始的範圍
    Range("A2").CopyFromRecordset rst

    ' 關閉連線
    rst.Close
    cnn.Close

    ' 確認資料筆數
    FinalRow = Range("A65536").End(xlUp).Row

    ' 如果查詢結果沒有任何資料，結束程序
    If FinalRow = 1 Then
        Application.DisplayAlerts = False
        WSTemp.Delete
        Application.DisplayAlerts = True
        WSOrig.Activate
```

```
        MsgBox "沒有待確認的調貨資料"
        Exit Sub
    End If

    ' 設定 F 欄的資料格式為日期
    Range("F2:F" & FinalRow).NumberFormat = "m/d/y"

    ' 顯示自訂表單 -- 後續的章節段落中會說明
    frmTransConf.Show

    ' 刪除暫存用的工作表
    Application.DisplayAlerts = False
    WSTemp.Delete
    Application.DisplayAlerts = True
End Sub
```

查詢結果會被寫到一張新建的空白工作表中，而上例中的最後幾行程式碼，則是會開啟一份自訂表單，將查詢結果顯示在其中，以便接下來我們對資料進行更新操作。

CopyFromRecordset 方法能把符合 SQL 查詢條件的記錄複製到工作表的一個範圍內。但要注意的是，複製過來的僅有資料記錄、標題不會自動包含在內。因此還需要用程式碼來把標題加到第一列中，如圖 21.3 所示。

	A	B	C	D	E	F
1	ID	Style	From	To	Qty	Date
2	1935	B11275	340000	340000	8	6/9/04
3	1936	B10133	340000	340000	4	6/9/04
4	1937	B15422	340000	340000	5	6/9/04
5	1938	B10894	340000	340000	9	6/9/04
6	1939	B10049	340000	340000	3	6/9/04
7	1941	B18722	340000	340000	10	6/9/04
8	1944	B12886	340000	340000	10	6/9/04
9	1947	B17947	340000	340000	7	6/9/04
10	1950	B16431	340000	340000	9	6/9/04
11	1953	B19857	340000	340000	7	6/9/04
12	1954	B11562	340000	340000	1	6/9/04
13	1955	B19413	340000	340000	2	6/9/04
14	1957	B17370	340000	340000	1	6/9/04

圖 21.3 Range("A2").CopyFromRecordSet 會把符合條件的記錄從 Access 資料庫複製到工作表中。

更新既存的記錄

由於在要更新既存的記錄時，必須先建立一個僅含該操作對象記錄的記錄集；因此使用者必須利用某些不重複的鍵值欄位，才能準確地辨識出對象記錄。開啟記錄集後，利用 Fields 屬性就能針對要修改的欄位進行更新，最後再呼叫 Update 方法來對資料庫執行記錄變更處理。

在先前的範例中，我們把記錄集寫入了一張空白工作表，然後呼叫自訂表單 frmTransConf。這個表單會利用 Userform_Initialize 事件程序，簡單地在一個大型清單方塊控制項中，把資料範圍中的內容顯示出來：

```
Private Sub UserForm_Initialize()
    ' 確認資料筆數
    FinalRow = Cells(Rows.Count, 1).End(xlUp).Row
    If FinalRow > 1 Then
        Me.lbXlt.RowSource = "A2:F" & FinalRow
    End If
End Sub
```

這個清單方塊控制項的 MultiSelect 屬性已事先設定為「True」值。

在執行過 Userform_Initialize 事件處理程序後，所有待確認的調貨資料就會列出在清單方塊內。於是物流單位就可以從清單中，把他們確認過、已經配送出去的調貨資料選取起來，如圖 21.4 所示。

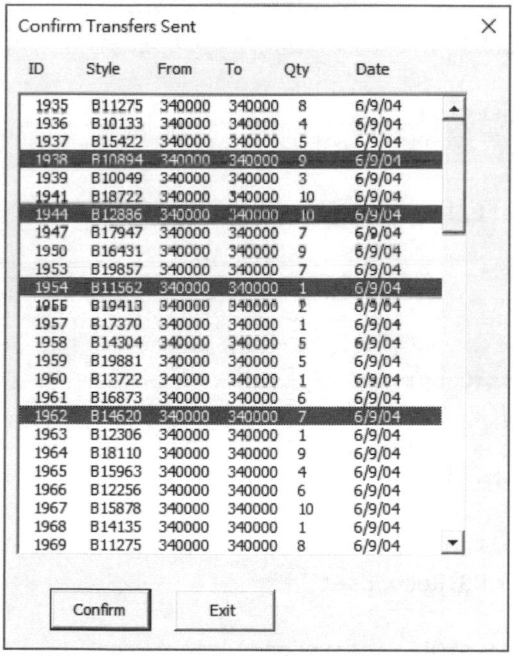

Confirm Transfers Sent

ID	Style	From	To	Qty	Date
1935	B11275	340000	340000	8	6/9/04
1936	B10133	340000	340000	4	6/9/04
1937	B15422	340000	340000	5	6/9/04
1938	B10894	340000	340000	9	6/9/04
1939	B10049	340000	340000	3	6/9/04
1941	B18722	340000	340000	10	6/9/04
1944	B12886	340000	340000	10	6/9/04
1947	B17947	340000	340000	7	6/9/04
1950	B16431	340000	340000	9	6/9/04
1953	B19857	340000	340000	7	6/9/04
1954	B11562	340000	340000	1	6/9/04
1955	B19413	340000	340000	2	6/9/04
1957	B17370	340000	340000	1	6/9/04
1958	B14304	340000	340000	5	6/9/04
1959	B19881	340000	340000	5	6/9/04
1960	B13722	340000	340000	1	6/9/04
1961	B16873	340000	340000	6	6/9/04
1962	B14620	340000	340000	7	6/9/04
1963	B12306	340000	340000	1	6/9/04
1964	B18110	340000	340000	9	6/9/04
1965	B15963	340000	340000	4	6/9/04
1966	B12256	340000	340000	6	6/9/04
1967	B15878	340000	340000	10	6/9/04
1968	B14135	340000	340000	1	6/9/04
1969	B11275	340000	340000	8	6/9/04

Confirm　Exit

圖 21.4　這個自訂表單中顯示了 Access 記錄集中的部分記錄。當採購員選取某些記錄，然後點選 Confirm 按鈕時，就會用到 ADO 的 Update 方法來更新被選取記錄的「Sent」欄位。

當 Confirm 按鈕被點擊時，會執行如下的程式碼：

```
Private Sub cbConfirm_Click()
    Dim cnn As ADODB.Connection
    Dim rst As ADODB.Recordset

    ' 當沒有選中任何記錄時，顯示提示訊息
    CountSelect = 0
    For x = 0 To Me.lbXlt.ListCount - 1
        If Me.lbXlt.Selected(x) Then
            CountSelect = CountSelect + 1
        End If
    Next x

    If CountSelect = 0 Then
        MsgBox "沒有選取任何調貨資料。" & _
            "如果沒有任何調貨需要確認，請點擊 Cancel 按鈕。"
        Exit Sub
    End If

    ' 與 transfers.mdb 之間建立連線
    ' 手動設定對 Transfers.mdb 檔案路徑
    MyConn = "J:\transfers.mdb"

    Set cnn = New ADODB.Connection

    With cnn
        .Provider = "Microsoft.Jet.OLEDB.4.0"
        .Open MyConn
    End With

    ' 將記錄更新為已配送狀態
    For x = 0 To Me.lbXlt.ListCount - 1
        If Me.lbXlt.Selected(x) Then
            ThisID = Cells(2 + x, 1).Value
            ' 將 ThisID 記錄更新為已完成
            ' 組合出 SQL 陳述式
            sSQL = "SELECT * FROM tblTransfer Where ID=" & ThisID
            Set rst = New ADODB.Recordset
            With rst
                .Open Source:=sSQL, ActiveConnection:=cnn, _
                    CursorType:=adOpenKeyset,
LockType:=adLockOptimistic
                ' 更新欄位資料
                .Fields("Sent").Value = True
```

```
                .Update
                .Close
            End With
        End If
    Next x

    ' 關閉連線
    cnn.Close
    Set rst = Nothing
    Set cnn = Nothing

    ' 關閉自訂表單
    Unload Me
End Sub
```

如果你想要更新資料記錄，那麼就要注意一件重要的事情：你需要在先前範例中執行查詢時，將 ID 欄位包括在回傳的資料欄位中，這樣才能準確地指出要更新的資料記錄。

透過 ADO 刪除記錄

與更新記錄的方法很類似，刪除記錄的關鍵也在於用 SQL 陳述式來指出需要被刪除的記錄。以下的程式碼會呼叫 Execute 方法，把 SQL 的 Delete 指令語句傳遞給 Access：

```
Public Sub ADOWipeOutAttribute(RecID)
    ' 與 transfers.mdb 之間建立連線
    MyConn = "J:\transfers.mdb"

    With New ADODB.Connection
    .Provider = "Microsoft.Jet.OLEDB.4.0"
    .Open MyConn
    .Execute "Delete From tblTransfer Where ID = " & RecID
    .Close
    End With
End Sub
```

透過 ADO 作統計分析

Access 的強項之一，是可以針對特定欄位利用「Group by」語法，執行統計分析查詢。如果讀者有在 Access 中的 SQL 檢視窗格內，執行過統計分析查詢，就會知道這類查詢編寫起來會有多複雜。當然同樣地，這類 SQL 查詢也可以在 Excel VBA 中透過 ADO 工具對 Access 資料庫查詢。

以下的程式碼用了一個相當複雜的查詢來分別取得每家分店的配貨量：

```
Sub NetTransfers(Style As Variant)
    ' This builds a table of net open transfers
    ' on Styles AI1
    Dim cnn As ADODB.Connection
    Dim rst As ADODB.Recordset

    ' 組合起一條超長的 SQL 查詢語句
    ' 簡單說明：把所有分店的最新調進資料，與所有分店的最新調出資料
    ' 建立一對多的聯集關係。只要以這一次查詢，就能取代掉原本
    ' 可能高達 60 來次對 GetTransferIn、GetTransferOut、
    ' 以及 TransferAge 等等程序的呼叫
    sSQL = "Select Store, Sum(Quantity), Min(mDate) From " & _
        "(SELECT ToStore AS Store, Sum(Qty) AS Quantity, " & _
        "Min(TDate) AS mDate FROM tblTransfer where Style='" & Style & _
        "& "' AND Receive=FALSE GROUP BY ToStore "
    sSQL = sSQL & " Union All SELECT FromStore AS Store, " & _
        "Sum(-1*Qty) AS Quantity, Min(TDate) AS mDate " & _
        "FROM tblTransfer where Style='" & Style & "' AND " & _
        "Sent=FALSE GROUP BY FromStore)"
    sSQL = sSQL & " Group by Store"

    MyConn = "J:\transfers.mdb"

    ' 建立連線
    Set cnn = New ADODB.Connection
    With cnn
        .Provider = "Microsoft.Jet.OLEDB.4.0"
        .Open MyConn
    End With

    Set rst = New ADODB.Recordset

    rst.CursorLocation = adUseServer

    ' 執行查詢
    rst.Open Source:=sSQL, _
        ActiveConnection:=cnn, _
        CursorType:=AdForwardOnly, _
        LockType:=adLockOptimistic, _
        Options:=adCmdText
```

```
    Range("A1:C1").Value = Array("Store", "Qty", "Date")
    ' 取得查詢結果
    Range("A2").CopyFromRecordset rst
    rst.Close
    cnn.Close
End Sub
```

ADO 的其他功能

回想一下在 CaseStudy 中建立的應用程式；現在即使是沒有 Access 軟體的採購員也能透過網路磁碟機存取 Access 資料庫了。但要是能夠少一個步驟，在開啟應用程式狀態下，即時將資料變更傳送到網路上的 Access 資料庫就更好了。

Note 假如讀者正在煩惱該如何說服他人，利用此類應用程式來執行查詢作業。你可以直接將查詢作業用的巨集，藏在這份報表檔案的 Workbook_Open 程序中，這樣一來，只要每次開啟報表檔就會自動執行巨集。這個程序會先進行欄位作檢查作業、看看資料欄位是否存在、然後把遺失的欄位加回去。

Note 更多關於把更新查詢隱藏在 Workbook_Open 程序中的技巧，請參考《**Chapter26- 建立增益集**》的「案例研究 CaseStudy：使用隱藏的程式碼活頁簿來存放所有巨集和表單」（下冊第 255 頁）。

檢查資料表是否存在

假設本章節所提出的應用程式範例，某天需要在資料庫中新增資料表的功能，就可以選用接下來要介紹的程式碼了。不過，由於會有多使用者同時共享這份資料庫，因此只有第一個開啟了應用程式的使用者，才會執行到新增資料表的操作；而當下一個使用者（也就是採購員）開啟應用程式時，此時新資料表已經存在於資料庫中了。底下這份程式碼，是一個在呼叫之後會回傳 True 或 False 值，用來表示資料表是否已經存在的函式、而非副程序。

以下會使用 OpenSchema 方法來查詢資料庫的結構概要：

```
Function TableExists(WhichTable)
    Dim cnn As ADODB.Connection
    Dim rst As ADODB.Recordset
    Dim fld As ADODB.Field
```

```
    TableExists = False

    ' 手動指定 Transfers.mdb 檔案的路徑
    MyConn = "J:\transfers.mdb"

    Set cnn = New ADODB.Connection
    With cnn
        .Provider = "Microsoft.Jet.OLEDB.4.0"
        .Open MyConn
    End With

    Set rst = cnn.OpenSchema(adSchemaTables)

    Do Until rst.EOF
        If LCase(rst!Table_Name) = LCase(WhichTable) Then
            TableExists = True
            GoTo ExitMe
        End If
        rst.MoveNext
    Loop

ExitMe:
    rst.Close
    Set rst = Nothing
    ' 關閉連線
    cnn.Close
End Function
```

檢查欄位是否存在

而有時候還會需要在現有的資料表中增加一個新欄位。因此就如以下的程式碼所示，這邊我們依然會用到 OpenSchema 方法，但這次要檢查的是資料表中的欄位：

```
Function ColumnExists(WhichColumn, WhichTable)
    Dim cnn As ADODB.Connection
    Dim rst As ADODB.Recordset
    Dim WSOrig As Worksheet
    Dim WSTemp As Worksheet
    Dim fld As ADODB.Field
    ColumnExists = False

    ' 以 Menu 工作表存放 Transfers.mdb 檔案的路徑
    MyConn = ActiveWorkbook.Worksheets("Menu").Range("TPath").Value
```

```
    If Right(MyConn, 1) = "\" Then
        MyConn = MyConn & "transfers.mdb"
    Else
        MyConn = MyConn & "\transfers.mdb"
    End If

    Set cnn = New ADODB.Connection

    With cnn
        .Provider = "Microsoft.Jet.OLEDB.4.0"
        .Open MyConn
    End With

    Set rst = cnn.OpenSchema(adSchemaColumns)
    Do Until rst.EOF
        If LCase(rst!Column_Name) = LCase(WhichColumn) And _
            LCase(rst!Table_Name) = LCase(WhichTable) Then
            ColumnExists = True
            GoTo ExitMe
        End If
        rst.MoveNext
    Loop

ExitMe:
    rst.Close
    Set rst = Nothing
    ' 關閉連線
    cnn.Close
End Function
```

新增資料表

以下程式碼會透過傳遞查詢機制，指示 Access 資料庫執行「Create Table」的 SQL 指令語句：

```
Sub ADOCreateReplenish()
    ' 新建 tblReplenish 資料表
    ' 資料表結構共五個欄位分別如下
    ' Style 商品品項
    ' A = A 分店的補貨資料
    ' B = B 分店的補貨資料
    ' C = C 分店的補貨資料
    ' RecActive = 是 / 否要補貨設定
    Dim cnn As ADODB.Connection
```

```
    Dim cmd As ADODB.Command

    ' 設定連線
    MyConn = "J:\transfers.mdb"

    ' 開啟連線
    Set cnn = New ADODB.Connection
    With cnn
        .Provider = "Microsoft.Jet.OLEDB.4.0"
        .Open MyConn
    End With

    Set cmd = New ADODB.Command
    Set cmd.ActiveConnection = cnn
    ' 新建資料表
    cmd.CommandText = "CREATE TABLE tblReplenish " & _
        "(Style Char(10) Primary Key, " & _
        "A int, B int, C Int, RecActive YesNo)"
    cmd.Execute , , adCmdText
    Set cmd = Nothing
    Set cnn = Nothing
    Exit Sub
End Sub
```

新增欄位

在確認需要的資料欄位不存在之後，同樣可以利用傳遞查詢的方式，在資料表中新增一個欄位，如下所示：

```
Sub ADOAddField()
    ' 在 tblReplenish 資料表中新增一個 grp 欄位
    Dim cnn As ADODB.Connection
    Dim cmd As ADODB.Command

    ' 設定連線
    MyConn = "J:\transfers.mdb"

    ' 開啟連線
    Set cnn = New ADODB.Connection
    With cnn
        .Provider = "Microsoft.Jet.OLEDB.4.0"
        .Open MyConn
    End With
```

```
    Set cmd = New ADODB.Command
    Set cmd.ActiveConnection = cnn
    ' 變更資料表結構
    cmd.CommandText = "ALTER TABLE tblReplenish Add Column Grp
Char(25)"
    cmd.Execute , , adCmdText
    Set cmd = Nothing
    Set cnn = Nothing
End Sub
```

SQL 伺服器連線範例

假如讀者使用的是 64 位元版本的 Office，而且閱讀本書當下 Microsoft 尚未提供 64 位元版本的 Microsoft.Jet.OLEDB.4.0 驅動函式庫的話，就必須改用 SQL Server 或是其他的資料庫連線工具：

```
Sub DataExtract()
    Application.DisplayAlerts = False

    ' 清除先前的查詢結果
    Sheet1.Cells.Clear

    ' 建立連線物件
    Dim cnPubs As ADODB.Connection
    Set cnPubs = New ADODB.Connection

    ' 設定連線字串用的變數
    Dim strConn As String

    ' 這邊改用 SQL Server OLE DB 連線驅動
    strConn = "PROVIDER=SQLOLEDB;"

    ' 與本地端伺服器上的 Pubs 資料庫建立連線
    strConn = strConn & "DATA SOURCE=a_sql_server;INITIAL CATALOG=a_
database;"

    ' 以整合登入資訊登入資料庫
    strConn = strConn & " INTEGRATED SECURITY=sspi;"

    ' 開啟連線
    cnPubs.Open strConn

    ' 建立記錄集物件
```

```
    Dim rsPubs As ADODB.Recordset
    Set rsPubs = New ADODB.Recordset

    With rsPubs
        ' 指定用來連線的物件
        .ActiveConnection = cnPubs
        ' 查詢需要的資料
        .Open "<這邊可以執行資料庫上的預存程序>"
        ' 將查詢結果複製到工作表 1 的 A2 儲存格中
        Sheet1.Range("A2").CopyFromRecordset rsPubs

        Dim myColumn As Range
        'Dim title_string As String
        Dim K As Integer
        For K = 0 To rsPubs.Fields.Count - 1
            'Sheet1.Columns(K).Value = rsPubs.Fields(K).Name
            'title_string = title_string & rsPubs.Fields(K).Name &
Chr(9)
            'Sheet1.Columns(K).Cells(1).Name = rsPubs.Fields(K).Name
            'Sheet1.Columns.Column(K) = rsPubs.Fields(K).Name
            'Set myColumn = Sheet1.Columns(K)
            'myColumn.Cells(1, K).Value = rsPubs.Fields(K).Name
            'Sheet1.Cells(1, K) = rsPubs.Fields(K).Name
            Sheet1.Cells(1, K + 1) = rsPubs.Fields(K).Name
            Sheet1.Cells(1, K + 1).Font.Bold = "TRUE"
        Next K
        'Sheet1.Range("A1").Value = title_string

        ' 清除工作環境
        .Close
    End With

    cnPubs.Close
    Set rsPubs = Nothing
    Set cnPubs = Nothing

    ' 清除錯誤訊息
    Dim cellval As Range
    Dim myRng As Range
    Set myRng = ActiveSheet.UsedRange
    For Each cellval In myRng
        cellval.Value = cellval.Value
        'cellval.NumberFormat = "@" ' 儲存格格式設定
        'HorizontalAlignment
```

```
            cellval.HorizontalAlignment = xlRight
        Next
    End Sub
```

接下來的學習目標

接下來我們在《**Chapter22- 進階自訂表單技巧**》中將會介紹更多可用於打造自訂表單的控制項與技巧。

Chapter 22

進階自訂表單技巧

在本章節中，我們將學習：

- 運用自訂表單工具列
- 如何使用核取方塊、索引標籤區域、RefEdit 與切換按鈕控制項
- 使用集合物件一次控制多個控制項
- 在顯示自訂表單的同時選取工作表上的儲存格
- 自訂表單中的超連結
- 動態新增的控制項
- 為自訂表單增加說明
- 多欄位的清單方塊
- 透明的自訂表單

先前在《Chapter10- 簡介自訂表單》中，我們簡單介紹了在自訂表單中增加控制項的方法；本章將會延續這個主題，介紹進階的控制項元件，以及更多有效利用自訂表單的方法。

運用自訂表單工具列

在 VB 編輯器「檢視」下的「工具列」選單中，你會發現有幾個未曾見過的工具列藏在這邊。其中一個就是「自訂表單」工具列，如圖 22.1 所示。在這個工具列中，提供了幾種可用於表單控制項的管理功能；舉例而言，你可以利用工具列上的功能，把選中的控制項一口氣調整成同樣的大小。

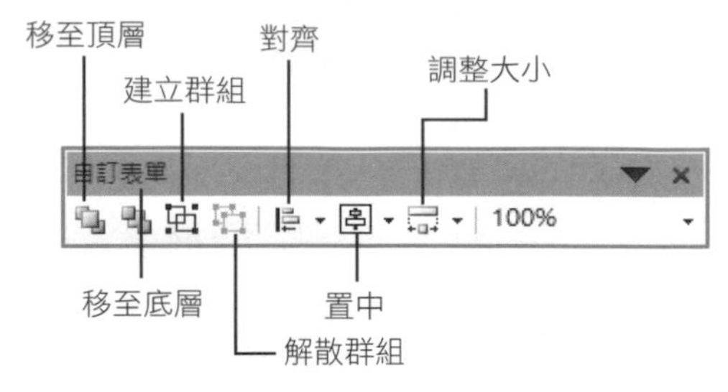

圖 22.1 「自訂表單」工具列中具備管理自訂表單控制項的工具。

更多自訂表單控制項

接下來的章節段落內容，將會介紹更多不同自訂表單控制項，以便你與使用者互動、獲取資訊；每個章節段落結尾，還會附上該類控制項的事件處理程序一覽表。

核取方塊

核取方塊（CheckBox）在自訂表單上提供讓使用者勾選一到多個項目的功能。與第十章中所介紹過的選項按鈕不同在於，選項按鈕一次只能選取其中一個項目，但核取方塊則可以進行多選。

被選取的核取方塊元件值會是「True」值；未被選取的核取方塊元件值則會是「False」值。在自訂表單顯示狀態下，如果將核取方塊的元件值清空（CheckBox1.Value = ""），這時核取方塊就會顯示為一個淺灰色的打勾符號，如圖 22.2 所示。這招可以用來驗證使用者是否已確認所有項目，並做出勾選或不選的決定。

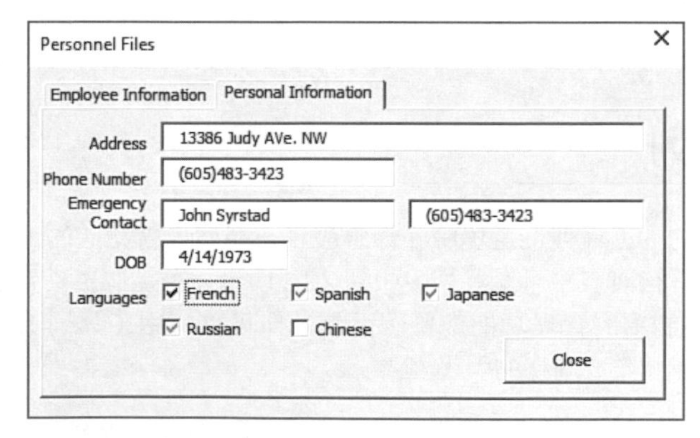

圖 22.2 可以利用核取方塊設為空值的功能，來驗證使用者是否已確認所有必要項目。

以下程式碼會利用這個功能，檢查圖 22.2 的對話方塊，看看「Languages」群組中所有核取方塊是否都已確認。如果其中還有空值的核取方塊，就會跳出一個提示，提醒使用者做出決定：

```
Private Sub btnClose_Click()
    Dim Msg As String
    Dim Chk As Control
    Set Chk = Nothing

    ' 僅針對第二個索引標籤中的控制項，縮小走訪元件的範圍
    For Each Chk In frm_Multipage.MultiPage1.Pages(1).Controls
        ' 只針對核取方塊類別的控制項
        If TypeName(Chk) = "CheckBox" Then
            ' 以免未來還有其他用途的核取方塊
            ' 因此這邊只針對特定群組的核取方塊元件作確認
            If Chk.GroupName = "Languages" Then
                ' 如果元件值為空（也就是該屬性值為空值）
                If IsNull(Chk.Object.Value) Then
                    ' 將該元件的 Caption 屬性值加入提示字串中
                    Msg = Msg & vbNewLine & Chk.Caption
                End If
            End If
        End If
    Next Chk

    If Msg <> "" Then
        Msg = "下列核取方塊尚未被確認：" & vbNewLine & Msg
        MsgBox Msg, vbInformation, "請確認"
    End If
    Unload Me
End Sub
```

核取方塊控制項中可用的事件捕捉程序如表 22.1 所示。

表 22.1 核取方塊控制項事件

事件	描述
AfterUpdate	核取方塊被勾選或被取消勾選後，會觸發此事件
BeforeDragOver	當使用者把資料拖放至核取方塊中時，會觸發此事件
BeforeDropOrPaste	當使用者在核取方塊中放置或貼上資料之前，會觸發此事件
BeforeUpdate	在核取方塊被勾選或被取消勾選之前，會觸發此事件
Change	當核取方塊的值被改變時，會觸發此事件

事件	描述
Click	當使用者用滑鼠點選核取方塊時，會觸發此事件
DbClick	當使用者用滑鼠雙按兩下核取方塊時，會觸發此事件
Enter	在核取方塊從同一自訂表單的其它控制項那裡接收到焦點之前，會觸發此事件
Error	當核取方塊遇到錯誤，無法傳回錯誤訊息時，會觸發此事件
Exit	當核取方塊把焦點移轉給同一自訂表單的其它控制項時，會觸發此事件
KeyDown	當使用者按下鍵盤上的按鍵時，會觸發此事件
KeyPress	當使用者按下 ANSI 鍵時，會觸發此事件。ANSI 鍵是指可打字輸入的字元，例如字母 A
KeyUp	當使用者放開鍵盤上的按鍵時，會觸發此事件
MouseDown	當使用者在核取方塊範圍內按下滑鼠按鍵時，會觸發此事件
MouseMove	當使用者在核取方塊範圍內移動滑鼠時，會觸發此事件
MouseUp	當使用者在核取方塊範圍內放開滑鼠按鍵時，會觸發此事件

索引標籤區域

多重頁面控制項可以在自訂表單中加入多個頁面；表單上的每一頁都可以有獨立的一組控制項，與表單中其他頁面上的其他控制項無關。而索引標籤控制項（TabStrip）也可以在自訂表單加入多個頁面，但控制項卻是共用的，是完全相同的一組控制項。只是當自訂表單顯示時，這些控制項的內容會隨著索引標籤區域的切換而隨之改變（如圖 22.3 所示）。

圖 22.3 索引標籤區域允許自訂表單多頁共用同一組控制項，但不共用資訊。

Note 想了解更多關於多重頁面控制項（MultiPage）的細節，請參考第十章中的「用多重頁面控制項來合併多張表單」小節。

索引標籤的外觀預設會是一條細細長長、上頭有著兩個標籤的元件；對著元件點擊右鍵就可以新增、移除、重新命名或是移動索引標籤。你需要把元件大小縮放到可以容納所有需要被共用的控制項；然後在索引標籤區域之外的地方，再設置一個按鈕，用於關閉整張自訂表單。

索引標籤的位置也可以沿著索引標籤區域的邊緣來移動，就像圖 22.3 所示那樣，只要更改 TabOrientation 屬性即可。可以置於索引標籤區域的上方、下方、左側或右側。

以下程式碼可建立如圖 22.3 所示，內含索引標籤區域的表單。Initialize 事件程序會呼叫 SetValuesToTabStrip 副程序，後者則會為第一個索引標籤頁面完成相關的設定值：

```
Private Sub UserForm_Initialize()
    SetValuesToTabStrip 1 ' 預設顯示的索引標籤頁面
End Sub
```

以下程式碼是該索引標籤被選取時所要做的處理：

```
Private Sub TabStrip1_Change()
    Dim lngRow As Long

    lngRow = TabStrip1.Value + 1
    SetValuesToTabStrip lngRow
End Sub
```

這個副程序設定設定了每個索引標籤所要顯示的資訊。這些資訊是來自於一張工作表，每一列中的資訊、對應的就是一張索引標籤區域頁面：

```
Private Sub SetValuesToTabStrip(ByVal lngRow As Long)
    With frm_Staff
        .lbl_Address.Caption = Cells(lngRow, 2).Value
        .lbl_Phone.Caption = Cells(lngRow, 3).Value
        .lbl_Fax.Caption = Cells(lngRow, 4).Value
        .lbl_Email.Caption = Cells(lngRow, 5).Value
        .lbl_Website.Caption = Cells(lngRow, 6).Value
        .Show
    End With
End Sub
```

至於索引標籤本身的代表值則是自動由該索引標籤的順序所決定的，因此，如果移動並更改了索引標籤的順序，就會變更其代表值。由於第一個索引標籤的代表值為 0，因此在上面的範例中需要在代表值上再加 1，才能與工作表的列索引值對上。

Tip 假如希望在某一個索引標籤頁面中增加不共用的額外控制項，可以利用執行期，在顯示該索引標籤頁面時，動態加入控制項，等到要離開該索引標籤頁面時，再動態移除該控制項即可。

索引標籤控制項中可用的事件捕捉程序如表 22.2 所示。

表 22.2 索引標籤控制項事件

事件	描述
BeforeDragOver	當使用者拖曳和放下資料到索引標籤區域時，會觸發此事件
BeforeDropOrPaste	當使用者在索引標籤區域中放下或貼上資料前，會觸發此事件
Change	當索引標籤區域的值被更改時，會觸發此事件
Click	當使用者在索引標籤區域上單按滑鼠時，會觸發此事件
DblClick	當使用者在索引標籤區域上雙按滑鼠兩下時，會觸發此事件
Enter	在索引標籤區域從同一自訂表單的其它控制項那裡接收到焦點前，會觸發此事件
Error	當索引標籤區域碰到錯誤、且無法傳回錯誤的資訊時，會觸發此事件
Exit	當索引標籤區域把焦點移轉給同一自訂表單的其它控制項時，會觸發此事件
KeyDown	當使用者按下鍵盤上的任何按鍵時，會觸發此事件
KeyPress	當使用者按下任何 ANSI 鍵時，會觸發此事件。ANSI 鍵是指可打字輸入的字元，例如字母 A
KeyUp	當使用者在鍵盤上放開任一按鍵時會觸發此事件
MouseDown	當使用者在索引標籤區域邊框範圍內按下滑鼠按鍵時，會觸發此事件
MouseMove	當使用者在索引標籤區域邊框範圍內移動滑鼠時，會觸發此事件
MouseUp	當使用者在索引標籤區域邊框範圍內放開滑鼠按鍵時，會觸發此事件

RefEdit

RefEdit（範圍參照選取器）控制項能讓使用者選取工作表中的一個範圍；所選取的範圍會作為 RefEdit 控制項的內容值傳回。當使用者點擊在 RefEdit 控制項欄位右側的按鈕時，自訂表單就會暫時消失，同時被 Excel 工具中常見的範圍選取表單取代（圖 22.4）。再點擊一次該欄位右側的按鈕，就會回到自訂表單。

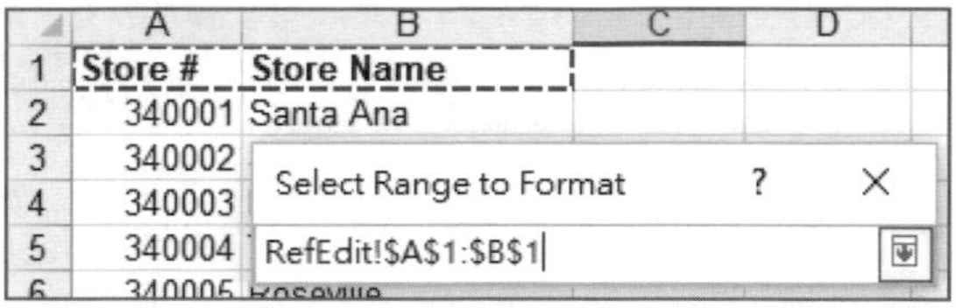

圖 22.4 RefEdit 控制項可以讓使用者在工作表內選取範圍。

下面的程式碼能讓使用者選取範圍，然後將選取範圍內的文字變為粗體。

```
Private Sub cb1_Click()
    Range(RefEdit1.Value).Font.Bold = True
    Unload Me
End Sub
```

RefEdit 控制項中可用的事件捕捉程序如表 22.3 所示。

Caution 值得注意的是，RefEdit 控制項事件常因無法正常運作而惡名昭彰。若遇到這個問題，請使用不同的控制項事件來觸發程式碼。

表 22.3 RefEdit 控制項事件

事件	描述
AfterUpdate	在使用者改變切換按鈕的資料之後，會觸發此事件
BeforeDragOver	當使用者拖曳和放下資料到 RefEdit 控制項時，會觸發此事件
BeforeDropOrPaste	當使用者在 RefEdit 控制項中放下或貼上資料之前，會觸發此事件
BeforeUpdate	在切換按鈕的資料被更改之前，會觸發此事件
Change	當控制項的值被更改時，會觸發此事件
Click	當使用者在 RefEdit 控制項上單按滑鼠時，會觸發此事件
DblClick	當使用者在 RefEdit 控制項上滑鼠雙按兩下時，會觸發此事件
DropButtonClick	當使用者按下欄位右側的放下按鈕時，會觸發此事件
Enter	當 RefEdit 控制項從同一自訂表單的其它控制項那裡接收到焦點之前，會觸發此事件

事件	描述
Error	當 RefEdit 控制項碰到錯誤、且無法傳回錯誤的資訊時，會觸發此事件
Exit	當 RefEdit 控制項把焦點移轉給同一自訂表單的其它控制項時，會觸發此事件
KeyDown	當使用者按下鍵盤上的任一按鍵時，會觸發此事件
KeyPress	當使用者按下任何 ANSI 鍵時，會觸發此事件。ANSI 鍵是可打字輸入的字元，例如字母 A
KeyUp	當使用者在鍵盤上放開任一按鍵時，會觸發此事件
MouseDown	當使用者在 RefEdit 控制項邊框範圍內按下滑鼠按鍵時，會觸發此事件
MouseMove	當使用者在 RefEdit 控制項邊框範圍內移動滑鼠時，會觸發此事件
MouseUp	當使用者在 RefEdit 控制項邊框範圍內放開滑鼠按鍵時，會觸發此事件

切換按鈕

切換按鈕的（ToggleButton）的外觀與一般的指令按鈕相同，但當使用者點擊按鈕之後，卻會一直保持在按下的狀態，直到被再次被點擊為止。而根據按鈕目前所處的狀態，該元件的內容值便會對應到 True 或 False 值兩種。切換按鈕控制項中可用的事件捕捉程序如表 22.4 所示。

表 22.4 切換按鈕控制項事件

事件	描述
AfterUpdate	在使用者改變切換按鈕的資料之後，會觸發此事件
BeforeDragOver	當使用者拖曳和放下資料到切換按鈕時，會觸發此事件
BeforeDropOrPaste	當使用者在切換按鈕中放下或貼上資料之前，會觸發此事件
BeforeUpdate	在切換按鈕的資料被更改之前，會觸發此事件
Change	當切換按鈕的值被更改時，會觸發此事件
Click	當使用者在切換按鈕上單按滑鼠時，會觸發此事件
DblClick	當使用者在切換按鈕上雙按滑鼠兩下時，會觸發此事件
Enter	在切換按鈕從同一自訂表單的其它控制項那裡接收到焦點之前，會觸發此事件
Error	當切換按鈕碰到錯誤、且無法傳回錯誤資訊時，會觸發此事件

事件	描述
Exit	當切換按鈕把焦點移轉給同一自訂表單的其它控制項時，會觸發此事件
KeyDown	當使用者按下鍵盤上任一按鍵時，會觸發此事件
KeyPress	當使用者按下任何 ANSI 鍵時，會觸發此事件。ANSI 鍵是可打字輸入的字元，例如字母 A
KeyUp	當使用者在鍵盤上放開任一按鍵時，會觸發此事件
MouseDown	當使用者在切換按鈕邊框範圍內按下滑鼠按鍵時，會觸發此事件
MouseMove	當使用者在切換按鈕邊框範圍內移動滑鼠時，會觸發此事件
MouseUp	當使用者在切換按鈕邊框範圍內放開滑鼠按鍵時，會觸發此事件

用捲軸控制項作為滑桿來選取值

第十章討論過利用微調按鈕控制項（SpinButton）作為讓使用者選擇日期的手段。微調按鈕是很實用沒錯，但是它只允許使用者每次只能移動一個單位。因此，另一種方法是在自訂表單的中間設置一個水平或垂直的捲軸控制項作為滑桿。使用者可以將捲軸兩端的箭頭當成微調按鈕的箭頭來使用，也可以直接拖曳捲軸至特定值的位置。

圖 22.5 所示的自訂表單中包含一個名為 Label1 的標籤和一個名為 ScrollBar1 的捲軸控制項。

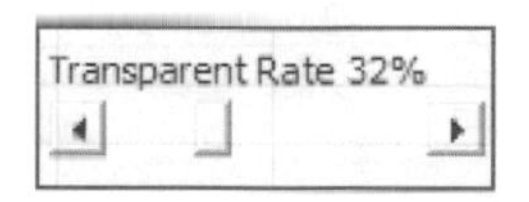

圖 22.5 使用捲軸控制項讓使用者能直接拖曳至特定的數字或資料值。

自訂表單的 Initialize 事件程序會為捲軸元件設定 Min 和 Max 的值。下面的程式碼會以 A1 儲存格值設定為捲軸控制項的內容值，然後再將捲軸當前的內容值，更新顯示在一個 Label1.Caption 標籤上：

```
Private Sub UserForm_Initialize()
    Me.ScrollBar1.Min = 0
    Me.ScrollBar1.Max = 100
    Me.ScrollBar1.Value = Worksheets("Scrollbar").Range("A1").Value
    Me.Label1.Caption = Me.ScrollBar1.Value
End Sub
```

每個捲軸控制項都需要設定兩個事件捕捉程序，其中 Change 事件程序會在使用者點擊捲軸兩端的箭頭按鈕時被觸發；而 Scroll 事件程序則會在使用者直接拖曳滑桿到一個新的位置上時被觸發：

```
Private Sub ScrollBar1_Change()
    ' 當使用者點擊捲軸兩端箭頭按鈕時觸發
    Me.Label1.Caption = Me.ScrollBar1.Value
End Sub

Private Sub ScrollBar1_Scroll()
    ' 當使用者拖曳滑桿時觸發
    Me.Label1.Caption = Me.ScrollBar1.Value
End Sub
```

最後，再以一個按鈕的點擊事件捕捉程序，把捲軸的內容值寫出到工作表上：

```
Private Sub btnClose_Click()
    Worksheets("Scrollbar").Range("A1").Value = Me.ScrollBar1.Value
    Unload Me
End Sub
```

捲軸控制項中可用的事件捕捉程序如表 22.5 所示。

表 22.5　捲軸控制項事件

事件	描述
AfterUpdate	在使用者改變捲軸的資料之後，會觸發此事件
BeforeDragOver	當使用者拖曳和放下資料到捲軸時，會觸發此事件
BeforeDropOrPaste	當使用者在捲軸中放下或貼上資料之前，會觸發此事件
BeforeUpdate	當捲軸的資料被更改前，會觸發此事件
Change	當捲軸的值被更改時，會觸發此事件
Enter	在捲軸從同一自訂表單的其它控制項那裡接收到焦點之前，會觸發此事件
Error	當捲軸碰到錯誤、且無法傳回錯誤資訊時，會觸發此事件
Exit	當捲軸把焦點移轉給同一自訂表單的其它控制項時，會觸發此事件
KeyDown	當使用者按下鍵盤上任一按鍵時，會觸發此事件
KeyPress	當使用者按下任何 ANSI 鍵時，會觸發此事件。ANSI 鍵是可打字的字元，例如字母 A
KeyUp	當使用者在鍵盤上放開任一按鍵時，會觸發此事件
Scroll	當捲軸上的滑桿被移動時，會觸發此事件

控制項與集合

先前我們在《**Chapter9- 建立類別與集合**》中曾經介紹過，如何以集合將工作表上的標籤集中在一起管理，只要再稍加巧思，這些標籤便能用於顯示說明文字之用。同樣地，自訂表單中的控制項也可以利用集合進行管理，善用類別模組的優勢。例如，下面的範例會根據使用者所選取的標籤，一口氣選取或清除自訂表單中所有的核取方塊控制項。

請先把以下程式碼放在類別模組 clsFormCtl 中。此模組有一個屬性 chb 和兩個方法，名稱分別為 SelectAll、UnselectAll。

SelectAll 方法會把核取方塊的值設定成 True，來達成勾選核取方塊：

```
Public WithEvents chb As MSForms.CheckBox

Public Sub SelectAll()
    chb.Value = True
End Sub
```

UnselectAll 方法則是會清除核取方塊的勾選狀態：

```
Public Sub UnselectAll()
    chb.Value = False
End Sub
```

設定好類別模組後，接下來要把控制項放入集合中。以下是自訂表單 frm_Movies 中的程式碼，會把將核取方塊控制項都放入一個集合中。這些核取方塊控制項都歸屬在 frm_Selection 框架中，以便建立集合，因為你不用走訪整張自訂表單上的所有控制項物件，只要針對框架中的控制項即可：

```
Dim col_Selection As New Collection

Private Sub UserForm_Initialize()
    Dim ctl As MSForms.CheckBox
    Dim chb_ctl As clsFormCtl

    ' 走訪框架中的控制項元件，加入集合當中
    For Each ctl In frm_Selection.Controls
        Set chb_ctl = New clsFormCtl
        Set chb_ctl.chb = ctl
        col_Selection.Add chb_ctl
    Next ctl
End Sub
```

當開啟表單時，控制項會被放進集合中。剩下就只需要編寫與標籤對應的程式碼，完成勾選和取消勾選核取方塊的處理：

```
Private Sub lbl_SelectAll_Click()
    Dim ctl As clsFormCtl

    For Each ctl In col_Selection
        ctl.SelectAll
    Next ctl
End Sub
```

以下的程式碼則會取消勾選集合中的核取方塊：

```
Private Sub lbl_unSelectAll_Click()
    Dim ctl As clsFormCtl

    For Each ctl In col_Selection
        ctl.Unselectall
    Next ctl
End Sub
```

這樣一來，只要用滑鼠點擊一下就能輕鬆把所有核取方塊都勾選起來、或取消勾選，就如圖 22.6 所示。

圖 22.6 結合框架、集合與類別模組的使用技巧，就能快速打造出高效率的自訂表單功能。

Tip 假如無法把控制項放進框架中，可以利用 Tag 屬性來建立群組；這個 Tag 屬性用來存放與該控制項有關的額外資訊。這個屬性的型態是 String 類型，因此能用來保存任何種類資訊，像是從不同群組中挑出控制項來建立一個非正式的控制項群組。

非強制回應自訂表單

讀者是否曾遇過開啟自訂表單後、但仍需要回頭查詢工作表內容，甚至需要切換到另一張工作表的情形？現在的自訂表單可以設定為非強制回應模式，意即不會因為顯示自訂表單，而導致 Excel 其他功能都暫時無法使用的情形。於是使用者可以照常在儲存格中輸入內容、切換工作表、複製貼上資料、使用功能區中的功能，就好像自訂表單不存在一樣。

自訂表單的預設行為模式是強制回應（modal），換句話說，在開啟自訂表單時將無法使用自訂表單以外的任何 Excel 其他功能。如果要把表單改成非強制回應模式，只要將 ShowModal 屬性設為「False」值即可，如下範例所示，將 Userform1 設為非強制回應（modeless）：

```
Userform1.Show False
```

設為非強制回應後，就算表單開著，使用者依舊可以在工作表上選取儲存格，就如圖 22.7 所示。

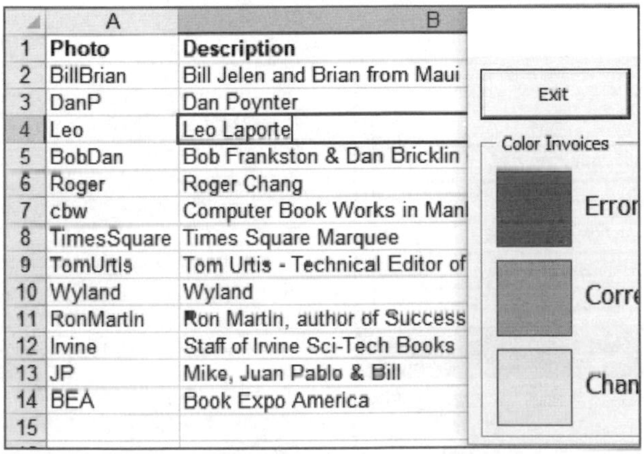

圖 22.7　非強制回應表單讓使用者在表單開啟的狀況下仍能進入儲存格。

在自訂表單中使用超連結

先前在圖 22.3 所示的自訂表單範例中，有一個寫有電子郵件帳號和網址的欄位。要是使用者可以直接在這些欄位上點一下，然後就能自動直接跳出空白的電子郵件、或是網頁頁面的話，就非常便利了。其實用下面這段程式便能達成，當有人點擊對應的標籤控制項時，就會開啟一個新的電子郵件編輯視窗或瀏覽器視窗：

```
Private Declare PtrSafe Function ShellExecute Lib "shell32.dll" Alias _
    "ShellExecuteA"(ByVal hWnd As Long, ByVal lpOperation As String, _
    ByVal lpFile As String, ByVal lpParameters As String, _
    ByVal lpDirectory As String, ByVal nShowCmd As Long) As LongPtr

Const SWNormal = 1
```

Windows 應用程式介面（API）的宣告和其他的常數定義，記得要放在程式碼的最開頭。

底下這個副程序，負責控制當使用者點擊到電子郵件位址的標籤時要做出的反應，如圖 22.8 所示：

```
Private Sub lbl_Email_Click()
    Dim lngRow As Long

    lngRow = TabStrip1.Value + 1
    ShellExecute 0&, "open", "mailto:" & Cells(lngRow, 5).Value, _
        vbNullString, vbNullString, SWNormal
End Sub
```

圖 22.8 把電子郵件帳號和網址變成可點選的超連結。

底下的副程序則負責控制當使用者點擊網址標籤時，要做出的反應：

```
Private Sub lbl_Website_Click()
    Dim lngRow As Long

    lngRow = TabStrip1.Value + 1
    ShellExecute 0&, "open", Cells(lngRow, 6).Value, vbNullString, _
        vbNullString, SWNormal
End Sub
```

動態新增控制項

就算在執行階段中，也能為自訂表單增加控制項。當你不確定表單中需要多少控制項時，這個功能就很實用。

如圖 22.9 所示，這是一張剛開始只有一個按鈕的空白表單。這張空白表單要用來顯示產品型錄中的圖片；而這些圖片，以及所伴隨的標籤，都是在執行階段中、表單顯示時才會出現。

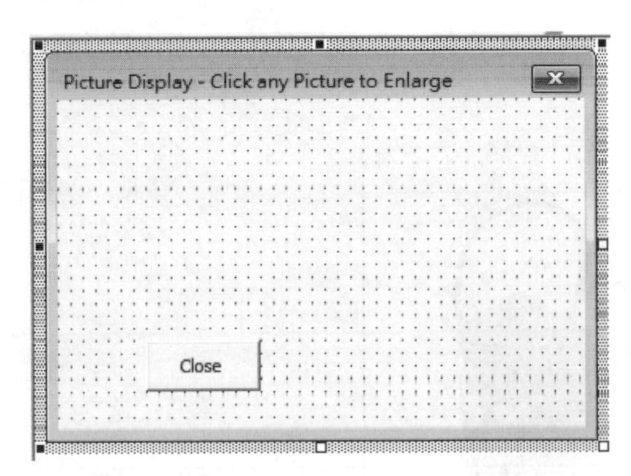

圖 22.9 可以建立具有彈性的表單，在執行階段才加入大部分的控制項。

於是業務代表在作簡報時，就可以利用這張表單來顯示產品型錄；此外也可以在 Excel 工作表中選取任何商品品項、然後按下快速鍵來叫出表單顯示在其中。萬一這位業務代表從工作表中一口氣選中了六個項目，表單就會改用較小尺寸的圖片來顯示這些項目，如圖 22.10 所示。

圖 22.10 某業務代表選取了 6 個產品品項，在呼叫 UserForm_Initialize 事件程序時，就會動態在自訂表單上加入圖片和標籤。

反之，如果業務代表選中的項目數量較少，就可以用較大的圖片尺寸顯示在表單中，如圖 22.11 所示。

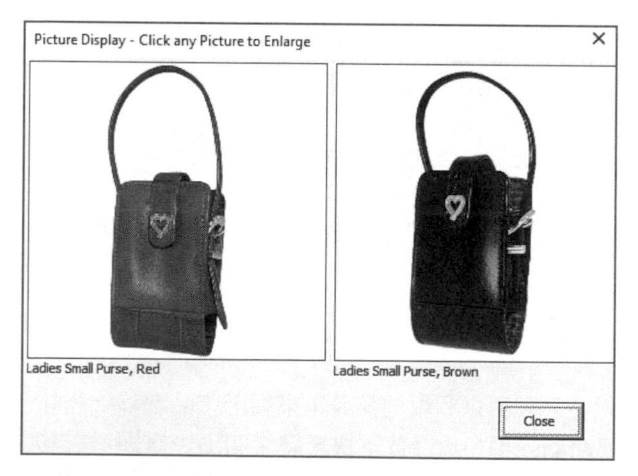

圖 22.11 UserForm_Initialize 事件程序中會檢查有多少張圖片需要顯示，然後據此顯示適當大小的圖片。

接下來就要介紹一些動態建立自訂表單的技巧。這份表單最初只有一個按鈕 cbClose，其他東西都是動態新增出來的。

動態調整自訂表單大小

為了讓產品型錄的圖片，能夠以最佳觀看體驗展現出來，我們希望把自訂表單顯示得越大越好。下面的程式碼會對自訂表單的 Height 與 Width 屬性作設定，將表單的大小調整到幾乎佔滿整個螢幕：

```
' 調整表單大小
Me.Height = Int(0.98 * ActiveWindow.Height)
Me.Width = Int(0.98 * ActiveWindow.Width)
```

動態新增控制項

一般而言，當我們要新增控制項時，都是在自訂表單的設計模式下進行，就如本範例中的 cbClose 按鈕一樣；這樣一來，就能直接以該元件的名稱在程式碼中操作：

```
Me.cbClose.Left = 100
```

但是對於在執行階段才加入的控制項，就必須用 Controls 集合，才能存取到該控制項並設定屬性。也因此，利用變數（例如，LC）來保存動態控制項的名稱就很重要。使用 .Add 方法就能新增控制項，其中有一個重要的參數為「bstrProgId」，這個參數用於指定該控制項的類型，看是標籤、文字方塊、指令按鈕、還是其他種類的控制項。

以下的程式碼會在表單中動態新增一個標籤。其中 PicCount 是一個作為計數器用途的變數，用來保證每個新增的標籤名稱皆不重複。在新增到表單中後，記得以 Top 與 Left 屬性來設定該控制項所在的位置，並且以 Width 與 Height 屬性來設定該控制項本身的大小：

```
LC = "LabelA" & PicCount
Me.Controls.Add bstrProgId:="forms.label.1", Name:=LC, Visible:=True
Me.Controls(LC).Top = 25
Me.Controls(LC).Left = 50
Me.Controls(LC).Height = 18
Me.Controls(LC).Width = 60
Me.Controls(LC).Caption = Cell.Value
```

Caution 但使用這種動態新增控制項的方式，就沒法享受到自動完成帶來的好處。例如在正常情況下，輸入「Me.cbClose.」時，自動完成就會顯示出有效指令選項的清單。不過，假設使用 Me.Controls(LC) 這種集合方式來增加控制項，VBA 就無從得知目前參照的是哪一類型的控制項。尤其當遇到標籤這類控制項，需要設定的是 Caption 屬性而非 Value 內容值時，就會特別感受到有自動完成的好處。

動態縮放控制項

簡單講，就是要動態去計算對 Top、Left、Height、Width 這四項屬性要設定的屬性值。計算時的依據是自訂表單本身的寬與高，以及表單中要放入多少控制項而定。

增加其他類型控制項

如果你想增加的不只標籤類型控制項，那麼就修改呼叫 .Add 方法時的 ProgId 參數值即可。各種類型控制項的 ProgId 如表 22.6 所示。

表 22.6 自訂表單控制項的 ProgId

控制項	ProgId
CheckBox	Forms.CheckBox.1
ComboBox	Forms.ComboBox.1
CommandButton	Forms.CommandButton.1
Frame	Forms.Frame.1
Image	Forms.Image.1
Label	Forms.Label.1
ListBox	Forms.ListBox.1
MultiPage	Forms.MultiPage.1
OptionButton	Forms.OptionButton.1
ScrollBar	Forms.ScrollBar.1
SpinButton	Forms.SpinButton.1
TabStrip	Forms.TabStrip.1
TextBox	Forms.TextBox.1
ToggleButton	Forms.ToggleButton.1

動態新增圖片

在自訂表單中新增圖片有它的不可預期性。因為圖片有的方向是橫的、有的方向是直的；有的尺寸大、有的尺寸小。因此要訣是，先直接以該圖片的原尺寸載入，然後在載入圖片前，把控制項本身 .AutoSize 屬性設為 True 值：

```
TC = "Image" & PicCount
Me.Controls.Add bstrProgId:="forms.image.1", Name:=TC, Visible:=True
Me.Controls(TC).Top = LastTop
Me.Controls(TC).Left = LastLeft
Me.Controls(TC).AutoSize = True
```

```
On Error Resume Next
    Me.Controls(TC).Picture = LoadPicture(fname)
On Error GoTo 0
```

圖片完成載入之後，就可以根據控制項本身的 Height 和 Width 屬性寬高比例，來確認圖片是直式還是橫式，以及圖片的寬高是否超出我們設定的可顯示上限：

```
' 圖片會直接把控制項大小撐開到圖片本身的原尺寸
' 這樣一來就能知道圖片本身的大小
Wid = Me.Controls(TC).Width
Ht = Me.Controls(TC).Height
' CellWid 與 CellHt 兩項資訊的計算請參考後續完整程式碼內容
WidRedux = CellWid / Wid
HtRedux = CellHt / Ht
If WidRedux < HtRedux Then
    Redux = WidRedux
Else
    Redux = HtRedux
End If
NewHt = Int(Ht * Redux)
NewWid = Int(Wid * Redux)
```

根據圖片比例，找出縮放圖片時應該設定的正確尺寸之後，就把 AutoSize 屬性改回 False；接著設定正確的高度和寬度，確保圖片維持本身的比例：

```
' 重新設定控制項大小
Me.Controls(TC).AutoSize = False
Me.Controls(TC).Height = NewHt
Me.Controls(TC).Width = NewWid
Me.Controls(TC).PictureSizeMode = fmPictureSizeModeStretch
```

完整的程式碼

產品型錄自訂表單的完整程式碼如下所示：

```
Private Sub UserForm_Initialize()
    ' 根據工作表中被選取的產品品項，顯示產品型錄圖片
    ' 需要顯示的數量不定，從 1 到 36 張都有可能
    PicPath = "C:\qimage\qi"

    ' 縮放自訂表單
    Me.Height = Int(0.98 * ActiveWindow.Height)
    Me.Width = Int(0.98 * ActiveWindow.Width)
```

```
' 確認有多少品項被選中
' 每個被選中的品項，都會新增一組圖片與標籤的控制項
CellCount = Selection.Cells.Count
ReDim Preserve Pics(1 To CellCount)

' 確認縮放過後的表單大小
TempHt = Me.Height
TempWid = Me.Width

' 以個數開平方根後的無條件進位整數值作為格狀顯示時的欄數
' 例如，20 張圖片，就會被分為 5 欄、4 列來顯示
NumCol = Int(0.99 + Sqr(CellCount))
NumRow = Int(0.99 + CellCount / NumCol)

' 確認每一格被分配到的寬高
' 此外每一格之間相隔 2pt 的距離
CellWid = Application.WorksheetFunction.Max(Int(TempWid / NumCol)
- 4, 1)
' 每一列與下方的標籤之間則是相隔 33pt 的距離
CellHt = Application.WorksheetFunction.Max(Int(TempHt / NumRow)
- 33, 1)

PicCount = 0 ' 計數器變數
LastTop = 2
MaxBottom = 1
' 往表單中加入每一列的控制項元件
For x = 1 To NumRow
    LastLeft = 3
    ' 然後往每一列中加入每一欄的控制項元件
    For Y = 1 To NumCol
        PicCount = PicCount + 1
        If PicCount > CellCount Then
            ' 當最後一列的個數不會填滿欄數時
            Me.Height = MaxBottom + 100
            Me.cbClose.Top = MaxBottom + 25
            Me.cbClose.Left = Me.Width - 70
            Repaint ' 更新自訂表單顯示
            Exit Sub
        End If
        ThisStyle = Selection.Cells(PicCount).Value
        ThisDesc = Selection.Cells(PicCount).Offset(0, 1).Value
        fname = PicPath & ThisStyle & ".jpg"
        TC = "Image" & PicCount
        Me.Controls.Add bstrProgId:="forms.image.1", Name:=TC, _
            Visible:=True
```

```
Me.Controls(TC).Top = LastTop
Me.Controls(TC).Left = LastLeft
Me.Controls(TC).AutoSize = True
On Error Resume Next
    Me.Controls(TC).Picture = LoadPicture(fname)
On Error GoTo 0

' 圖片會直接把控制項大小撐開到圖片本身的原尺寸
' 這樣一來就能知道圖片本身的大小
Wid = Me.Controls(TC).Width
Ht = Me.Controls(TC).Height
WidRedux = CellWid / Wid
HtRedux = CellHt / Ht
If WidRedux < HtRedux Then
    Redux = WidRedux
Else
    Redux = HtRedux
End If
NewHt = Int(Ht * Redux)
NewWid = Int(Wid * Redux)

' 重新設定控制項大小
Me.Controls(TC).AutoSize = False
Me.Controls(TC).Height = NewHt
Me.Controls(TC).Width = NewWid
Me.Controls(TC).PictureSizeMode = fmPictureSizeModeStretch
Me.Controls(TC).ControlTipText = "Style " & _
    ThisStyle & " " & ThisDesc

' 記錄最下最寬與最長的圖片大小
ThisRight = Me.Controls(TC).Left + Me.Controls(TC).Width
ThisBottom = Me.Controls(TC).Top + Me.Controls(TC).Height
If ThisBottom > MaxBottom Then MaxBottom = ThisBottom

' 在圖片下方新增標籤控制項
LC = "LabelA" & PicCount
Me.Controls.Add bstrProgId:="forms.label.1", Name:=LC, _
    Visible:=True
Me.Controls(LC).Top = ThisBottom + 1
Me.Controls(LC).Left = LastLeft
Me.Controls(LC).Height = 18
Me.Controls(LC).Width = CellWid
Me.Controls(LC).Caption = ThisDesc

' 決定下一張圖片應該顯示的位置
```

```
            LastLeft = LastLeft + CellWid + 4
        Next Y
        ' 每一列的結束
        LastTop = MaxBottom + 21 + 16
    Next x

    Me.Height = MaxBottom + 100
    Me.cbClose.Top = MaxBottom + 25
    Me.cbClose.Left = Me.Width - 70
    Repaint
End Sub
```

為自訂表單增加說明

我們已經在本章節中建立了一張成功的表單，但距離很棒的表單還欠缺了一點什麼：那就是給使用者的說明指引。因此接下來的章節段落，我們會提供四種不同方式，告訴你如何指引他人來使用你的自訂表單。

快速鍵

Excel 自己本身的表單通常都設計有鍵盤快速鍵，方便藉由按下幾個按鍵就能觸發動作或選取欄位。這些快速鍵在表單中一般都會出現在按鈕或是標籤上，並且以一個加上了底線的字母表示。

你也可以在自己的自訂表單上加入同樣的功能，只要在控制項的 Accelerator 屬性中輸入一個值，代表快速鍵即可。接著在執行階段中，同時按下 <Alt> 鍵及快速鍵，就能選取該控制項。如圖 22.12 所示，只要同時按下 <Alt> + <T> 鍵就可以勾選 Streaming 這個核取方塊。再按一次此組合鍵，則會取消勾選。

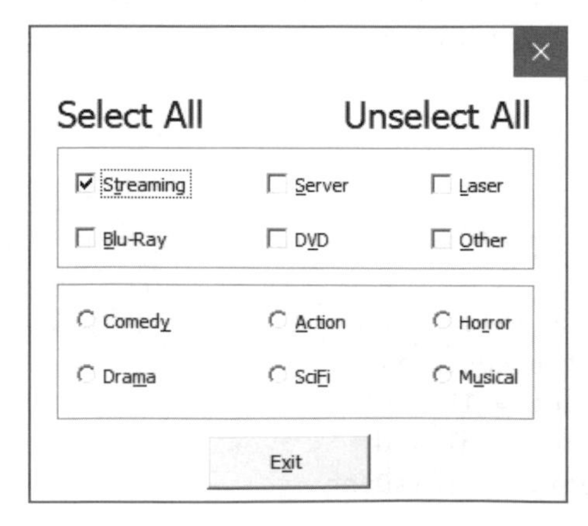

圖 22.12 使用快速鍵組合 <Alt> + <T> 就能勾選 Streaming，強化以鍵盤操作自訂表單的能力。

提示文字

當我們用滑鼠游標，在 Excel 的工具列各個項目上遊走時，總是會浮現一串提示文字，告訴我們說這個工具列項目是作什麼用的。我們同樣也可以對控制項的 ControlTipText 屬性設定值，代表提示文字，這樣就能在自訂表單中加上提示文字功能了。如圖 22.13 所示，每個不同分類的框架上，都加上了提示文字。

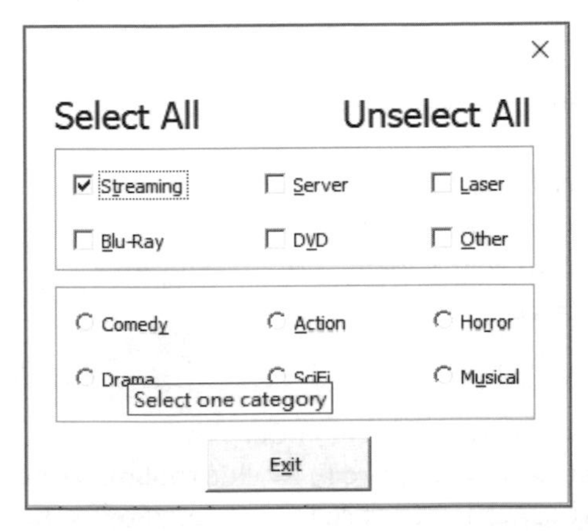

圖 22.13　為控制項增加提示文字以便說明如何使用表單。

定位順序

在填寫表單時，我們會習慣用 <Tab> 鍵在欄位之間切換。這項功能在表單中本來就有。但我們可以更進一步，設定每個控制項的 TabIndex 屬性來決定按下 <Tab> 鍵時，會把使用者帶往哪一個欄位。

一個定位順序群組中的第一順位控制項為 0 起始，而最後一個控制項的編號，就等於群組中控制項的個數。因此我們可以每個框架內都各自建立一組定位順序群組；但在同一定位順序群組中，不能有重複的 TabIndex 設定值。在設定好定位順序後，使用者便能直接以 <Tab> 鍵，搭配空白鍵，快速地在多個核取方塊項目間遊走並執行勾選、或取消勾選。

Tip　在設計模式下對自訂表單本身（不是控制項）點擊右鍵的話，就會出現一個選單，選按其中的「定位順序」選項，就會列出表單中的所有控制項，在此清單中調整控制項的順序，就能修改定位順序。

使用中控制項的色彩提示

另一種指引使用者，協助他們填寫表單的方式是以顏色來突顯出使用中的欄位。以下的程式碼會在文字方塊或下拉式選單被設為使用中時，更改這些控制項的顏色。

RaiseEvent 語法可被用來呼叫事先定義在類別模組開頭的事件程序。而該事件程序則是該自訂表單的程式碼一部分。

請把以下的程式碼放在名稱為 clsCtlColor 的類別模組中：

```
Public Event GetFocus()
Public Event LostFocus(ByVal strCtrl As String)
Private strPreCtr As String

Public Sub CheckActiveCtrl(objForm As MSForms.UserForm)
    With objForm
        If TypeName(.ActiveControl) = "ComboBox" Or _
            TypeName(.ActiveControl) = "TextBox" Then
            strPreCtr = .ActiveControl.Name
            On Error GoTo Terminate
            Do
                DoEvents
                If .ActiveControl.Name <> strPreCtr Then
                    If TypeName(.ActiveControl) = "ComboBox" Or _
                        TypeName(.ActiveControl) = "TextBox" Then
                        RaiseEvent LostFocus(strPreCtr)
                        strPreCtr = .ActiveControl.Name
                        RaiseEvent GetFocus
                    End If
                End If
            Loop
        End If
    End With

Terminate:
    Exit Sub
End Sub
```

然後把以下的程式碼放在自訂表單內：

```
Private WithEvents objForm As clsCtlColor

Private Sub UserForm_Initialize()
    Set objForm = New clsCtlColor
End Sub
```

以下程式碼會在自訂表單開啟時，變更使用中控制項的 BackColor 色彩：

```
Private Sub UserForm_Activate()
    If TypeName(ActiveControl) = "ComboBox" Or _
```

```
        TypeName(ActiveControl) = "TextBox" Then
        ActiveControl.BackColor = &HC0E0FF
    End If
    objForm.CheckActiveCtrl Me
End Sub
```

以下程式碼會在使用中控制項成為焦點時，變更它的 BackColor 色彩：

```
Private Sub objForm_GetFocus()
    ActiveControl.BackColor = &HC0E0FF
End Sub
```

反之，以下程式碼會在使用中控制項失去焦點時，將其 BackColor 改回白色：

```
Private Sub objForm_LostFocus(ByVal strCtrl As String)
    Me.Controls(strCtrl).BackColor = &HFFFFFF
End Sub
```

最後，以下的程式碼會在表單關閉時，清除對 objForm 的參照：

```
Private Sub UserForm_QueryClose(Cancel As Integer, CloseMode As
Integer)
    Set objForm = Nothing
End Sub
```

案例研究 CaseStudy：多欄的清單方塊

假設我們今天建立了一份含有多張各分店資料工作表的活頁簿，而每張工作表都是以該分店的編號作為主索引鍵。這份活頁簿許多人都在用，可是沒人會以索引編號來記憶各個分店。因此，我們需要提供使用者一個透過分店名稱來選取分店資料的方式，並且回傳該分店的實際索引編號，以使用於程式碼當中。方法有很多種，可以用 VLOOKUP 或是 MATCH，但還有其他作法。

其中一種就是利用多欄的清單方塊控制項，然後把某些欄位隱藏起來。這樣一來，使用者就能根據顯示於表面的值，來選取清單中的項目。選取之後，清單方塊會回傳那個被隱藏起來的欄位資料。

首先，在表單上新增一個清單方塊控制項並把 ColumnCount 屬性值設為 2。接著將 RowSource 設定在一個名為「Stores」有兩個欄位的範圍上，這個範圍中的第一欄是分店編號、第二欄則是分店名稱。此時，清單方塊中兩欄的資料都會如常顯示出來。為此，我們要把兩欄的欄寬設定改為「0, 100」，設定值會自動更新格式為「0 pt; 100 pt」，這樣一來第一欄就被隱藏了。設定之後的結果如圖 22.14 所示。

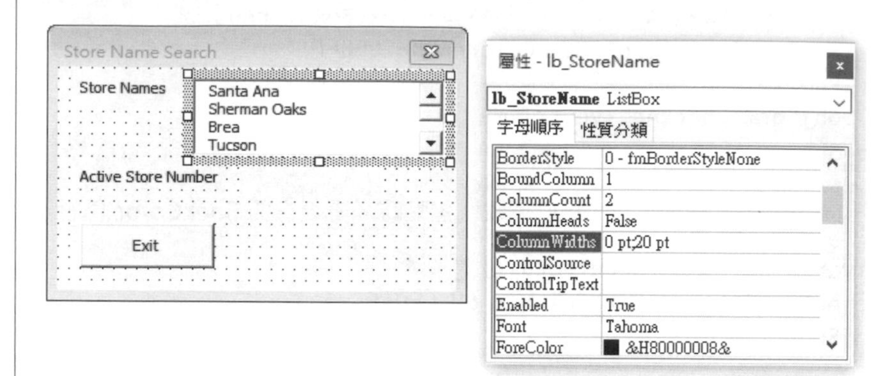

圖 22.14　把清單方塊設定為兩欄，但只顯示其中一欄的資料。

現在清單方塊的外觀已經設定完成。當使用者使用清單方塊時，就只會看到商店名稱。而要傳回第一欄的值，則需要把 BoundColumn 屬性設定為 1。不論是透過屬性視窗、或是用程式碼都可以設定，不過為了保持彈性，以下採取透過程式碼來進行設定的方式（結果如圖 22.15 所示）：

```
Private Sub UserForm_Initialize()
    lb_StoreName.BoundColumn = 1
End Sub

Private Sub lb_StoreName_Click()
    lbl_StoreNum.Caption = lb_StoreName.Value
End Sub
```

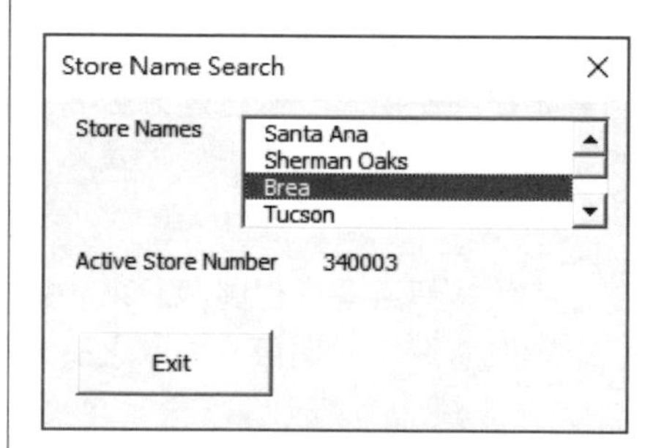

圖 22.15　設計兩欄的清單方塊，使用者表面上是選取分店名稱，但實際上回傳的是分店編號。

透明表單

讀者是不是有過這種經驗：必須不斷把表單挪來挪去的，以便看到被表單擋住的畫面？以下的程式碼會把自訂表單設定為 50% 的透明度（如圖 22.16 所示），如此一來就不需要把表單移開（然後搞不好又遮到其他資料，等等又要移回來）才能看到底下的畫面了。

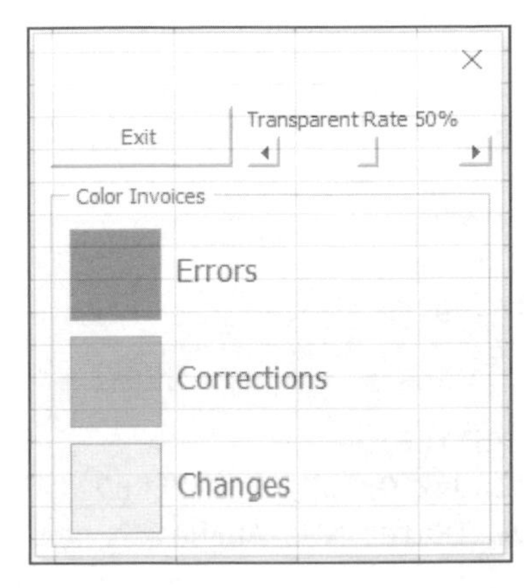

圖 22.16 建立一個有 50% 透明度的表單以便同時檢視底下工作表的資料。

把下列程式碼放在自訂表單開頭的宣告區段：

```
Private Declare PtrSafe Function GetActiveWindow Lib "USER32" () As
LongPtr
Private Declare PtrSafe Function SetWindowLongPtr Lib "USER32" Alias _
    "SetWindowLongA" (ByVal hWnd As LongPtr, ByVal nIndex As Long, _
    ByVal dwNewLong As LongPtr) As LongPtr
Private Declare PtrSafe Function GetWindowLongPtr Lib "USER32" Alias _
    "GetWindowLongA" (ByVal hWnd As LongPtr, ByVal nIndex As Long)
As Long
Private Declare PtrSafe Function SetLayeredWindowAttributes Lib
"USER32" _
    (ByVal hWnd As LongPtr, ByVal crKey As Integer, _
    ByVal bAlpha As Integer, ByVal dwFlags As LongPtr) As LongPtr
Private Const WS_EX_LAYERED = &H80000
Private Const LWA_COLORKEY = &H1
Private Const LWA_ALPHA = &H2
Private Const GWL_EXSTYLE = &HFFEC
Dim hWnd As Long
```

把下列程式碼放在一個切換按鈕的點擊事件中。之後只要你點擊這個切換按鈕，表單就會瞬間變成 50% 的透明度。再點擊一次切換按鈕，就可以再切換回不透明的表單了：

```
Private Sub ToggleButton1_Click()
    If ToggleButton1.Value = True Then
        ' 127 代表 50% 半透明
        SetTransparency 127
    Else
        ' 255 代表不透明，0 代表完全透明
        SetTransparency 255
    End If
End Sub

Private Sub SetTransparency(TRate As Integer)
    Dim nIndex As Long
    hWnd = GetActiveWindow
    nIndex = GetWindowLong(hWnd, GWL_EXSTYLE)
    SetWindowLong hWnd, GWL_EXSTYLE, nIndex Or WS_EX_LAYERED
    SetLayeredWindowAttributes hWnd, 0, TRate, LWA_ALPHA
End Sub
```

接下來的學習目標

本章節介紹了進階的自訂表單控制項，以及更多有效利用自訂表單的技巧。接下來我們在《**Chapter23-Windows 應用程式介面**》中將會介紹隱藏在你電腦軟體背後的函式與程序。

Chapter 23

Windows應用程式介面

在本章節中，我們將學習：

- 如何宣告 API 引用
- 如何使用宣告後的 API
- 處理 32 與 64 位元的相容性問題
- API 函式使用範例

Excel VBA 有許多非常棒的功能，但仍然有一些事情是 VBA 作不到或是很難完成的，找出使用者螢幕解析度多大多小就是一例。這就是 Windows 應用程式介面（Windows API，Windows application programming interface）派上用場的時候了。

如果你把資料夾目錄切換到「\Windows\System32」下（這是在 Windows NT 系統的目錄路徑），會看到許多副檔名為「.dll」的檔案。這些 dll（動態連結函式庫，dynamic link library）中有一些可供其他程式（包括 VBA 在內）使用的函式和程序。這些函式庫讓我們得以利用 Windows 作業系統本身，以及其他軟體的功能。

Caution 只有採用 Microsoft Windows 作業系統的電腦，才能使用 Windows API 宣告。

本章的主題不是教大家如何編寫 API 宣告，而是要介紹看懂和利用 API 宣告的方法。本章節會列出幾份實用範例，由在 JKP Application Development Services（www.jkp-ads.com）任職的 Jan Karel Pieterse 贊助提供，他的工作是協助維護持續不斷增長的網站，並在本書中，協助我們修訂 64 位元版本 API 宣告時所使用的語法。詳情請參考「www.jkp-ads.com/articles/apideclarations.asp」。

宣告 API 的引用

以下是一份簡單的 API 函式宣告引用範例：

```
Private Declare PtrSafe Function GetUserName _
    Lib "advapi32.dll" Alias "GetUserNameA" _
    (ByVal lpBuffer As String, nSize As Long) _
    As LongPtr
```

API 通常分為兩種類型，宣告語法上大同小異：

- 函式（**Function**）：最後會回傳某些資訊的類型。
- 程序（**Procedure**）：主要是對系統進行某種操作的類型。

而從上述的 API 宣告範例中，我們可以解讀出如下資訊：

- Private 私有宣告。私有宣告的意思就是說，只能在該宣告所處的模組中使用此宣告的功能。萬一你需要在幾個模組間共用的話，就應該在標準模組中宣告為 Public。

Caution 在標準模組中的 API 宣告可以是私有的（Private），也可以是公用的（Public）。但在類別模組中的 API 宣告只能是私有的。

- 在程式碼中以「GetUserName」作為此 API 的參照名稱。這是你在程式碼中要呼叫此 API 時需要使用的變數名稱。
- 被宣告的函式功能屬於 advapi32.dll 函式庫。
- 別名「GetUserNameA」是此函式在 DLL 函式庫中的名稱。要注意這個名稱有區分大小寫、而且必須與在 DLL 函式庫中使用的名稱一致。通常每個 API 函式都有兩個版本：一個版本使用 ANSI 字集，別名會是以字母「A」結尾。另一個則是使用 Unicode 字集的版本，別名是以字母「W」結尾。因此指定別名，也就是告訴 VBA 所要使用的版本。
- 此函式有兩個參數：lpBuffer 與 nSize。也就是此 DLL 函式所需要的兩個引數。

Caution 使用這些 API 函式的缺點是，在編譯或執行時千萬不能在這些 API 的使用上出錯。也就是說，一旦有錯誤設定的 API 呼叫，將可能導致你的電腦當機或被鎖住。因此請記得常常備份檔案。

使用宣告的 API

使用與呼叫 API 的方法，跟呼叫我們在 VBA 中建立的函式或程序是一樣的。以下的範例是在函式中使用事先宣告好的 GetUserName 函式，把當前登入的 Windows 使用者帳號名稱，回傳給 Excel：

```
Public Function UserName() As String
    Dim sName As String * 256
    Dim cChars As Long
    cChars = 256
    If GetUserName(sName, cChars) Then
        UserName = Left$(sName, cChars - 1)
    End If
End Function

Sub ProgramRights()
    Dim NameofUser As String
    NameofUser = UserName
    Select Case NameofUser
        Case Is = "Administrator"
            MsgBox "您擁有此電腦的完整權限"
        Case Else
            MsgBox "您擁有此電腦的部分權限"
    End Select
End Sub
```

當你執行 ProgramRights 巨集後，就能知道當前使用者是否以系統管理員的身份登入；當以系統管理員身份登入時，執行結果如圖 23.1 所示。

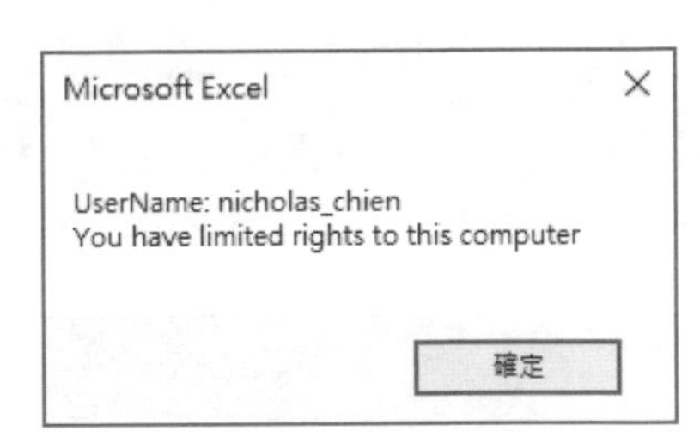

圖 23.1 GetUserName 這個 API 函式可以用來取得 Windows 使用者的登入名稱；這可跟 Excel 使用者名稱不同，無法任意變更來騙過你。因此你可以用這份資訊，來限制使用者在你程式中可用的權限。

32 與 64 位元的 API 相容性問題

自 Excel 2010 版本開始，Microsoft 增進了 32 位元與 64 位元不同版本間 API 呼叫的相容性，使得 64 位元的呼叫在 32 位元系統上也能正常運作，但反過來卻不行。可是 Excel 2007 以前的版本並沒有支援此相容性議題，因此如果讀者編寫的程式有可能會在 Excel 2007 版本上執行，請確認使用的位元版本並審慎評估。

本章節所提供的範例，都是基於 64 位元版本 API 的宣告，並且有可能無法在更老舊的 32 位元版本 Excel 軟體上執行。舉例來說，像是底下這則 64 位元版本的宣告：

```
Private Declare PtrSafe Function GetWindowLongptr Lib "USER32" Alias _
    "GetWindowLongA" (ByVal hWnd As LongPtr, ByVal nIndex As Long)
As LongPtr
```

就需要在遇到相容性問題時，更改為 32 位元的版本如下：

```
Private Declare Function GetWindowLongptr Lib "USER32" Alias _
    "GetWindowLongA" (ByVal hWnd As Long, ByVal nIndex As Long) As
LongPtr
```

這兩者之間的差別在於我們從宣告中刪除了 PtrSafe 關鍵字。新舊版本之間的變數型態名稱也有所不同（LongPtr 與 Long），但其實 LongPtr 並不是真正的資料型態名稱，在 32 位元環境中代表的是 Long 型態，在 64 位元環境中則是 LongLong 型態。請不要實際使用在程式碼中，請使用在 API 呼叫等等的特定情境，但與 API 呼叫有關的程式如變數等還是可以使用的。舉例而言，如果你要把 API 所回傳的 LongPtr 型態變數值，傳遞給程式碼中的其他變數，此時就需要將該變數也宣告為 LongPtr 型態。

如果讀者所編寫的活頁簿會需要提供給 32 位元或 64 位元環境的 Excel 2007 版本使用者，其實也不用大費周章編寫兩個版本。只要在宣告時，利用「If...Then...Else」語句，就可以同時針對兩種版本設定 API 宣告了。因此，若以上述的範例來說，就可以如下所示進行宣告：

```
#If VBA7 Or Win64 Then
    Private Declare PtrSafe Function GetUserName Lib "advapi32.dll" _
        Alias "GetUserNameA" (ByVal lpBuffer As String, nSize As Long) _
        As LongPtr
#Else
    Private Declare Function GetUserName Lib "advapi32.dll" _
        Alias "GetUserNameA" (ByVal lpBuffer As String, nSize As Long) _
        As LongPtr
#End If
```

開頭的井字號（#）用來標示此為編譯條件判斷式。當遇到此類語法時，編譯器就只會編譯符合邏輯判斷條件後的程式區塊。在「#If VBA7 Or Win64」這條判斷式中，會檢查當前環境是否為新版環境（也就是從 Office 2010 版本開始的 VBA7），或作業系統環境（也就是 Windows，不是指 Excel 軟體本身）是否為 64 位元版本。如果其中一者為真，那麼就會採用第一種 API 宣告；但如果遇到了 32 位元的 Excel 2007 版本，就會改用第二種宣告。要注意的是，雖然第二種 API 宣告在 64 位元環境下會被標示為語法錯誤，但其實還是可以順利通過編譯的。

API 使用實例

以下內容是一些可以用在 Excel 程式中的實用 API 宣告範例。每個範例的開頭都是有關於範例功能的簡短描述，接著才是真正的宣告和實際運用的例子。

擷取電腦名稱

以下的 API 函式會回傳執行環境所在的電腦名稱，也就是各位讀者從「我的電腦」視窗中看到的「電腦名稱」（在 Windows 10 環境下，則可以在控制台項目下的「系統」中查看）：

```
Private Declare PtrSafe Function GetComputerName Lib "kernel32"
Alias _
    "GetComputerNameA" (ByVal lpBuffer As String, ByRef nSize As
Long) _
    As LongPtr

Private Function ComputerName() As String
    Dim stBuff As String * 255, lAPIResult As LongPtr
    Dim lBuffLen As Long

    lBuffLen = 255
    lAPIResult = GetComputerName(stBuff, lBuffLen)
    If lBuffLen > 0 Then ComputerName = Left(stBuff, lBuffLen)
End Function

Sub ComputerCheck()
    Dim CompName As String

    CompName = ComputerName
    If CompName <> "BillJelenPC" Then
        MsgBox "這個應用程式沒有在此電腦上執行的權限"
        ActiveWorkbook.Close SaveChanges:=False
    End If
End Sub
```

這個 ComputerCheck 巨集會使用 API 呼叫來取得電腦名稱，取得電腦名稱後，與寫死在程式碼中的電腦名稱比對，如果相符，才能順利開啟活頁簿檔案，否則提示訊息後關閉。

檢查 Excel 檔案是否已在共用網路上開啟

當我們想要檢查 Excel 中是否有檔案開啟時，會嘗試取得活頁簿物件。當取得結果為 Nothing（也就是空值）時，就可以確認該檔案並未被開啟。不過，若是需要檢查這個共用網路中是否有其他人開啟此檔案的話，又該怎麼作呢？靠以下的 API 函式就能得知：

```
Private Declare PtrSafe Function lOpen Lib "kernel32" Alias "_lopen" _
     (ByVal lpPathName As String, ByVal iReadWrite As Long) As LongPtr
Private Declare PtrSafe Function lClose Lib "kernel32" _
    Alias "_lclose" (ByVal hFile As LongPtr) As LongPtr
Private Const OF_SHARE_EXCLUSIVE = &H10

Private Function FileIsOpen(strFullPath_FileName As String) As Boolean
    Dim hdlFile As LongPtr
    Dim lastErr As Long

    hdlFile = -1
    hdlFile = lOpen(strFullPath_FileName, OF_SHARE_EXCLUSIVE)

    If hdlFile = -1 Then
        lastErr = Err.LastDllError
    Else
        lClose (hdlFile)
    End If
    FileIsOpen = (hdlFile = -1) And (lastErr = 32)
End Function

Sub CheckFileOpen()
    If FileIsOpen("C:\XYZ Corp.xlsx") Then
        MsgBox "檔案已被開啟"
    Else
        MsgBox "檔案尚未開啟"
    End If
End Sub
```

這樣一來，只要呼叫 FileIsOpen 函式，並指定你要確認的檔案完整路徑與名稱，就可以知道是否有其他人已經開啟此份檔案了。

擷取顯示器解析度資訊

以下的 API 函式會擷取出電腦螢幕的解析度大小：

```
Declare PtrSafe Function DisplaySize Lib "user32" Alias _
    "GetSystemMetrics" (ByVal nIndex As Long) As LongPtr

Public Const SM_CXSCREEN = 0
Public Const SM_CYSCREEN = 1

Function VideoRes() As String
    Dim vidWidth as LongPtr, vidHeight as LongPtr

    vidWidth = DisplaySize(SM_CXSCREEN)
    vidHeight = DisplaySize(SM_CYSCREEN)

    Select Case (vidWidth * vidHeight)
        Case 307200
            VideoRes = "640 x 480"
        Case 480000
            VideoRes = "800 x 600"
        Case 786432
            VideoRes = "1024 x 768"
        Case Else
            VideoRes = "Something else"
    End Select
End Function

Sub CheckDisplayRes()
    Dim VideoInfo As String
    Dim Msg1 As String, Msg2 As String, Msg3 As String

    VideoInfo = VideoRes
    Msg1 = "當前的螢幕解析度為" & VideoInfo & Chr(10)
    Msg2 = "此應用程式的最佳顯示解析度為1024 x 768" & Chr(10)
    Msg3 = "請調整您的螢幕解析度"

    Select Case VideoInfo
        Case Is = "640 x 480"
            MsgBox Msg1 & Msg2 & Msg3
        Case Is = "800 x 600"
            MsgBox Msg1 & Msg2
        Case Is = "1024 x 768"
            MsgBox Msg1
        Case Else
```

```
            MsgBox Msg2 & Msg3
    End Select
End Sub
```

當顯示器目前的螢幕解析度設定，不是應用程式的最佳設定時，呼叫 CheckDisplayRes 巨集就會發出警告。

自訂「關於」對話方塊

當我們在「檔案總管」中，點開「檔案」選單中的「說明」「關於 Windows」項目時，就會跳出一個小小的對話方塊，裡面有著關於檔案總管所屬的作業系統版本與一些簡單的系統資訊。透過以下的程式碼範例，你可以直接在程式中呼叫出這個關於 Windows 對話方塊，而且還可以做出一定程度的自訂，如圖 23.2 所示。

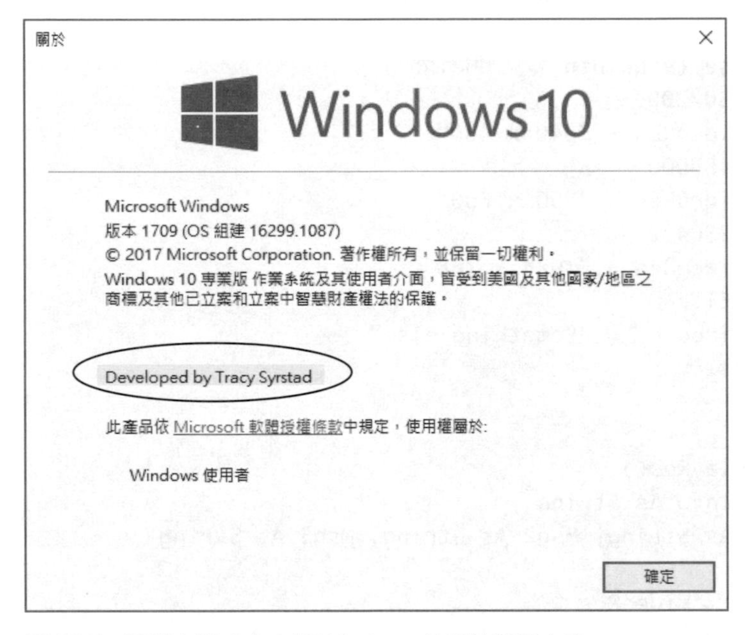

圖 23.2　可以在程式中自訂 Windows 的關於對話方塊。

```
Declare PtrSafe Function ShellAbout Lib "shell32.dll" Alias
"ShellAboutA" _
     (ByVal hwnd As LongPtr, ByVal szApp As String, ByVal
szOtherStuff As _
    String, ByVal hIcon As Long) As LongPtr
Declare PtrSafe Function GetActiveWindow Lib "user32" () As LongPtr

Sub AboutThisProgram()
    Dim hwnd As LongPtr
    On Error Resume Next
```

```
        hwnd = GetActiveWindow()
        ShellAbout hwnd, Nm, "由 Tracy Syrstad 所開發", 0
    On Error GoTo 0
End Sub
```

停用自訂表單的「X」關閉鈕

任何人都可以點擊自訂表單右上角出現的「X」字樣按鈕，來關閉表單。雖然也可以利用 QueryClose 這個表單關閉時的事件捕捉機制，來捕捉關閉事件，但如果要真正地停用此按鈕功能，則需要 API 函式的輔助。結合底下這些 API 宣告，便能真正停用「X」按鈕，然後強制使用者去點擊你安排的其他「關閉」按鈕。當表單初始化時，「X」按鈕就會被停用；表單關閉後，則會恢復此按鈕的功能。

```
Private Declare PtrSafe Function FindWindow Lib "user32" Alias _
    "FindWindowA" (ByVal lpClassName As String, ByVal lpWindowName _
    As String) As Long
Private Declare PtrSafe Function GetSystemMenu Lib "user32" _
     (ByVal hWnd As LongPtr, ByVal bRevert As Long) As LongPtr
Private Declare PtrSafe Function DeleteMenu Lib "user32" _
     (ByVal hMenu As LongPtr, ByVal nPosition As Long, _
    ByVal wFlags As Long) As LongPtr
Private Const SC_CLOSE As Long = &HF060

Private Sub UserForm_Initialize()
    Dim hWndForm As LongPtr
    Dim hMenu As LongPtr
    ' ThunderDFrame 是該自訂表單的類別名稱
    hWndForm = FindWindow("ThunderDFrame", Me.Caption)
    hMenu = GetSystemMenu(hWndForm, 0)
    DeleteMenu hMenu, SC_CLOSE, 0&
End Sub
```

在 UserForm_Initialize 事件捕捉程序中呼叫的 DeleteMenu 巨集，會把自訂表單右上角的「X」關閉鈕變成灰色，如圖 23.3 所示。這會強制使用者只能使用表單上的「關閉」（Close）命令按鈕。

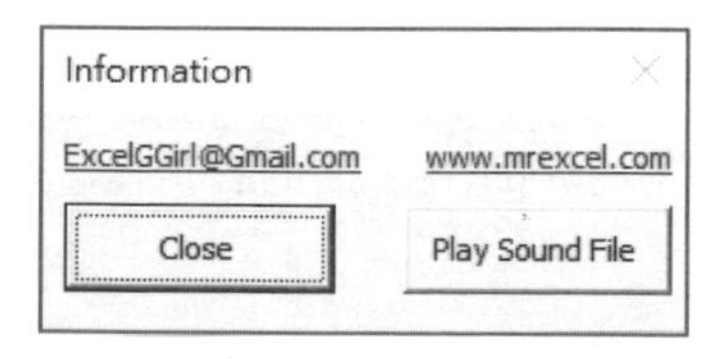

圖 23.3 停用自訂表單的關閉鈕，強制使用者改用自訂的關閉按鈕來關閉表單，這樣一來使用者就無法略過任何附加在關閉按鈕上的程式碼。

計時器

我們已經學過用 NOW 函數來取得當前系統時間；但如果你需要的是一個計時器、會隨秒進變化顯示呢？結合以下這些 API 就能達到此功能。這個計時器會被置放到「工作表 1」中的 A1 儲存格內：

```
Public Declare PtrSafe Function SetTimer Lib "user32" _
     (ByVal hWnd As Long, ByVal nIDEvent As Long, _
    ByVal uElapse As Long, ByVal lpTimerFunc As LongPtr) As LongPtr
Public Declare PtrSafe Function KillTimer Lib "user32" _
     (ByVal hWnd As Long, ByVal nIDEvent As LongPtr) As LongPtr
Public Declare PtrSafe Function FindWindow Lib "user32" _
    Alias "FindWindowA" (ByVal lpClassName As String, _
    ByVal lpWindowName As String) As LongPtr
Private lngTimerID As Long
Private datStartingTime As Date

Public Sub StartTimer()
    StopTimer ' 停下前一次的計時
    datStartingTime = Now
    lngTimerID = SetTimer(0, 1, 10, AddressOf RunTimer)
End Sub

Public Sub StopTimer()
    Dim lRet As LongPtr, lngTID As Long
    If IsEmpty(lngTimerID) Then Exit Sub
    lngTID = lngTimerID
    lRet = KillTimer(0, lngTID)
    lngTimerID = Empty
End Sub

Private Sub RunTimer(ByVal hWnd As Long, _
    ByVal uint1 As Long, ByVal nEventId As Long, _
        ByVal dwParam As Long)
    On Error Resume Next
        Sheet1.Range("A1").Value = Format(Now - datStartingTime,
"hh:mm:ss")
End Sub
```

只要執行 StartTimer 巨集，就能在儲存格 A1 中看到即時更新的計時器了。

播放聲音

讀者是否有想過以音效的方式，來警告使用者、或是表達恭喜之意呢？要達成此功能，可以將聲音作為物件插入到工作表中，然後再呼叫該聲音物件作播放就好。但還有更簡單的方法，只要利用以下的 API 宣告並指定連接到聲音檔案的正確路徑：

```
Public Declare PtrSafe Function PlayWavSound Lib "winmm.dll" _
    Alias "sndPlaySoundA" (ByVal LpszSoundName As String, _
    ByVal uFlags As Long) As LongPtr

Public Sub PlaySound()
    Dim SoundName As String
    SoundName = "C:\Windows\Media\Chimes.wav"
    PlayWavSound SoundName, 0
End Sub
```

接下來的學習目標

接下來我們在《**Chapter24- 錯誤處理**》中將會介紹如何在遇到錯誤時，處理這些異常情形。理想上，當我們開發完成後應該就可以將應用程式丟給同事使用，然後大可放自己一個假期、徜徉在沙灘上，而且不用隨時擔心應用程式是否會出現什麼預期之外、沒有被處理到的錯誤才對。因此，在第二十四章中，我們要來討論如何處理那些明顯會、或不那麼明顯會發生的錯誤。

Chapter 24

錯誤處理

在本章節中，我們將學習：

- 如何在錯誤發生時確認異常原因
- 利用 On Error GoTo 語法進行基本錯誤處理
- 通用錯誤處理器
- 訓練使用者辨別錯誤訊息
- 開發過程中的錯誤、開發完成後的錯誤
- 保護程式碼內容的壞處
- 與密碼相關的議題
- 不同版本間的錯誤

錯誤是不可避免的。即使是經過不斷反覆測試的程式碼，即使是經年累月使用、每天都規律用於產製報表的程式碼，一定會有不可預期的錯誤發生。你應該在編寫程式碼時，事先預想可能會發生的錯誤情況，也因此，建議讀者總是要經常設想，你的程式早晚會遇到意料之外的狀況，導致無法運作，才能防範於未然。

發生錯誤的原因

當 VBA 在執行時出現錯誤，又沒有事先安排偵錯用的程式碼時，程式便會停止運作、然後畫面上便會出現一個寫著「1004」執行階段錯誤代碼的訊息，如圖 24.1 所示。

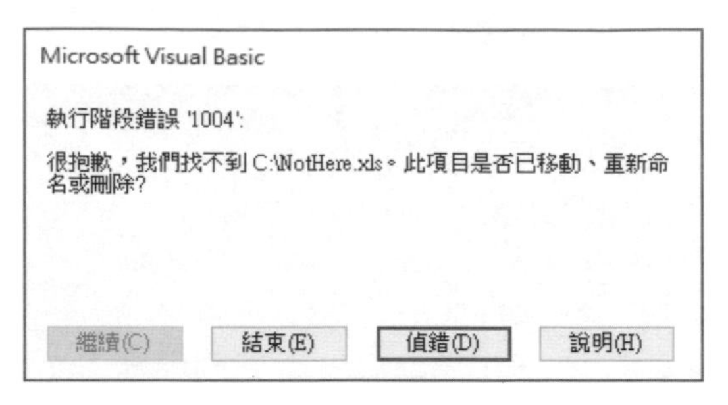

圖 24.1 如果發生錯誤的模組未受保護，那麼在此對話方塊中還可以選擇是否要結束執行、或進行偵錯。

當看到有「結束」或「偵錯」按鈕可供點選時，應該選擇「偵錯」（要是偵錯按鈕顯示為無法使用狀態，那就表示有人把 VBA 程式碼設為保護，只能直接聯絡開發人員了），這樣 VB 編輯器就會把導致錯誤的那一行程式碼，用黃色反白的樣式標示起來。把滑鼠指標暫留在任何變數的上方，可以查看該變數目前的變數值，從這個資訊就能得到一些線索（如圖 24.2 所示）。

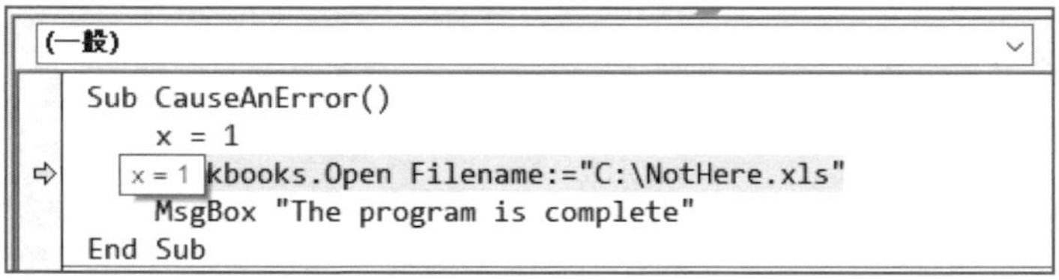

```
(一般)
Sub CauseAnError()
    x = 1
    x = 1 kbooks.Open Filename:="C:\NotHere.xls"
    MsgBox "The program is complete"
End Sub
```

圖 24.2 點擊「偵錯」按鈕之後，巨集會處於暫停的中斷模式。將滑鼠指標暫留在任何一個變數上，幾秒鐘後便會顯示這個變數目前的值。

尤其在舊版中 Excel 經常會回傳一些意義不明的錯誤訊息，根本沒有幫助。像是「執行階段錯誤 1004」這則訊息，背後代表的卻可能是數十種不同可能；因此你需要查看被標示出來的程式碼、確認變數當前的值，才能夠幫你找出錯誤真正的根因。幸好，同樣的錯誤訊息在 Excel 2019 版本中，與 Excel 2010 版本中的訊息內容相較起來，具體許多，VBA 程式錯誤訊息也一樣。

在看過導致錯誤的程式碼之後，可以點一下「重新設定」按鈕、停止執行巨集。重新設定是一個方形圖示、位於「執行」功能表下方一般工具列上的按鈕，如圖 24.3 所示。

圖 24.3 在三個一組的按鈕中，「重新設定」按鈕的外觀看起來就像 DVD 播放機上的停止播放按鈕。

假如忘記按下重新設定來結束巨集、接著又跑去要繼續執行另一個巨集時，就會看到一個很煩人的錯誤訊息，如圖 24.4 所示。這個訊息煩人的地方在於，執行另一個巨集是在 Excel 使用者介面下的動作，但是當這個訊息出現時，畫面會自動切換為 VB 編輯器。此時，你無法點擊背景畫面中的重新設定按鈕，必須先把訊息框關掉；可是一旦點擊「確定」按鈕關閉訊息框，畫面又會立刻回到 Excel 使用者介面下。由於這是個經常會遇到的錯誤訊息，因此要是未來能改成點擊「確定」按鈕後，就那樣把畫面留在 VB 編輯器中，較為方便。

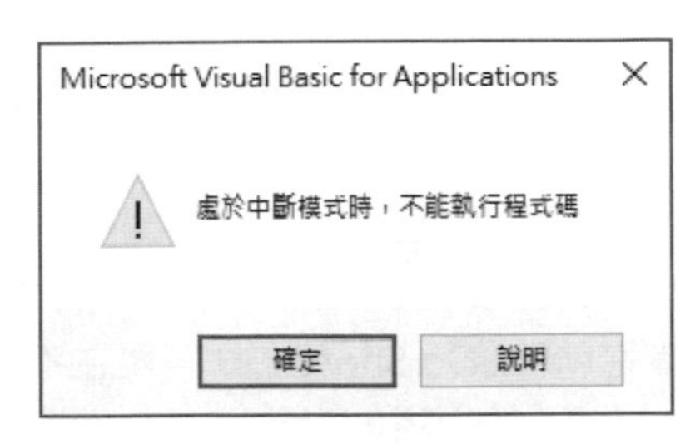

圖 24.4 當你忘記按下「重新設定」鈕來結束偵錯程序，又繼續執行另一個巨集時，就會出現這個錯誤訊息。

難以理解的自訂表單偵錯訊息

雖然偵錯模式很好用，但有時點擊偵錯按鈕後，標示出的程式碼反而可能會誤導你的判斷。舉例而言，假設你要呼叫一段巨集來顯示自訂表單，而在自訂表單的程式碼中，發生了錯誤。此時點擊偵錯後，Excel 標示出來的卻不是實際造成錯誤的那行自訂表單程式碼，而是在先前巨集中、要顯示出自訂表單的那行程式碼。請依照如下步驟，找出實際發生的錯誤原因：

1. 出現了如圖 24.5 所示的錯誤訊息之後，點擊「偵錯」按鈕。

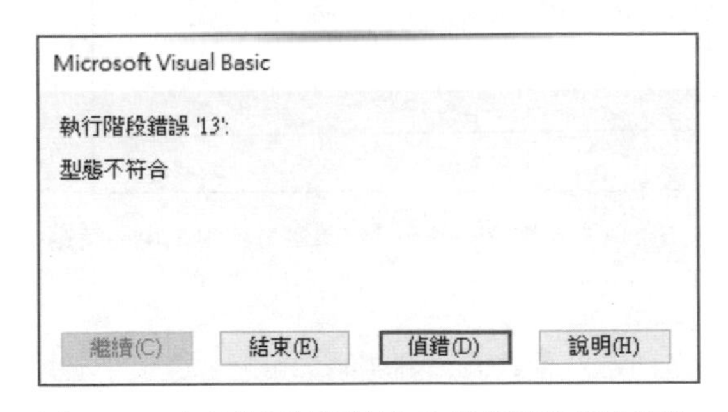

圖 24.5 出現執行階段錯誤 13 然後點擊偵錯按鈕。

接著會看到顯示自訂表單的那一行程式碼被反白，表示其為錯誤來源，如圖 24.6 所示。但在讀了本章內容後，就會知道這不是真正的問題所在。

```
Sub PrepareAndDisplay()
    ' sometimes an error happens in a userform
    ' yet the editor reports it as the next line
    Dim WS As Worksheet
    Set WS = Worksheets("Sheet1")

    FinalRow = WS.Cells(Rows.Count, 1).End(xlUp).Row
    WS.Cells(1, 1).Sort _
        Key1:=WS.Cells(1, 1), Order1:=xlAscending, Header:=xlYes

    frmChoose.Show

    MsgBox "Macro complete"

End Sub
```

圖 24.6　「frmChoose.Show」這行程式被標示為發生錯誤的程式碼。

2. 此時可以按下 <F8> 功能鍵，繼續往下步進執行該行 Show 方法。現在不會出現錯誤訊息，而是會被帶到 Userform_Initialize 程序中。
3. 持續按 <F8> 鍵，直到再次出現同樣的錯誤訊息。這裡要特別注意，因為一遇到錯誤、就會立刻出現錯誤訊息對話方塊。要是再按偵錯鈕，就又會跳回到「frmChoose.Show」程式碼了。因此要是錯誤發生在一段很長的迴圈中，就會非常難追蹤出發生錯誤的程式碼，如圖 24.7 所示。

```
Private Sub UserForm_Initialize()
    Dim WS As Worksheet
    Set WS = Worksheets("Sheet1")

    FinalRow = WS.Cells(Rows.Count, 1).End(xlUp).Row
    For i = 2 To FinalRow
        Me.ListBox1.AddItem WS.Cells(i, 1)
    Next i

    ' The next line is actually the line that causes an error
    Me.ListBox1(0).Selected = True


End Sub
```

圖 24.7　雖然才僅僅三行程式碼，但如果你要新增 25 個項目到清單方塊中，也要持續按 <F8> 鍵 53 下才能跑得完迴圈。

假設現在要逐步執行如圖 24.7 所示的程式碼。剛開始你可能會謹慎小心地按個 5 次 <F8> 鍵，平安無事地通過了第一段迴圈，但由於錯誤可能是發生在某一段迴圈執行中，所以你決定繼續按 <F8> 鍵。由於總共有 25 個項目要新增到清單方塊中，所以你還要再按個 48 下 <F8> 鍵，才能確認迴圈中沒有發生錯誤。所以就變成在每次按下 <F8> 鍵前，還要在心裡默記現在是要執行哪一行程式。

接著，終於離開迴圈來到了如圖 24.7 所示的執行時，再按一次 <F8> 鍵於是錯誤訊息又跳出來了，並回到 Module1 中的 frmChoose.Show 這行程式碼。這是令人很困擾的情形。

因為你又要重頭開始按 <F8> 鍵了。如果對發生錯誤的大致位置還有印象的話，至少還可以直接用滑鼠點擊該區塊附近的程式碼，然後按下 <Ctrl>+<F8> 就可以直接從那行開始逐步執行；或者也可以對程式碼點擊右鍵開啟選單，然後選按「執行至游標處」項目。

因此，當錯誤有可能是發生在迴圈中時，可以在迴圈中加入一行「Debug.Print i」，然後以即時運算視窗（按 <Ctrl>+<G> 組合鍵開啟）確認究竟是在哪一段迴圈中發生的。

利用 On Error GoTo 語法進行基本錯誤處理

一種基本的錯誤處理方式，是事先告訴 VBA 萬一當遇到錯誤時，就跳去巨集中某一程式區塊段落。而在這個跳轉過去的程式區塊段落中，就可以安插一些特別處理用的程式碼，警告使用者發生錯誤，然後提示他們做出應對。

最常見的作法，是將這段負責錯誤處理的程式碼區塊加在巨集的尾端。請依照如下步驟，設定錯誤處理器：

1. 在巨集最後一行程式碼後面，插入一行 Exit Sub 的語法。這能確保巨集在正常執行情況下，不會繼續往下執行到錯誤處理器的部分。
2. 在 Exit Sub 之後增加一個標籤。標籤的語法結構是以一個標籤名稱、後面再加上一個冒號，例如「MyErrorHandler:」。
3. 編寫負責處理錯誤的程式碼。假設在處理完錯誤後，希望能夠往發生錯誤的程式碼後面繼續執行下去，把控制權交回給巨集，可以用「Resume Next」陳述式。

接著，在可能造成錯誤的程式碼之前增加一行程式碼「On Error GoTo MyErrorHandler」。注意這行程式碼的最後，不要在標籤名稱之後加上冒號。

而在通過可能導致錯誤的程式碼之後，還可以加上停用錯誤處理器的程式碼「On Error GoTo 0」。由於這行停用錯誤處理器的語法並不直覺，因此常常讓人摸不著頭緒。其實這是利用不會有標籤名稱為「0」的機制，即拐個彎指示 Excel，這行之後如果遇到錯誤，就恢復到一般直接顯示錯誤訊息的錯誤處理機制。所以記得停用錯誤處理是很重要的事情。

Note 以下的程式碼包含了特別的錯誤處理器，用來處理檔案不在路徑上（被移動或遺失）的情況。

```
Sub HandleAnError()
    Dim MyFile as Variant
    ' 啟用錯誤處理
    On Error GoTo FileNotThere
        Workbooks.Open Filename:="C:\NotHere.xls"
        ' 如果能順利通過，就停用錯誤處理
    On Error GoTo 0
    MsgBox "程式執行完畢"

    ' 巨集作業完成後，記得呼叫 Exit Sub 離開
    ' 否則將會一路往下繼續執行到錯誤處理器的區塊
    Exit Sub

' 設定錯誤處理區塊的標籤名稱
FileNotThere:
    MyPrompt = "開啟檔案時發生錯誤。" & _
        "有可能是檔案被移動、不在路徑上" & _
        "點擊確定來尋找檔案，或點擊取消結束程式"
    Ans = MsgBox(Prompt:=MyPrompt, Buttons:=vbOKCancel)
    If Ans = vbCancel Then Exit Sub

    ' 使用者點擊確定的情況，用開啟舊檔來尋找檔案
    MyFile = Application.GetOpenFilename
    If MyFile = False Then Exit Sub

    ' 如果第二次也失敗了，那就不要再重複此錯誤處理
    ' 直接中斷執行
    On Error GoTo 0
    Workbooks.Open MyFile
    ' 如果能順利通過，那就回到先前巨集中發生錯誤的地方
    ' 繼續往下執行
    Resume Next
End Sub
```

但這是找不到檔案的錯誤處理，因此要記得適時停用錯誤處理，避免後續其他錯誤（例如，除以 0）觸發此錯誤處理。

Note 停用錯誤處理的重要性在於，避免針對特定情況的錯誤處理器、被用於其他不同的錯誤情形。要是沒有停用的話，萬一後續巨集中發生了除以 0 的錯誤，那麼此時就不應該執行檔案開啟錯誤的處理器。

通用錯誤處理器

有些開發人員喜歡利用 Err 物件的功能，把所有錯誤都指定給一個通用的錯誤處理器來處理。這個 Err 物件當中，有著發生錯誤時該錯誤的編號，以及對該錯誤的說明等屬性。因此你可以利用這份資訊，提供給使用者作為錯誤訊息、取代原本的偵錯對話方塊，如下程式碼所示：

```
    On Error GoTo HandleAny
        Sheets(9).Select
        Exit Sub

HandleAny:
    Msg = "發生錯誤" & Err.Number & " - " & Err.Description
    MsgBox Msg
Exit Sub
```

無視發生的錯誤

有時候就算發生錯誤，也可以選擇直接無視就好。比方說，當我們想要透過 VBA 程式來輸出 index.html 網頁檔時，可能會先把先前已存在的舊 index.html 檔刪除，再進行輸出。

此時，要是 FileName 所指定的檔案並不存在，那麼「Kill(FileName)」此一語法就會發生錯誤。但這其實並不是什麼需要特別處理的事情，畢竟我們本來就是要刪除這份檔案，如果有人在執行巨集之前、先一步就刪除了檔案，也不是什麼嚴重的事。所以，可以在這種時候告訴 Excel 跳過發生錯誤的程式行、直接繼續往巨集的下一行程式碼執行就好，如下程式碼所示使用「On Error Resume Next」即可：

```
Sub WriteHTML()
    MyFile = "C:\Index.html"
    On Error Resume Next
        Kill MyFile
    On Error Goto 0
    Open MyFile for Output as #1
    ' 其他程式碼 ...
End Sub
```

Note 對「On Error Resume Next」語法的使用要特別留意。這只能用在非常確定可以忽略錯誤的地方；要是過了那行會產生可忽略錯誤的程式碼之後，就應該立刻用「On Error GoTo 0」語法恢復到平常的偵錯程序中。

假如把「On Error Resume Next」用在不可忽略的錯誤上，程式就會立刻從目前的巨集中跳開。例如，如果 MacroA 呼叫 MacroB，而 MacroB 遇到不可忽略的錯誤，此時程式就會跳出 MacroB，繼續在 MacroA 往下執行；而這通常不會有好結果。

案例研究 CaseStudy：版面設定問題

如果你嘗試以巨集錄製器錄製版面設定的操作，就算在版面設定對話方塊中只更動到其中一個設定，巨集錄製器也會產生出二十來行的設定程式碼。而且，這些設定還會根據你所使用的印表機而有所不同。舉例而言，如果你使用的是彩色印表機，那麼在錄製版面設定操作時，就可能會出現「.BlackAndWhite = True」的程式碼；但如果換作是其他不提供此設定選項的印表機種類，這行程式碼就可能會導致錯誤。而就算你的印表機列印品質可以設定「.PrintQuality = 600」，萬一使用者的印表機最高只能設定到 300 dpi 的品質時，程式也會出錯。因此，在進行這些版面設定操作時，應該要以「On Error Resume Next」把整個程式區塊包起來，好讓程式碼都能有嘗試執行的機會、而在一些狀況下又不會導致執行階段錯誤。如下程式碼所示：

```
On Error Resume Next
    Application.PrintCommunication = False
    With ActiveSheet.PageSetup
        .PrintTitleRows = ""
        .PrintTitleColumns = ""
    End With
    ActiveSheet.PageSetup.PrintArea = "$A$1:$L$27"
    With ActiveSheet.PageSetup
        .LeftHeader = ""
        .CenterHeader = ""
        .RightHeader = ""
        .LeftFooter = ""
        .CenterFooter = ""
        .RightFooter = ""
        .LeftMargin = Application.InchesToPoints(0.25)
        .RightMargin = Application.InchesToPoints(0.25)
        .TopMargin = Application.InchesToPoints(0.75)
        .BottomMargin = Application.InchesToPoints(0.5)
```

```
        .HeaderMargin = Application.InchesToPoints(0.5)
        .FooterMargin = Application.InchesToPoints(0.5)
        .PrintHeadings = False
        .PrintGridlines = False
        .PrintComments = xlPrintNoComments
        .PrintQuality = 300
        .CenterHorizontally = False
        .CenterVertically = False
        .Orientation = xlLandscape
        .Draft = False
        .PaperSize = xlPaperLetter
        .FirstPageNumber = xlAutomatic
        .Order = xlDownThenOver
        .BlackAndWhite = False
        .Zoom = False
        .FitToPagesWide = 1
        .FitToPagesTall = False
        .PrintErrors = xlPrintErrorsDisplayed
    End With
    Application.PrintCommunication = True
On Error GoTo 0
```

自 Excel 2010 版本開始，可以在上述程式碼處理版面設定相關的程式區塊執行之前，先把 PrintCommunication 停用，這樣一來程式執行速度就會快上許多；執行過後再還原即可。在有此功能之前，Excel 每次在遇到與版面設定相關的程式碼時，幾乎每一行都會停上個 0.5 秒；現在，整段程式碼執行完畢只消不到 1 秒鐘的時間。

隱藏 Excel 警告訊息

Excel 中有些訊息就算是在無視錯誤下，還是會顯示出來。例如，用程式碼刪除工作表時會出現「資料可能存在您所選擇作刪除的工作表中。若要永久刪除此資料，請按刪除鈕。」的訊息。這很擾人，我們不希望使用者每次都要去回答這個問題，而且這樣會給他們一個機會，避開原本你的巨集想要執行的刪除作業。這其實並不是一種錯誤，而是警告而已，所以如果要隱藏所有警告、並強制 Excel 執行預設的動作，可以使用「Application.DisplayAlerts = False」敘述：

```
Sub DeleteSheet()
    Application.DisplayAlerts = False
    Worksheets("Sheet2").Delete
    Application.DisplayAlerts = True
End Sub
```

故意而為的錯誤

由於程式設計師都很討厭錯誤，因此這個標題看起來可能有違常理，不過其實錯誤未必都是壞事。透過故意而為的錯誤，有時可以加速程式的流程。

假設我們今天想要找出當前活頁簿內，是否含有名稱為「Data」的工作表，如果是要在萬無一失、不會發生錯誤的情況下完成這項任務，就要利用如下的八行程式碼：

```
DataFound = False
For Each ws in ActiveWorkbook.Worksheets
    If ws.Name = "Data" then
        DataFound = True
        Exit For
    End if
Next ws
If not DataFound then Sheets.Add.Name = "Data"
```

要是此活頁簿有 128 張工作表，而且裡面不存在名為「Data」的工作表，那麼你就必須要等到這個迴圈區塊被執行 128 次後，才能得到 Data 工作表存不存在的結論。

因此，另一個方法是直接參照 Data 工作表。先把偵錯設定為「Resume Next」模式，這樣一來，就算參照發生錯誤程式碼仍會繼續執行，而 Err 物件的編號值則會被指定成一個非零的數字：

```
On Error Resume Next
    X = Worksheets("Data").Name
    If Err.Number <> 0 then Sheets.Add.Name = "Data"
On Error GoTo 0
```

這個版本的程式碼執行速度快上許多。雖然發生錯誤平常對程式設計師是個大忌，但在類似這樣的情形下，錯誤也不是什麼壞事。

使用者訓練

假設讀者手頭上正在開發的程式，最終是要交付給遠在地球另一端的使用者，又或者想要交付給行政助理後，自己就一溜煙出國渡假去；不論是哪種情況，都有可能會碰上必須透過電話，替遠在另一邊的使用者幫忙除錯的窘境。

因此，首要作的事情就是訓練你的使用者，如何分辨單純的 MsgBox 訊息方塊，以及真正的錯誤訊息。雖然 MsgBox 只是一個單純的訊息顯示工具，但由於顯示時同樣會有提示音效、也與一般的錯誤訊息對話方塊看上去雷同，所以需要訓練使用者，分辨錯誤訊息會是以粗體字型呈現、而且也不是所有彈出的訊息都代表錯誤。舉例來說，筆者先前有名使用者，不斷地向主管抱怨筆者提供的程式會彈出錯誤訊息；但事實上，那不過是提示用的 MsgBox 罷了。正因為除錯訊息與 MsgBox 訊息方塊，對使用者來說都大同小異，因此這名使用者根本分不清楚。

此外，訓練使用者的重要性也在於，必須趁除錯訊息還在畫面上時，就及時打電話告知你；這樣一來，你才能得知發生的錯誤編號與訊息內容為何。而且還可以當場指示使用者點擊「偵錯」按鈕，告訴你被標示出的模組、程序名稱，以及是哪一行程式碼等資訊。有了這些資訊，你才能推敲出問題原因。要是沒有這些資訊，就幾乎不可能遠端隔著電話解決問題。如果使用者只單純告知「錯誤訊息編號為 1004」，那就沒什麼幫助了，因為 1004 錯誤的背後，有太多不同可能的成因了。

在偵錯模式下偵測不出的錯誤

時至今日這類問題越來越常發生。讀者可能寫了一份巨集，編譯過程中沒有顯示錯誤，直到執行下去才會發生錯誤；但此時就算點擊「偵錯」按鈕，並以 <F8> 鍵逐步執行，似乎又正常運作而無異常。

每當你進入逐步執行程式碼的模式，巨集就正常運作；但如果以一般點擊「執行」按鈕的方式進行，就又會跳出錯誤。

其實問題原因是這樣的。因為過去程式的行為模式都是一次一行巨集程式碼，而 Excel 會停等該行程式碼執行完成後，才會繼續往下；但現在偶爾會遇到一行程式尚未執行完畢、流程控制就已經跳回巨集中的情形。其中圖表專家 Jon Peltier 便表示他常會在新增圖表時，遇到此類情形。假設巨集中的第一行程式執行新增圖表，而第二行程式是在圖表新增後、繼續對此圖表操作；那麼萬一圖表還沒新增完成，就跳到第二行程式執行，就會大事不妙。

所以，當你是在看一行程式碼、按一下 <F8>、再看一行程式碼、再按一下 <F8> 這種逐步執行的模式下時，雖然這些動作僅有一秒之差，但這一秒或許就已經為圖表新增，爭取到了足夠的完成時間。

這個議題的解決方式是在這些需要足夠執行時間的程式碼後面加上：

```
DoEvents
```

DoEvents 語法會讓巨集停等足夠的時間，好讓當前的執行事件完成；但這個方法有時也會失靈，此時就得直接改用 Application.Wait 來讓巨集確切地停等個 1 到 2 秒以確保安全。

開發過程與完成之後的錯誤

當程式碼剛開發完成，第一次準備執行時，我想每個人都多多少少覺得一定會遇到錯誤。所以，很多人可能會選擇在第一次執行時，就直接採用逐步執行的方式，來觀察執行狀況。

但當已經用於日常產製作業，運行一段時間之後的程式，突然有天發生錯誤而導致無法使用，就沒這麼簡單了。通常這都會讓人感到匪夷所思，畢竟程式都已經正常運行好幾個月了，怎麼會在這天突然發生異常？於是往往我們容易將矛頭指向使用者自己的問題。但如果往下繼續追查，通常都會發現這其實是開發者考慮得不夠周全所導致的。

因此以下的章節段落內容，討論的就是會在應用程式運行數個月後，才突然冒出來的一些常見錯誤情境與問題原因。

執行階段錯誤 9：陣列索引超出範圍

假設你開發了一套應用程式給對方使用，並且在一個「Menu」工作表中，儲存了一些對此應用程式的設定項目。但有天使用者告訴你，出現了如圖 24.8 的錯誤訊息。

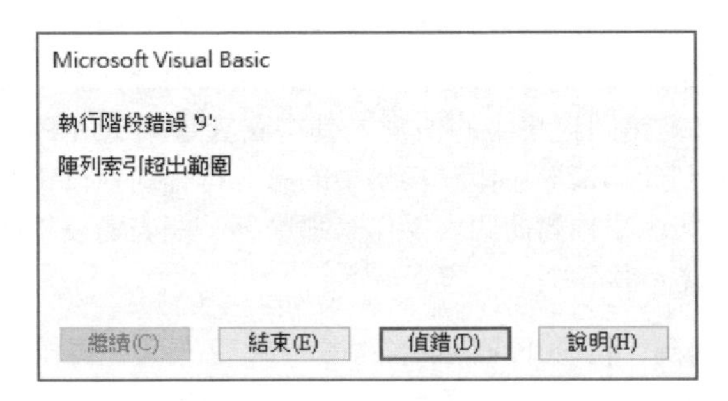

圖 24.8 導致出現執行階段錯誤 9 的原因，通常是原本預期找到一個工作表，但這個工作表被使用者不小心刪除或重新命名了。

程式碼預期應該要有一個名為「Menu」的工作表。但這位使用者可能不小心刪除或重新命名了這個工作表。因此只要每當程式如下嘗試存取此工作表，就會得到錯誤訊息：

```
Sub GetSettings()
    ThisWorkbook.Worksheets("Menu").Select
    x = Range("A1").Value
End Sub
```

雖然很不敢相信使用者竟然會作出這麼不合理的動作，但這種狀況其實經常發生。遇過幾次之後，開發人員通常就會決定改用以下方式，來避免產生這種錯誤：

```
Sub GetSettings()
    On Error Resume Next
        x = ThisWorkbook.Worksheets("Menu").Name
        If Not Err.Number = 0 Then
            MsgBox "預期的 Menu 工作表不存在"
            Exit Sub
        End If
    On Error GoTo 0

    ThisWorkbook.Worksheets("Menu").Select
    x = Range("A1").Value
End Sub
```

執行階段錯誤 1004：'Range' 方法 ('_Global' 物件) 失敗

假設你有一份用於每日匯入文字檔案內容的程式，並且預期每份純文字檔案的結尾都是總計列。這個程式會在匯入純文字檔案內容後，把所有非總計的資料列文字格式，設定為斜體。

以下的程式碼已經用了好幾個月都沒問題：

```
Sub SetReportInItalics()
    TotalRow = Cells(Rows.Count,1).End(xlUp).Row
    FinalRow = TotalRow - 1
    Range("A1:A" & FinalRow).Font.Italic = True
End Sub
```

但突然有一天，使用者來電說出現了如圖 24.9 的錯誤訊息。

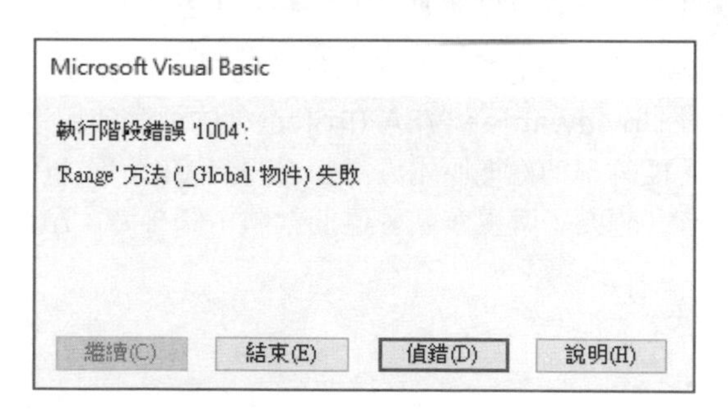

圖 24.9 導致出現執行階段錯誤 1004 的原因非常多。

檢查程式碼之後，你發現發生問題那天，純文字檔案在透過 FTP 傳送時發生了錯誤，純文字檔案打開來內容是一片空白。而因為工作表的匯入結果是空白的，所以使得程式中的 TotalRow 變數指向了第一列。由於先前在撰寫程式時，是預設將 TotalRow – 1 設為最後一筆資料列，因此這麼一來便會造成程式碼嘗試去存取與設定並不存在的「第 0 列」。

在遭遇過這個問題後，開發人員一定會想要改用以下的程式碼來預防這種狀況：

```
Sub SetReportInItalics()
    TotalRow = Cells(Rows.Count,1).End(xlUp).Row
    FinalRow = TotalRow - 1
    If FinalRow > 0 Then
        Range("A1:A" & FinalRow).Font.Italic = True
    Else
        MsgBox "檔案內容為空，請確認 FTP 傳檔結果"
    End If
End Sub
```

保護程式碼的壞處

VBA 專案可以上鎖，防止別人檢視原始程式碼內容。但通常不建議這麼作，因為在程式碼受保護的情況下發生錯誤時，使用者雖然會看到錯誤訊息，但沒有辦法進行偵錯。雖然「偵錯」按鈕還是存在，但會變成灰色、無法被點擊的停用狀態。這樣一來，使用者就無法協助開發人員來處理錯誤了。

此外，Excel VBA 的保護配置其實非常容易被破解。愛沙尼亞（Estonia）就有程式設計師在販賣只須要價 40 元美金的軟體，號稱能破解任何上鎖的專案。因此，我們必須接受 Excel VBA 並不具有安全性的事實，別再試圖上鎖了。

如果你真的很想把原始程式碼內容保護起來，你可以從「Esoteric Software」公司花費 100 元美金，購買他們「Unviewable+ VBA Project」的軟體使用序號。這個透過眾籌募資所開發的軟體，能夠幫助你把原本大家都看得到 VBA 程式內容的活頁簿，轉換為編譯後版本的內容。想要了解更多關於這個軟體，請參考：https://mrx.cl/hidevba。

案例研究 CaseStudy：破解密碼

Excel 97 和 Excel 2000 版本的密碼非常容易破解。那些破解密碼軟體可以立即找出 VBA 專案的密碼，並且透過破解軟體顯示出來。

到了 Excel 2002 版本時，Microsoft 提出了一個非常棒的保護機制，暫時擋住了密碼破解軟體的攻擊。這次的密碼加密非常嚴密。在 Excel 2002 版本推出後好幾月之間，密碼破解軟體都只能透過暴力法來猜測密碼。光是「blue」這麼簡單的密碼，破解軟體都要花上十來分鐘才能猜出；一旦遇到像是「*A6%kJJ542(9$GgU44#2drt8」這種 24 個字元長的密碼，就得足足花上 20 個小時才能破解出來。對那些想要駭進別人程式碼的 VBA 程式設計師來說，這可是一個天大的困擾，但對我們就是樂見其成了。

不過，隨即密碼破解軟體也推出新版，並且只花了兩秒鐘就能破解出 Excel 2002 中 24 個字元長的密碼。筆者把一份用 24 字元密碼上鎖過的專案拿來測試，結果密碼破解軟體很快地就告訴我，密碼的明文是「XVII」。筆者本來還心想密碼哪會是這個，但經過測試之後竟然發現，專案的密碼真的被變更為「XVII」了。原來，新版的密碼破解軟體不再嘗試暴力破解密碼，反而直接以一組隨意的 4 個字元長的密碼，把原本的密碼覆蓋過去，再重新存檔。

不過這樣一來，對那些使用軟體來破解密碼的人來說，也陷入了一個尷尬的困境，容筆者說明。

假設開發人員把「*A6%kJJ542(9$GgU44#2drt8」密碼寫在便利貼釘在了牆上；但是被破解的檔案密碼已經變成開發人員所不知道的「XVII」。萬一破解過後的檔案發生錯誤，並被寄回給開發人員，這位開發人員也根本無法開啟檔案。這樣一來，唯一得利的只有那個販賣破解密碼軟體的愛沙尼亞人。

優秀 VBA 程式開發人才非常稀少，VBA 專案的數目遠比程式設計人員多上很多。筆者在程式開發圈內的朋友都不得不承認，許多商機都在我們忙於其他客戶而無暇分身時溜走。也因此，許多專案都是交由新手開發人員進行的；而這時，新進開發人員常會在開發工作完成後，就把 VBA 專案的程式內容上鎖。

當客戶提出新需求時，就會找上原本的開發人員處理；然後過個幾週，開發人員就會根據需求做出更動，並且交付成品。但當過了幾個月後，客戶又提出了新的需求，可是此時開發人員不論是正忙於其他專案、還是因為維護合約收費過低而又去接了一堆其他專案工作來補貼，總之，原本的開發人員無暇兼顧。客戶不斷聯繫這名程式設計師，發現沒下文後，必須另請高明來修正這份專案，而此時讀者們可能就會成為這名冤大頭。

你拿到了專案，但程式碼處於保護模式。於是你破解了密碼，看看是誰寫了這份程式；不過你無意搶走新人程式設計師的客戶，你只想把這份一次性的案子結束掉，然後再把客戶丟回給原本的開發人員負責。然而，當你破解密碼後，就會在你們（也就是你跟原本的開發人員）之間產生一個窘境：你們各自認知的密碼不同。因此最終你只能把保護模式去掉，而這會使得原本的開發者發現有人動過他的程式碼；或許你可以用幾行註解，向對方解釋這是因為客戶聯絡不上他，因此無奈之下你只能解除了密碼保護。

更多密碼相關的議題

自 Office 2013 版本開始，就改用 SHA-2 等級的 SHA512 雜湊加密演算法，作為密碼加密機制。這類演算法會使得在巨集中每當要對工作表加上保護、或是解除保護時，效率明顯降低。

任何 Excel 2002 版本以上的加解密機制，都無法與 Excel 97 版本相容；假如用 Excel 2002 版本為程式內容加了密碼，就無法以 Excel 97 解鎖。當你的應用程式是要提供給一間大公司中許多員工使用的話，總是會有可能遇到還在使用 Excel 97 版本的使用者。這類使用者無可避免地會遇到執行階段錯誤，但問題在於，如果你以 Excel 2002 版本上鎖，將無法在 Excel 97 版本中解鎖，而這也表示你無法針對 Excel 97 版本中會遇到的問題進行偵錯。

就結論而言：把程式碼上鎖，其所帶來的麻煩多於益處。

Note 假如軟體版本是介於 Excel 2003 到 2019 之間的版本，這幾個版本之間的加解密是相容的。就算你把檔案存為 .xlsm 格式，同樣可以用 Excel 2003 的檔案轉換器開啟；於是便能透過 Excel 2003 修改程式、存檔後，再重新以 Excel 2019 開啟也沒問題。

因為版本不同所造成的錯誤

Microsoft 持續在每個版本的 Excel 中對 VBA 作出改進。其中樞紐分析表在 Excel 97 和 Excel 2000 這兩個版本之間的改變最大。而走勢圖和交叉分析篩選器都是到了 Excel 2010 版本才有的新功能。資料模型直到 Excel 2013 版本才加入；Power Query 也是到了 Excel 2016 版本中，才正式內建進來。

TrailingMinusNumbers 是 Excel 2002 版本才出現的新參數。也就是說，假如在以 Excel 2016 版本寫了程式碼，把程式寄給還在使用 Excel 2000 版本的使用者，當這位使用者在此參數出現的模組中執行到任何程式碼時，都會跳出編譯錯誤。因此，你必須考慮把程式碼分開為兩個不同模組。

假設 Module1 中有 ProcA、ProcB 和 ProcC 這三個巨集，而 Module2 有 ProcD 和 ProcE 這兩個巨集。剛好 ProcE 巨集中用了含有 TrailingMinusNumbers 參數的 ImportText 方法。

於是使用者可以在裝有 Excel 2000 版本的電腦上順利執行 ProcA 和 ProcB。但當執行到 ProcD 時，ProcD 就會跳出編譯錯誤，因為一旦執行到 Module2 裡的任何一段程式時，Excel 就會編譯整個模組。這很容易導致混淆：使用者明明執行的是 ProcD、卻因為存在於 ProcE 的錯誤而出現異常。

其中一種解決方式是，盡可能地在每一個 Excel 還提供支援的版本上進行測試。

此外，Mac 作業系統的使用者以為他們所安裝的 Excel 與 Windows 上的版本別無二致，但實際上 Microsoft 所承諾的檔案相容性，僅止於 Excel 使用者介面上所見的而已。VBA 程式在 Windows 與 Mac 作業系統之間並不存在相容性。雖然 Excel 2019 版本在 Mac 作業系統上的 Excel VBA 是很相近，但還是有著決定性的不同之處。除此之外，在 Windows API 中所作的任何東西都無法在 Mac 作業系統中使用。

接下來的學習目標

透過本章節的內容，希望能夠讓讀者學到如何強化程式碼的穩定性、讓交付給使用者的專案能夠不懼錯誤的發生。接下來我們在《**Chapter25- 利用自訂功能區執行巨集**》中將會介紹如何利用自訂功能區，讓你的使用者享受專屬使用者介面的好處。

Chapter 25

利用自訂功能區執行巨集

在本章節中，我們將學習：

- 如何新增自訂功能區：關於 customui 目錄與檔案
- 在自訂功能區中新增控制項
- RELS 結構描述檔
- 在按鈕上使用圖片
- 錯誤訊息疑難排解
- 其他執行巨集的方式

與舊版 Excel 中的工具列不同，新版的功能區並不是透過 VBA 程式所打造的；如果我們想要修改功能區、增加自訂的索引標籤，就必須從 Excel 檔案本身下手修改，而這並不如想像中的困難。因為新版的 Excel 檔案其實是一種壓縮檔，內含不同的檔案與資料夾。只要先將檔案解壓縮，然後稍作修改就可以了；當然，這樣形容是稍嫌誇張，中間有幾個其他步驟需要處理，但至少並非不可能。

在開始本章節之前，請先從「檔案」索引標籤中點擊「選項」，並在出現的「Excel 選項」對話方塊左側導覽列中，點擊「進階」類別，然後在「一般」區中，勾選「顯示增益集使用者介面錯誤」核取方塊。這會啟用使用者介面相關的錯誤訊息，如此我們才能對自訂功能區進行疑難排解。

Note 請參閱本章節稍後的「錯誤訊息疑難排解」小節，來了解更多關於錯誤排除的細節。

Caution 不同於在 VB 編輯器中開發，當編寫與自訂功能區相關的程式碼時，你不會有任何輔助來幫你訂正大小寫錯誤，而自訂功能區所使用的程式語言（也就是 XML 格式）又對大小寫區別具有敏感性。因此，請留意在 XML 檔案中的關鍵字；例如，如果把「id」寫成了「ID」就會發生錯誤。

此外，也要謹記一件事情：當在修改由 Excel 2013 及其後版本所產生的單一文件介面格式檔（SDI，single-document interface）時，附加到活頁簿上的自訂功能區，也只有在該活頁簿被開啟時才能看得到。如果你開啟的是另外一份活頁簿，那麼你所自訂的索引標籤就不會出現在功能區上。唯一的例外是以增益集來新增的方式：只要啟用該增益集後，不論你開啟的是哪一份活頁簿，都可以看得到你所自訂的功能區。

> **Note** 請參閱《**Chapter26- 建立增益集**》了解更多關於建立增益集的細節。

> **Note** 其實舊版 Excel 中的 CommandBars 物件還是可以使用，只是自訂後的選單與工具列，都被整合到增益集索引標籤中了。

自訂功能區：customui 目錄與檔案

首先新建一個名為「customui」的資料夾目錄，這個資料夾目錄下會用來存放關於你自訂功能區的所有檔案。在這個目錄下，新增一個名為「customUI14.xml」的純文字檔案，如圖 25.1 所示。然後在文字編輯器（例如記事本或 WordPad 等）中開啟這個 XML 檔案。

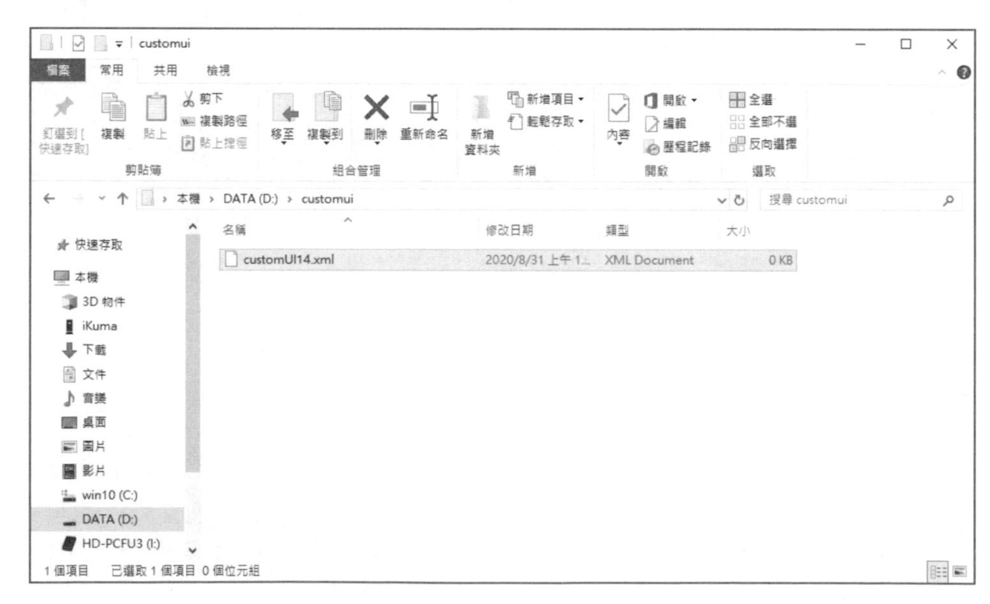

圖 25.1 在 customui 資料夾中新增一份 customUI14.xml 檔案。

Tip 筆者個人愛用由侯今吾（Don Ho）所開發的「Notepad++」作為純文字編輯器（請參考 www.notepad-plus-plus.org）。與我們在使用 VB 編輯器時相同，當你設定 XML 作為程式語言、或是偵測到你在編輯 XML 檔案時，這個編輯器會自動協助你將語法上色。此外，這個編輯器軟體還擁有許多好用的其他功能。

請在檔案中寫入基本的 XML 程式碼架構，如下所示。每一個元素都是以一個起頭標籤（例如 <ribbon>）搭配一個封閉標籤（例如 </ribbon>）組成：

```
<customUI xmlns="http://schemas.microsoft.com/office/2009/07/customui">
    <ribbon startFromScratch="false">
        <tabs>
        <!-- 自訂功能區控制項程式碼 -->
        </tabs>
    </ribbon>
</customUI>
```

startFromScratch 是可以省略的，其預設值是 false。這是用來告訴程式碼，是否要顯示其他的 Excel 索引標籤，或是只顯示這裡自訂的索引標籤。如果設定為「true」值就代表只顯示自訂索引標籤；「false」值則代表顯示自訂索引標籤同時，其他索引標籤也會顯示。

Caution 特別注意 startFromScratch 中的字母大小寫：開頭的 s 是小寫，From 的 F 是大寫，Scratch 的 S 是大寫。要非常注意不可以更動。

上列程式碼中出現的「<!-- 自訂功能區控制項程式碼 -->」是註解文字。只要把註解文字放在「<!--」和「-->」之間，程式在執行時就會自動略過這行文字。

Note 如果你需要編寫能夠與 Excel 2007 版本相容的自訂功能區，則需要改用如下介面規格：http://schemas.microsoft.com/office/2006/01/customui。此外「customUI14」檔案字樣，也需要改為使用「customUI」。

建立索引標籤和功能群組

在新增控制項到索引標籤之前，必須先指定控制項所屬的索引標籤和功能群組。索引標籤中可以存放很多不同的控制項，而這些控制項又能被各自歸類在不同的群組當中，就像「常用」索引標籤中的「字型」群組那樣。

我們把此範例建立的索引標籤命名為「我的功能區」並在其中新增一個名為「我的程式」群組，完成後的結果會如圖 25.2 所示：

```
<customUI xmlns="http://schemas.microsoft.com/office/2009/07/
customui">
    <ribbon startFromScratch="false">
        <tabs>
            <tab id="CustomTab" label=" 我的功能區 ">
                <group id="CustomGroup" label=" 我的程式 ">
                <!-- 自訂功能區控制項程式碼 -->
                </group>
            </tab>
        </tabs>
    </ribbon>
</customUI>
```

id 是控制項、索引標籤和群組等元素的識別編號。label 是代表你想要在功能區上所顯示出來的文字。

在功能區中新增控制項

設定好功能區和群組之後，就可以開始新增控制項。依照控制項的類型不同，在 XML 程式碼中就可以使用不同的屬性（各控制項和可使用的屬性，請參考表 25.1 內容）。

以下的程式碼會在「我的程式」群組中，增加一個一般大小、寫有「點擊執行」字樣的按鈕。該按鈕被點擊時，會執行一個名為「HelloWorld」的副程序。如圖 25.2 所示：

```
<customUI xmlns="http://schemas.microsoft.com/office/2009/07/
customui">
    <ribbon startFromScratch="false">
        <tabs>
            <tab id="CustomTab" label=" 我的功能區 ">
                <group id="CustomGroup" label=" 我的程式 ">
                    <button id="button1" label=" 點擊執行 "
onAction="Module1.HelloWorld" size="normal"/>
                </group>
            </tab>
        </tabs>
    </ribbon>
</customUI>
```

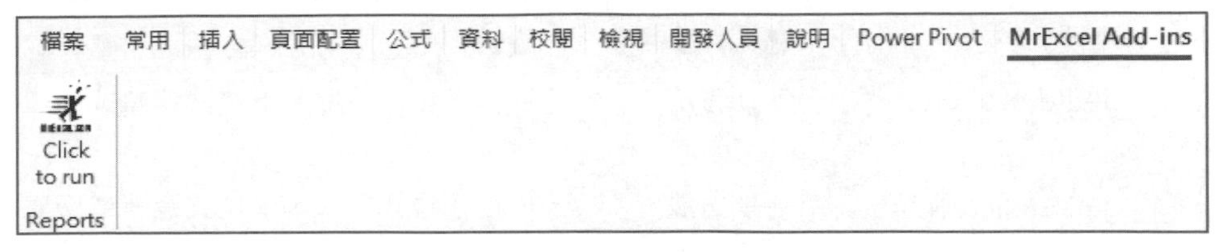

圖 25.2　只要點擊自訂功能區中的按鈕就能執行對應的程序。

id 代表按鈕控制項的識別編號；label 是希望顯示在按鈕上的文字；size 是按鈕的大小，預設值是「normal」，另一個選項則是「large」。onAction 是用於設定當按鈕被點擊時要呼叫的程序，在此範例中我們設定為「HelloWorld」，也就是以下放置在活頁簿的標準模組 Module1 中的程序：

```
Sub HelloWorld(control As IRibbonControl)
    MsgBox "Hello World"
End Sub
```

注意在上面的範例中，副程序的引數型態設定為「IRibbonControl」，這是此類副程序的標準引數設定形式，而且是用於按鈕控制項在 onAction 呼叫時的寫法。表 25.2 中列出了其他屬性，以及各種類控制項所要求的引數。

表 25.1　功能區控制項屬性

屬性	值或類型	說明
description	字串值	指定當 itemSize 屬性被設定為「Large」時，顯示在選單中的文字
enabled	true 或 false	指定是否啟用控制項
getContent	呼叫方法	擷取描述動態選單的 XML 內容
getDescription	呼叫方法	取得控制項的描述
getEnabled	呼叫方法	取得控制項的啟用狀態
getImage	呼叫方法	取得控制項的圖片
getImageMso	呼叫方法	使用控制項識別取得內建控制項的圖示
getItemCount	呼叫方法	取得顯示在下拉式方塊、下拉式選單或圖庫中的項目數目
getItemID	呼叫方法	取得下拉式方塊、下拉式選單或圖庫中指定項目的識別編號
getItemImage	呼叫方法	取得下拉式方塊、下拉式選單或圖庫中的圖片

屬性	值或類型	說明
getItemLabel	呼叫方法	取得下拉式方塊、下拉式選單或圖庫中的標籤
getItemScreentip	呼叫方法	取得下拉式方塊、下拉式選單或圖庫中的提示文字
getItemSupertip	呼叫方法	取得內嵌在下拉式方塊、下拉式選單或圖庫中的提示文字
getKeytip	呼叫方法	取得控制項的快速鍵提示
getLabel	呼叫方法	取得控制項的標籤
getPressed	呼叫方法	取得一個代表切換按鈕被按下或沒被按的值，亦或是一個代表核取方塊被勾選或被取消勾選的值
getScreentip	呼叫方法	取得控制項的提示文字
getSelectedItemID	呼叫方法	取得下拉式選單或圖庫中被選取項目的識別
getSelectedItemIndex	呼叫方法	取得下拉式選單或圖庫中被選取項目的索引值
getShowImage	呼叫方法	取得一個代表是否顯示控制項圖片的值
getShowLabel	呼叫方法	取得一個代表是否顯示控制項標籤的值
getSize	呼叫方法	取得控制項大小的值（normal、large）
getSupertip	呼叫方法	取得內嵌在控制項上的提示文字
getText	呼叫方法	取得顯示在文字方塊中的文字
getTitle	呼叫方法	取得代替選單分隔線的文字
getVisible	呼叫方法	取得是否顯示控制項的值
id	字串值	使用者自訂的控制項識別編號（而且只能在 id、idMso、與 idQ 之間選一個採用）
idMso	控制項識別	內建的控制項識別編號（而且只能在 id、idMso、與 idQ 之間選一個採用）
idQ	限定識別	XML 限定格式的控制項識別，前綴有 XML 命名空間名稱（而且只能在 id、idMso、與 idQ 之間選一個採用）
image	字串值	為控制項指定圖片
imageMso	控制項識別	以內建圖片識別編號方式指定

屬性	值或類型	說明
insertAfterMso	控制項識別	以內建控制項識別方式，指定控制項的後置順序位置
insertAfterQ	限定識別	以內建控制項限定識別方式，指定控制項的後置順序位置
insertBeforeMso	控制項識別	以內建控制項識別方式，指定控制項的前置順序位置
insertBeforeQ	限定識別	以內建控制項限定識別方式，指定控制項的前置順序位置
itemSize	large 或 normal	指定選單中的項目大小
Keytip	字串值	指定控制項的快速鍵提示
label	字串值	指定控制項的標籤文字
onAction	呼叫方法	當使用者點擊控制項時被呼叫
onChange	呼叫方法	當使用者在編輯方塊或下拉式方塊中輸入或選取文字時被呼叫
screentip	字串值	指定控制項的 screentip
showImage	true 或 false	指定控制項的圖片是否顯示
showItemImage	true 或 false	指定是否顯示下拉式方塊、下拉式選單或圖庫的圖片
showItemLabel	true 或 false	指定是否顯示下拉式方塊、下拉式選單或圖庫的標籤
showLabel	true 或 false	指定是否顯示控制項的標籤
size	large 或 normal	指定控制項的大小
sizeString	字串值	用指定字串長度的方式指出控制項的寬度，例如「xxxxxx」
supertip	字串值	為控制項指定內建的提示文字
tag	字串值	指定使用者所自訂的文字
title	字串值	指定代替選單分隔線的文字
visible	true 或 false	指定控制項是否可見

表 25-2　各類控制項呼叫方法需要的引數識別定義

控制項	傳回名稱	用法
各種類	getDescription	Sub GetDescription(control as IRibbonControl, ByRef description)
	getEnabled	Sub GetEnabled(control As IRibbonControl, ByRef enabled)
	getImage	Sub GetImage(control As IRibbonControl, ByRef image)
	getImageMso	Sub GetImageMso(control As IRibbonControl, ByRef imageMso)
	getLabel	Sub GetLabel(control As IRibbonControl, ByRef label)
	getKeytip	Sub GetKeytip (control As IRibbonControl, ByRef label)
	getSize	Sub GetSize(control As IRibbonControl, ByRef size)
	getScreentip	Sub GetScreentip(control As IRibbonControl, ByRef screentip)
	getSupertip	Sub GetSupertip(control As IRibbonControl, ByRef screentip)
	getVisible	Sub GetVisible(control As IRibbonControl, ByRef visible)
按鈕	getShowImage	Sub GetShowImage (control As IRibbonControl, ByRef showImage)
	getShowLabel	Sub GetShowLabel (control As IRibbonControl, ByRef showLabel)
	onAction	Sub OnAction(control As IRibbonControl)
核取方塊	getPressed	Sub GetPressed(control As IRibbonControl, ByRef returnValue)
	onAction	Sub OnAction(control As IRibbonControl, pressed As Boolean)
下拉式方塊	getItemCount	Sub GetItemCount(control As IRibbonControl, ByRef count)
	getItemID	Sub GetItemID(control As IRibbonControl, index As Integer, ByRef id)

控制項	傳回名稱	用法
	getItemImage	Sub GetItemImage(control As IRibbonControl, index As Integer, ByRef image)
	getItemLabel	Sub GetItemLabel(control As IRibbonControl, index As Integer, ByRef label)
	getItemScreenTip	Sub GetItemScreenTip(control As IRibbonControl, index As Integer, ByRef screentip)
	getItemSuperTip	Sub GetItemSuperTip (control As IRibbonControl, index As Integer, ByRef supertip)
	getText	Sub GetText(control As IRibbonControl, ByRef text)
	onChange	Sub OnChange(control As IRibbonControl, text As String)
自訂介面	loadImage	Sub LoadImage(imageId As string, ByRef image)
	onLoad	Sub OnLoad(ribbon As IRibbonUI)
下拉式選單	getItemCount	Sub GetItemCount(control As IRibbonControl, ByRef count)
	getItemID	Sub GetItemID(control As IRibbonControl, index As Integer, ByRef id)
	getItemImage	Sub GetItemImage(control As IRibbonControl, index As Integer, ByRef image)
	getItemLabel	Sub GetItemLabel(control As IRibbonControl, index As Integer, ByRef label)
	getItemScreenTip	Sub GetItemScreenTip(control As IRibbonControl, index As Integer ByRef screenTip)
	getItemSuperTip	Sub GetItemSuperTip (control As IRibbonControl, index As Integer, ByRef superTip)
	getSelectedItemID	Sub GetSelectedItemID(control As IRibbonControl, ByRef index)

控制項	傳回名稱	用法
	getSelectedItemIndex	Sub GetSelectedItemIndex(control As IRibbonControl, ByRef index)
	onAction	Sub OnAction(control As IRibbonControl, selectedId As String, selectedIndex As Integer)
動態選單	getContent	Sub GetContent(control As IRibbonControl, ByRef content)
編輯方塊	getText	Sub GetText(control As IRibbonControl, ByRef text)
	onChange	Sub OnChange(control As IRibbonControl, text As String)
圖庫	getItemCount	Sub GetItemCount(control As IRibbonControl, ByRef count)
	getItemHeight	Sub getItemHeight(control As IRibbonControl, ByRef height)
	getItemID	Sub GetItemID(control As IRibbonControl, index As Integer, ByRef id)
	getItemImage	Sub GetItemImage(control As IRibbonControl, index As Integer, ByRef image)
	getItemLabel	Sub GetItemLabel(control As IRibbonControl, index As Integer, ByRef label)
	getItemScreenTip	Sub GetItemScreenTip(control As IRibbonControl, index as Integer, ByRef screen)
	getItemSuperTip	Sub GetItemSuperTip (control As IRibbonControl, index as Integer, ByRef screen)
	getItemWidth	Sub getItemWidth(control As IRibbonControl, ByRef width)
	getSelectedItemID	Sub GetSelectedItemID(control As IRibbonControl, ByRef index)
	getSelectedItemIndex	Sub GetSelectedItemIndex(control As IRibbonControl, ByRef index)

控制項	傳回名稱	用法
	onAction	Sub OnAction(control As IRibbonControl, selectedId As String, selectedIndex As Integer)
選單分隔線	getTitle	Sub GetTitle (control As IRibbonControl, ByRef title)
切換按鈕	getPressed	Sub GetPressed(control As IRibbonControl, ByRef returnValue)
	onAction	Sub OnAction(control As IRibbonControl, pressed As Boolean)

查看檔案結構

新版 Excel 的檔案其實是一種壓縮檔，內含許多檔案與資料夾目錄，以此建立出我們開啟活頁簿時會看到的活頁簿與工作表內容。如果想要瀏覽這個檔案結構，你需要先在副檔名的尾端加上一個「.zip」的後綴。舉例來說：如果你的檔名是「Chapter 25 - Simple Ribbon.xlsm」，那就更名為「Chapter 25 - Simple Ribbon.xlsm.zip」，然後就能以一般的 zip 解壓縮工具，來查看內含的資料目錄與檔案結構了。

隨後，把我們先前自訂好的「customui」資料夾目錄與其中的檔案，加到這個 zip 檔中，如圖 25.3 所示。加入到 .xlsm 檔案後，我們還需要向其他共同組成的 Excel 檔案，宣告這份檔案的存在，以及其用途。因此要修改 RELS 結構描述檔，請見隨後章節段落內容說明。

名稱	大小	封裝後大小	修改日期
customUI	19 057	18 947	
docProps	1 381	719	
xl	281 676	255 570	
_rels	738	302	
[Content_Types].xml	1 781	477	1980-01-01 0...

圖 25.3 使用解壓縮工具程式開 xlsm 檔案，並把 customui 資料夾和檔案複製進去。

RELS 結構描述檔

你可以在「_rels」資料目錄下，找到 RELS 結構描述檔，這份檔案中，有著對於 Excel 組成檔的關聯描述資訊。請從壓縮檔中解出這份檔案，然後以純文字編輯器開啟。

這份檔案中已有的關聯描述資訊基本上不用更動，我們需要作的是「新增」關於 customui 目錄的資訊。因此請一路往下拉，直到出現「<Relationships>」開頭的這一行，然後把輸入游標停在「</Relationships>」標籤的前方，如圖 25.4 所示，接著插入如下語法：

```
<Relationship Id="rAB67989"
Type="http://schemas.microsoft.com/office/2007/relationships/ui/_
extensibility"
Target="customui/customUI14.xml"/>
```

其中 Id 是此關聯定義資訊的識別，假如 Excel 對你輸入的這份關聯資訊識別有疑慮，可能會在正式開啟檔案時作更改。Target 是用來指定「customui」資料夾和檔案的路徑。最後，儲存檔案後再把 RELS 檔案加回壓縮檔中。

Note 請參閱本章「錯誤訊息疑難排解」段落的「Excel 找到無法讀取的內容」小節。

圖 25.4 請將輸入游標停在正確的位置，以便新增自訂功能區的關聯資訊。

Caution 雖然以上程式碼內容在本書中可能會因為版面限制，導致折行而看起來像是多行，但其實在 RELS 檔案中是一行的。假如讀者想要分為三行來輸入，切記請不要在雙引號之間字串部分作斷行，然後也不要使用我們在 VBA 中習慣會用到的續行字符（ _ ）。上述範例就是一次正確的斷行示範（但請將範例中的續行字符連接起來後刪除），而底下是一次不正確的斷行負面示範：

```
Target = "customui/
customUI14.xml"
```

重新命名檔案並開啟活頁簿

請把上述範例中的 Excel 檔案重新命名回原本的檔案名稱、移除 .zip 副檔名，接著開啟活頁簿。

Note 如果在開啟 Excel 檔案時，出現了任何錯誤訊息，請參閱本章節稍後的「錯誤訊息疑難排解」小節以了解狀況。

增加自訂功能區的步驟是稍嫌繁複了點沒錯，而且，要是中途出了點小錯，你就必須反覆進行重新命名活頁簿、開啟壓縮檔案、將檔案解壓縮、修改、把檔案加回壓縮檔、重新命名，然後再次進行測試等操作。為了簡化這個流程，讀者可以參考「Custom UI Editor」這項工具來協助處理這些步驟：http://openxmldeveloper.org/blog/b/openxmldeveloper/archive/2009/08/07/7293.aspx（編輯註：openxmldeveloper.org 網站連結已失效，讀者可以參考 https://bettersolutions.com/vba/ribbon/custom-ui-editor.htm 或上網搜尋「Custom UI Editor for Microsoft Office」）。這份工具可以協助你更新 RELS 描述檔內容，協助套用自訂圖片，並且具備其他能幫助你自訂功能區的功能。另一項筆者愛用的工具則是由 Andy Pope 所開發的「RibbonX Visual Designer」，下載點為 www.andypope.info/vba/ribboneditor_2010.htm。

在按鈕上使用圖片

按鈕上所顯示的圖片，可以是來自 Microsoft Office 本身內建的圖示庫、也可以是使用者自己自訂後，放置在活頁簿 customui 資料夾裡的圖片。一個好的圖示圖片可以用來代替按鈕標籤的文字，就算沒有標籤文字，不言自明的圖示也會讓功能區在使用上更為友善。

Microsoft Office 圖示

Microsoft 簡化了在自訂功能區時，重複利用 Microsoft 內建按鈕圖示的方法。只要從「檔案」索引標籤下點擊「選項」，在開啟的「Excel 選項」對話方塊中，切換至「自訂功能區」；接著只要把滑鼠指標放在任何功能區指令上，就會顯示有關該指令更詳細說明的提示文字。而在該提示文字結尾處括弧內的文字，就是相對應圖示的名稱了，如圖 25.5 所示。

圖 25.5 把滑鼠指標放在指令上，例如圖中的「超連結」，就會帶出圖示名稱「HyperlinkInsert」。

而當你想要把同樣的圖片用於自訂按鈕上，就要先回到「customUI14.xml」檔案中，將此資訊設定進去告知 Excel。以下的程式碼會把超連結的圖示用在 HelloWorld 按鈕上，並同時隱藏文字標籤，結果如圖 25.6 所示。請記得圖示名稱是需要區分大小寫的：

```
<customUI xmlns="http://schemas.microsoft.com/office/2009/07/
customui">
    <ribbon startFromScratch="false">
        <tabs>
            <tab id="CustomTab" label=" 我的功能區 ">
                <group id="CustomGroup" label=" 我的程式 ">
                    <button id="button1" label=" 點擊執行 " onAction=
                        "Module1.HelloWorld" imageMso="HyperlinkInsert"
                        size="large"/>
                </group>
            </tab>
```

```
        </tabs>
    </ribbon>
</customUI>
```

圖 25.6　可以把 Microsoft Office 內建的圖示套用在自訂按鈕上。

不過事實上，對圖片選擇並不只侷限於 Excel 中找得到的圖示而已，只要是在電腦中有安裝的 Microsoft Office 應用軟體，當中的圖示都可以使用。你可以從 Microsoft 官網上，下載一份 Word 文件，裡面列出了其中兩個圖示庫的圖示，以及這些圖示相對應的名稱：http://www.microsoft.com/en-us/download/details.aspx?id=21103。

自訂圖片作為圖示

如果在圖示庫中仍然找不到合用的圖示呢？也可以以自建的圖片檔案，並修改功能區的設定，使用自訂圖片：

1. 在「customui」資料夾中建立一個名為「images」的子資料夾。把所需的圖片放進此資料夾中。
2. 在「customui」資料夾中建立一個名為「_rels」的子資料夾。在這個新資料夾中建立一個名為「customUI14.xml.rels」的純文字檔，如圖 25.7 所示。在此檔案中撰寫以下的程式碼；而在範例中，我們將該張圖片的檔案名稱用於設定為資源關聯的 Id 欄位資訊：

```
<?xml version="1.0" encoding="UTF-8" standalone="yes"?>
<Relationships xmlns="http://schemas.openxmlformats.org/
package/2006/relationships">
    <Relationship Id="helloworld_png" Type="http://schemas.
openxmlformats.org/officeDocument/2006/ relationships/image"
Target="images/helloworld.png"/>
</Relationships>
```

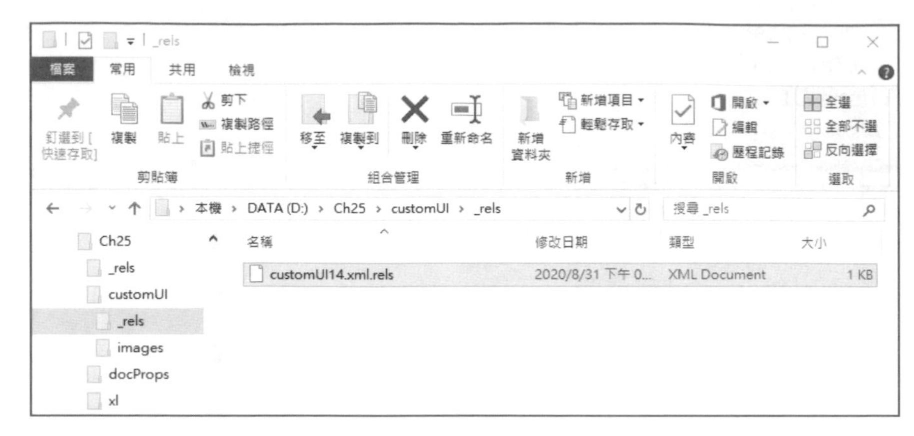

圖 25.7　在 customui 資料夾中建立一個名為「_rels」及「images」的子資料夾，保存所有跟自訂圖片有關的檔案。

3. 開啟「customUI14.xml」檔案，把 image 屬性新增至控制項上，如下所示。接著儲存並關閉檔案：

```
<customUI xmlns="http://schemas.microsoft.com/office/2009/07/
customui">
    <ribbon startFromScratch="false">
        <tabs>
            <tab id="CustomTab" label=" 我的功能區 ">
                <group id="CustomGroup" label=" 我的程式 ">
                    <button id="button1" label=" 點擊執行 "
                        onAction="Module1.HelloWorld" image=
                        "helloworld_png" size="large" />
                </group>
            </tab>
        </tabs>
    </ribbon>
</customUI>
```

4. 開啟「[Content_Types].xml」檔案，把以下程式碼加在檔案結尾處，也就是 </Types> 標籤之前：

```
<Default Extension="png" ContentType="image/.png"/>
```

Note　如果你的圖片格式是 jpg 檔案，請改用如下設定：

```
<Default Extension="jpg" ContentType="application/octet-stream"/>
```

5. 儲存變更，將資料夾重新命名，開啟活頁簿。自訂圖片將會出現在按鈕上，如圖 25.8 所示。

圖 25.8　只需要在「customui」資料夾中作些許變更，就能把自訂圖片套用到按鈕上。

錯誤訊息疑難排解

為了要顯示自訂功能區所發生的錯誤訊息，首先要從「檔案」索引標籤下的「選項」項目中，開啟「Excel 選項」對話方塊，接著從左側導覽列點擊「進階」並於「一般」區中勾選「顯示增益集使用者介面錯誤」選項。

DTD/ 結構描述中，未定義 "customui ribbon" 元素的 "< 屬性名稱 >" 屬性

先前在本章節的「自訂功能區：customui 目錄與檔案」小節中，曾經提過屬性名稱具備大小寫敏感性，如果大小寫不對，就可能發生如圖 25.9 所示的錯誤。

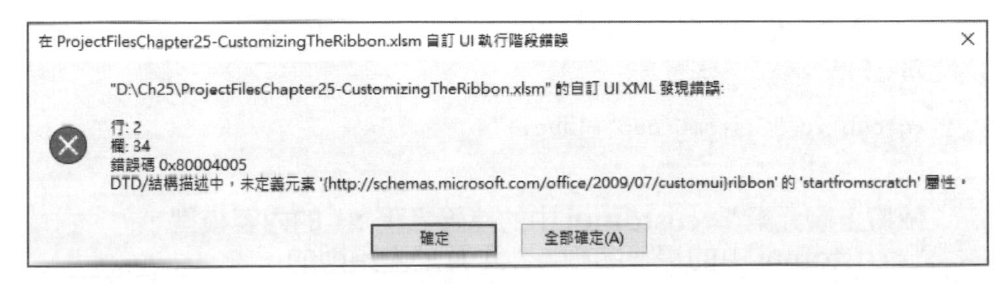

圖 25.9　屬性名稱的大小寫誤寫會導致錯誤發生；發生錯誤時請仔細閱讀訊息內容，可以幫助你找出問題原因。

而在 customUI14.xml 中導致錯誤的程式碼如下：

```
<ribbon startfromscratch="false">
```

上述屬性名稱的正確寫法是「startFromScratch」但程式碼中寫的卻是「startfromscratch」（也就是全部寫成了小寫字母）。錯誤訊息會把發生錯誤的屬性在程式碼中的名稱顯示出來，讓使用者更容易找出問題所在。

不合法的限定名稱字元

在 XML 檔案格式中，每個以「<」開頭標籤，就一定要有一個「>」作為結尾；但假如忘記寫上結尾的「>」字符就會出現如圖 25.10 的錯誤。這個錯誤訊息寫得很籠統，但還是有列出發生問題的程式碼所在行數與欄位置。不過，這仍然沒有指出

所缺少的「>」字符應該補在哪裡。它列出的是下一行程式碼的開頭。讀者仍然必須自行檢視程式碼來找出正確位置，這至少提供了一些線索。

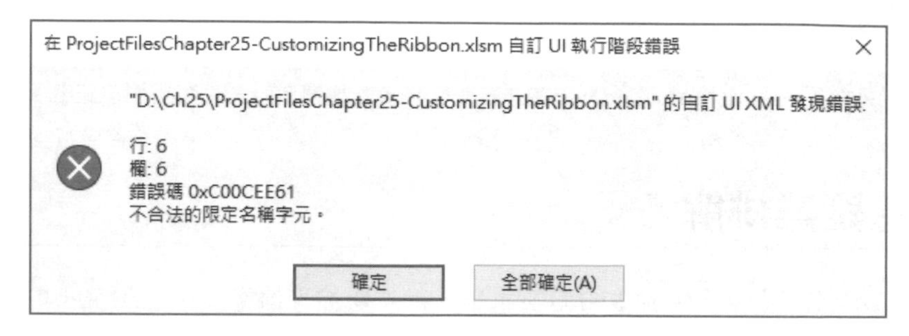

圖 25.10 每個開頭的「<」都需要搭配一個結尾的「>」。

以下是在 customUI14.xml 中發生錯誤的程式碼：

```
<tab id="CustomTab" label="我的功能區">
    <group id="CustomGroup" label="我的程式"
        <button id="button1" label="點擊執行" onAction="Module1.
HelloWorld" image="helloworld_png" size="large" />
```

請注意程式碼中 group 標籤（第二行程式碼）中所缺少的「>」。正確的程式碼應如下：

```
<group id="CustomGroup" label="我的程式">
```

依據上層元素 "<customui 中的標籤名稱 >" 的內容模型，"<customui 中的標籤名稱 >" 元素是未預期的

假如結構順序錯了，例如，把 group 標籤錯放在 tab 標籤之前的話，就會發生一連串的錯誤，從圖 25.11 開始：

圖 25.11 一行程式碼的錯誤會導致一整串錯誤訊息，這是因為整個程式碼的順序都錯了。

```
<group id="CustomGroup" label="我的程式">
    <tab id="CustomTab" label="我的功能區">
```

Excel 找到無法讀取的內容

圖 25.12 所顯示的是一種普遍泛用的錯誤訊息，其背後所代表的 Excel 錯誤原因可能很多種。如果此時點擊「否」按鈕，那麼活頁簿就不會開啟；反之如果點擊「是」則會進一步看到如圖 25.13 的錯誤訊息。雖然背後原因可能很多種，但如果純就自訂功能區這件事來看，筆者發現最常導致這個訊息出現的狀況是，我們在 RELS 結構描述檔中 Relationship 標籤內所定義的 ID 不被 Excel 所接受。不過幸好，只要我們在第一個出現的「發現有問題」對話框中，點擊「是」的話，Excel 就會自動幫你安排一個新的 ID 識別編號，而下一次再開啟檔案就不會有此錯誤訊息了。

圖 25.12 有很多原因會導致出現這種泛用錯誤訊息。請點擊「是」鈕來嘗試修正錯誤。

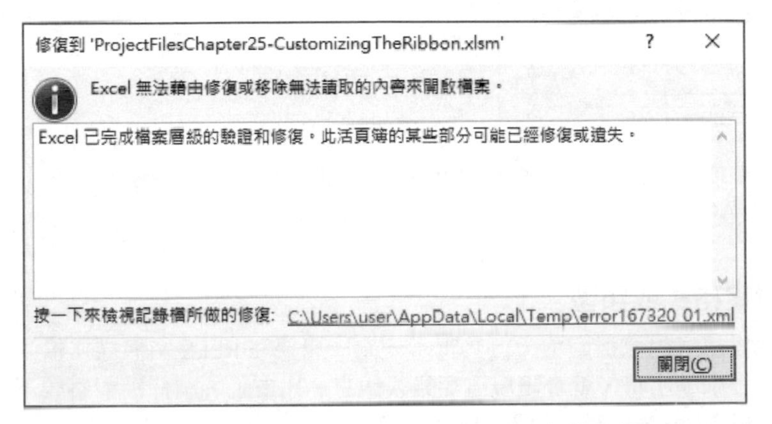

圖 25.13 成功修正檔案之後，Excel 會顯示訊息告知使用者。

原先的結構描述檔內容：

```
<Relationship Id="rId3" Type="http://schemas.microsoft.com/office/
2007/relationships/ui/extensibility" Target="customui/customUI14.
xml"/>
```

經 Excel 修正後的結構描述檔內容：

```
<Relationship Id="rE1FA1CF0-6CA9-499E-9217-90BF2D86492F" Type="http:
//schemas.microsoft.com/office/2007/relationships/ui/extensibility"
Target="customui/customuUI14.xml"/>
```

要是在 RELS 檔案中，把斷行設定在兩個雙引號中間的字串內，你也會收到這類錯誤訊息。先前在「RELS 結構描述檔」小節，我們就有提到過要注意這一點。而且 Excel 無法自動幫你修正此類問題，因此只能靠你自己修改了。

引數的個數錯誤或指定了不正確的屬性

若是在控制項呼叫程序的部分出了問題，就可能會在透過自訂功能區來執行程式時出現如圖 25.14 所示的錯誤訊息。舉例來說，按鈕類型控制項元件的 onAction 方法，需要在副程序的識別定義中，具備 IRibbonControl 型態的引數：

```
Sub HelloWorld(control As IRibbonControl)
```

但假如省略了引數就會發生錯誤，例如：

```
Sub HelloWorld()
```

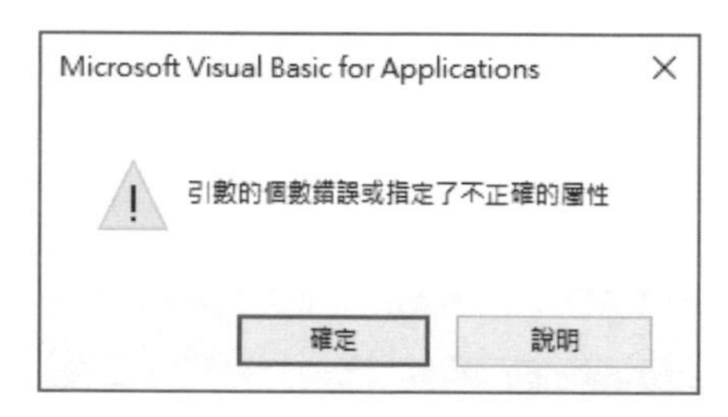

圖 25.14 當控制項呼叫程序時，程序的識別定義必須具備正確的引數。請參考表 25.2 所列的控制項引數說明。

不正確的檔案格式或類型

圖 25.15 的錯誤訊息貌似很嚴重，但其實不一定。只要在 RELS 結構描述檔中，屬性值兩側少了雙引號字符，就會出現這類錯誤訊息。比方說，請仔細觀察如下程式碼，就可以發現 Type 屬性後面的屬性值少了雙引號：

```
Type=http://schemas.microsoft.com/office/2007/relationships/ui/
extensibility
```

正確應如下所示：

```
Type="http://schemas.microsoft.com/office/2007/relationships/ui/
extensibility"
```

圖 25.15 只是少了雙引號都會導致這個看似嚴重的錯誤訊息。但其實不難修正。

沒有反應

假如開啟了修改過的活頁簿，但功能區卻沒出現，也沒顯示任何錯誤訊息，那就先雙擊打開 RELS 結構描述檔。這有可能是因為忘記加上與「customUI14.xml」檔案之間的關聯。

其他執行巨集的方式

自訂功能區可說是執行巨集最優雅的方式，但若是只有幾個巨集需要執行，那麼花這麼多時間去修改檔案也顯得小題大作。因此你也可以直接教導使用者去「檢視」索引標籤下點擊「巨集」圖示，並在出現的下拉式選單中選取「檢視巨集」選項，然後從「巨集」對話方塊中選取要執行的巨集，再按「執行」按鈕，不過這又顯得很不專業，並且麻煩。所以我們底下列出了幾種執行巨集的方式。

鍵盤快速鍵

執行巨集最快的方式就是為巨集指定鍵盤快速鍵。你可以從「開發人員」或「檢視」索引標籤下點擊「巨集」圖示，或是按下 <Alt>+<F8> 組合鍵開啟「巨集」對話方塊。選取「巨集」並點擊「選項」按鈕，為巨集指定一個快速鍵。如圖 25.16 所示，這邊將 <Ctrl>+<Shift>+<H> 組合鍵指定為「RunHello」巨集的快速鍵。接下來只要在工作表中寫個顯眼的提示，告訴使用者們按下 <Ctrl>+<Shift>+<H> 快速鍵，就可以執行巨集、快速清除第一欄中的內容。

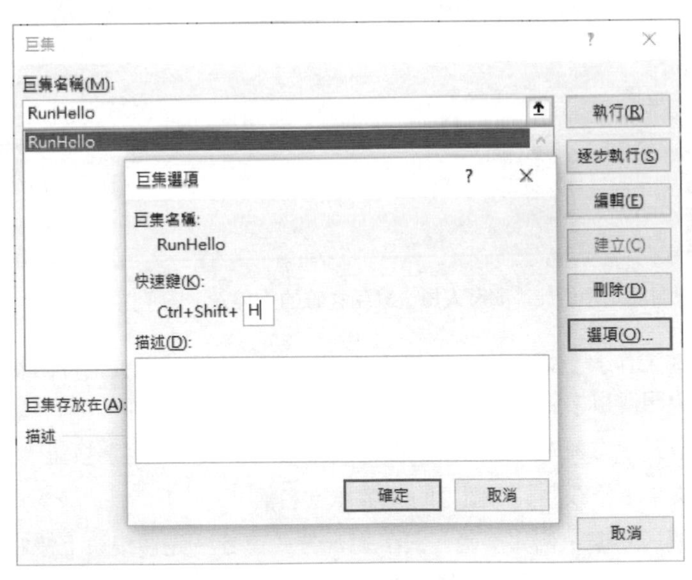

圖 25.16 鍵盤快速鍵是提供給使用者執行巨集最好的方式之一。現在只要按下 <Ctrl>+<Shift>+<H> 組合鍵就能執行「RunHello」巨集。

Caution 指定鍵盤快速鍵時要小心。因為很多按鍵組合都已經被指定為重要的 Windows 快速鍵了。假如不小心指定了 <Ctrl>+<C> 作為巨集快速鍵，當使用者想用這組快速鍵來複製選取到剪貼簿時，你的應用程式反而會執行別的動作而不是原本預期的行為，因而造成困擾。在 Excel 2019 既存的「Ctrl 快速鍵組合」中，還沒被使用的字母有 J、M 和 Q，因此這些都是不錯的選擇。曾經 <Ctrl>+<L> 和 <Ctrl>+<T> 這兩組可用於快速鍵，但是後來被用作建立表格的快速鍵了。

命令按鈕

有兩種按鈕控制項元件可以被內嵌在工作表中：一種是「表單控制項」中傳統的按鈕，另一種是「ActiveX 控制項」的命令按鈕（這兩種都能從「開發人員」索引標籤「控制項」分類中的「插入」選項中找到）。

遵循以下步驟來增加一個與巨集綁定的表單控制項按鈕元件：

1. 從「開發人員」索引標籤點擊「插入」按鈕，並從下拉式選單的「表單控制項」區塊中選取「按鈕」控制項，如圖 25.17 所示。

圖 25.17　傳統表單控制項元件位於「開發人員」索引標籤的「插入」圖示選單下。

2. 把滑鼠游標放在工作表上需要插入按鈕的位置，然後點擊並拖曳，拉出新建按鈕的形狀。當放開滑鼠按鍵後，就會出現「指定巨集」對話方塊。
3. 在「指定巨集」對話方塊中，選取希望指定的巨集並點擊「確定」按鈕。
4. 選取按鈕上的文字，修改為具可讀性的文字作為名稱。
5. 如果要改變按鈕的外觀，例如字體、文字對齊方式等等，先在按鈕上按右鍵，接著從選單中選取「控制項格式」選項。
6. 如果要更改與按鈕綁定的巨集，就在按鈕上按右鍵，從選單中選取「指定巨集」選項。

圖案

以上的方法相當於是把巨集與一個按鈕圖案的物件綁定，因此同理也可以把巨集與工作表上的任何一個繪圖物件綁定。例如要把巨集與自動圖案（也就是「插入」索引標籤「圖例」分類下「圖案」選單中的元件）綁定的話，就在該圖案上按右鍵，然後選取「指定巨集」選項，如圖 25.18 所示。

由於這類繪圖物件可以直接以程式新增到工作表中，然後再以 onAction 屬性來指定與該物件綁定的另一個巨集程式，因此這個方法相當好用。但也有一個很大的缺點：如果你指定的巨集是存在於另一份活頁簿中，那麼當該活頁簿存檔並關閉時，Excel 會自動將該物件 onAction 屬性的屬性值，修改為指向一個固定的特定路徑值。

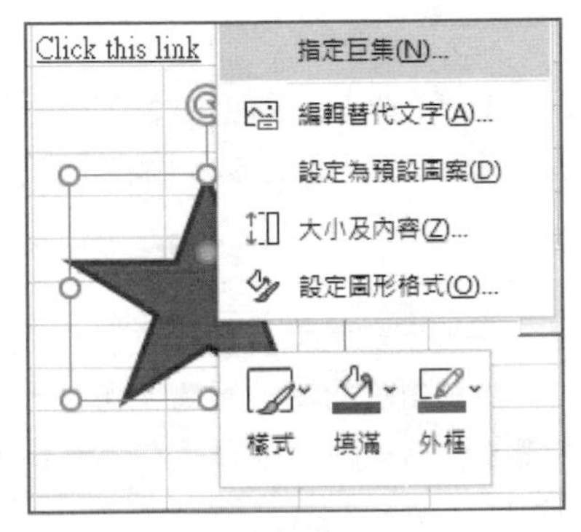

圖 25.18 也可以把巨集指定給工作表上任何繪圖物件。

ActiveX 控制項

ActiveX 控制項是一種新版的表單控制項，因此設定上也更為複雜一些。所以在與巨集綁定時就不是純粹的設定，而是要利用 button_click 事件，然後在事件捕捉程序中，再去呼叫另一個巨集、或是直接在程序中寫入要執行的巨集內容。如以下步驟所示：

1. 從「開發人員」索引標籤中點擊「插入」按鈕，從下拉式選單的「ActiveX 控制項」區塊中選取「命令按鈕」圖示。
2. 在工作表中繪製按鈕形狀，將滑鼠游標移到繪製起點，然後點擊並拖曳拉出新建按鈕的形狀。
3. 修改此按鈕的設定：在按鈕上按右鍵並選取「內容」選項，或是從「開發人員」索引標籤中「控制項」分類下選取「屬性」圖示。接著就可以在「屬性」視窗中調整按鈕的說明文字和色彩等，如圖 25.19 所示。假如按右鍵沒有反應，就從「開發人員」索引標籤點擊「設計模式」按鈕來進入設計模式。

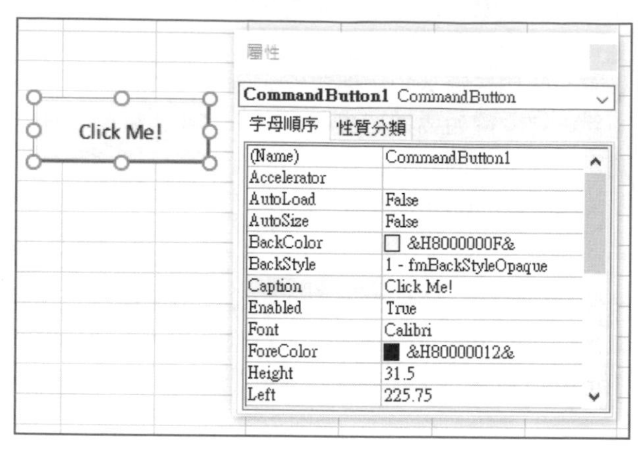

圖 25.19　點擊「屬性」圖示就會開啟屬性視窗，可以在此對 ActiveX 按鈕作調整。

4. 然後右鍵點擊按鈕，選擇「檢視程式碼」選項。這會在當前工作表下建立該按鈕所屬的 button_click 事件捕捉程序。接著就能輸入你想要執行的程式碼內容，或是呼叫你想要執行的巨集了。

Note　屬性視窗有一個煩人的地方：那就是這個視窗非常大，會蓋住工作表很大範圍的位置。當需要回頭使用工作表時，又要關閉這個屬性視窗。可是一旦關閉屬性視窗，會連帶把 VB 編輯器中的屬性視窗也關閉。筆者認為若是關閉屬性視窗時不會連帶影響 VB 編輯器的話更好。

超連結

還有一個撇步是可以利用超連結作為執行巨集的方式。由於很多人已經習慣點擊超連結就代表執行某個動作，因此這種方式或許對於大部分使用者來說較為直覺。

這個撇步的原理，就是將超連結的連結位置，設定為超連結自身所在的儲存格位置。首先選取你想要插入超連結的儲存格，然後從「插入」索引標籤「連結」分類下選取「超連結」圖示（或是直接按下 <Ctrl>+<K> 組合鍵），接著在「插入超連結」對話方塊的左側瀏覽列中點擊「這份文件中的位置」。如圖 25.20 所示。這張工作表中有四條超連結，而每條超連結都指向自己所在的儲存格。

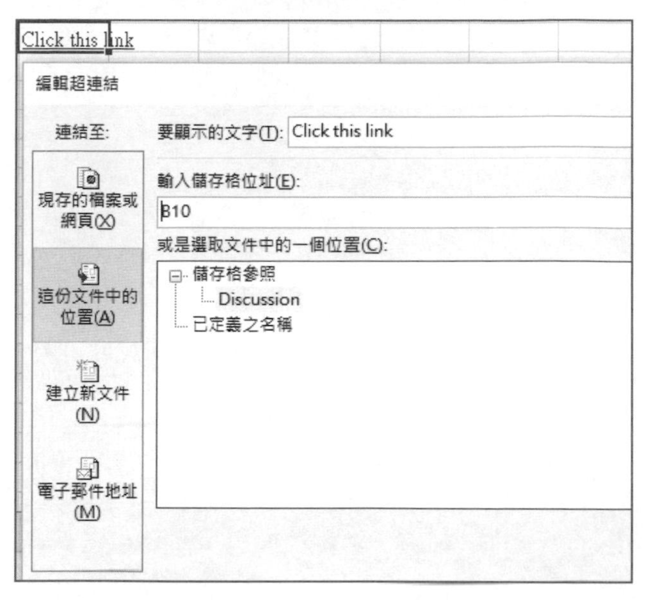

圖 25.20 要想透過超連結來執行巨集，就必須建立一個連回自己儲存格的超連結。然後，使用工作表本身的事件捕捉程序，攔截超連結被觸發的事件來執行所需的巨集。

當使用者點擊超連結時，就可以透過 FollowHyperlink 事件，攔截到點擊的動作並執行所需的巨集。將以下程式碼寫入到該工作表的模組中：

```
Private Sub Worksheet_FollowHyperlink(ByVal Target As Hyperlink)
    Select Case Target.TextToDisplay
        Case "Quarter 1"
            RunQuarter1Report
        Case "Quarter 2"
            RunQuarter2Report
        Case "Quarter 3"
            RunQuarter3Report
        Case "Quarter 4"
            RunQuarter4Report
    End Select
End Sub
```

接下來的學習目標

不論是自訂功能區、還是透過一個簡單的按鈕或超連結，要在不打開「巨集」對話方塊的前提下讓使用者執行巨集，有很多種方式可以達成。接下來我們在《**Chapter26- 建立增益集**》中將會介紹如何把巨集打包為一個增益集，以便提供給其他人使用。

Chapter 26

建立增益集

在本章節中，我們將學習：

- 何謂標準增益集
- 如何建立、安裝與解除安裝增益集
- 用隱藏的活頁簿代替增益集

你可以透過建立標準增益集的方式，向使用者們提供 VBA 程式功能。只要將增益集安裝在使用者的電腦，每當開啟 Excel 軟體時，都會自動載入這份增益集中的程式功能，便可以在 Excel 中自由運用。這也就是本章節所要介紹的主題。

但除了標準增益集外，其實還有兩種增益集：一種是「COM 增益集」，一種是「Office 增益集」，而這兩種都無法以 VBA 編輯器建立。COM 增益集需要以 Visual Basic.NET 或 Visual C++ 來建立；而 Office 增益集則需要以 HTML、CSS 與 JavaScript 等程式語言編寫建立。如果讀者對建立 Office 增益集有興趣，請參考《**Chapter27- 建立 Office 增益集**》。

標準增益集的特性

如果讀者想把自己開發的應用程式發布出去給他人使用，應該考慮將應用程式封裝為增益集。增益集的副檔名通常以「.xlam」作結尾，並且具備幾項優點：

- 如果使用者在開啟活頁簿的同時，按著 <Shift> 鍵，就可以略過 Workbook_Open 當中的程式碼執行。但如果是採取增益集的形式，就可以確保 Workbook_Open 中的程式會被確實執行。
- 透過「增益集」對話方塊安裝了增益集之後（從「檔案」索引標籤點選「選項」，在「Excel 選項」對話方塊左側瀏覽列中點選「增益集」，接著在「管理」下拉式選單中選取「Excel 增益集」，再按執行鈕），每次開啟軟體都會載入這份增益集並隨時供你使用。

- 就算巨集安全性層級設定為不允許巨集，仍然能夠執行安裝好之增益集中的程式。
- 自訂函數通常只能在其被定義的活頁簿中執行；加入到增益集中的自訂函數則可以被所有開啟的活頁簿呼叫使用。
- 增益集不會出現在切換視窗工具圖示的開啟檔案清單中。使用者無法透過「檢視」索引標籤下「視窗」分類中的「取消隱藏視窗」圖示解除隱藏活頁簿。

Caution 關於增益集，有一個特殊的規則必須注意。增益集是一種隱藏的活頁簿。因為增益集無法顯示，所以無法在程式碼中選取或啟動任何在增益集活頁簿中的儲存格。資料可以存入增益集本身活頁簿中，但卻無法從外部對增益集檔案作選取；而假設你真的需要把資料寫入增益集以備之後所用，那麼在增益集中的程式碼就需要具備能處理存檔的功能。這是因為使用者感覺不到增益集的存在，也不會出現任何提示儲存檔案的訊息，因此你需要在增益集本身的 Workbook_BeforeClose 事件捕捉程序中，寫入 ThisWorkbook.Save 的動作。

把 Excel 活頁簿轉換為增益集

增益集的管理通常透過「增益集」對話方塊操作。這個對話方塊中會顯示增益集的標題和說明文字，你可以在把活頁簿轉換成增益集之前，為檔案指定這兩個屬性。

Note 如果你要修改的是既存的增益集，就必須先解除該增益集活頁簿的隱藏狀態，才能進一步修改這些屬性。請參考後續的「以 VB 編輯器轉換為增益集」小節。

依照以下步驟，更改增益集對話方塊中的標題和說明文字：

1. 從「檔案」索引標籤下選取「資訊」，Excel 會在視窗的右側顯示「摘要資訊」窗格。
2. 從「摘要資訊」下拉式選單中，選取「進階摘要資訊」。
3. 在「標題」欄位中輸入增益集的名稱。
4. 在「註解」欄位中輸入有關增益集的簡短描述或說明文字（如圖 26.1 所示）。
5. 點擊「確定」儲存變更。
6. 點擊軟體左上角的返回箭頭按鈕，回到活頁簿的使用者介面。

接著，把活頁簿檔案轉換成增益集的方法有兩種：第一種方法是使用「另存新檔」功能，這方法比較簡單、但是會連帶產生一個煩人副產物。第二個方法則是透過 VB 編輯器，這方法會分為兩個步驟，但能提供使用者更多的控制權。以下段落將分別介紹這兩種方法。

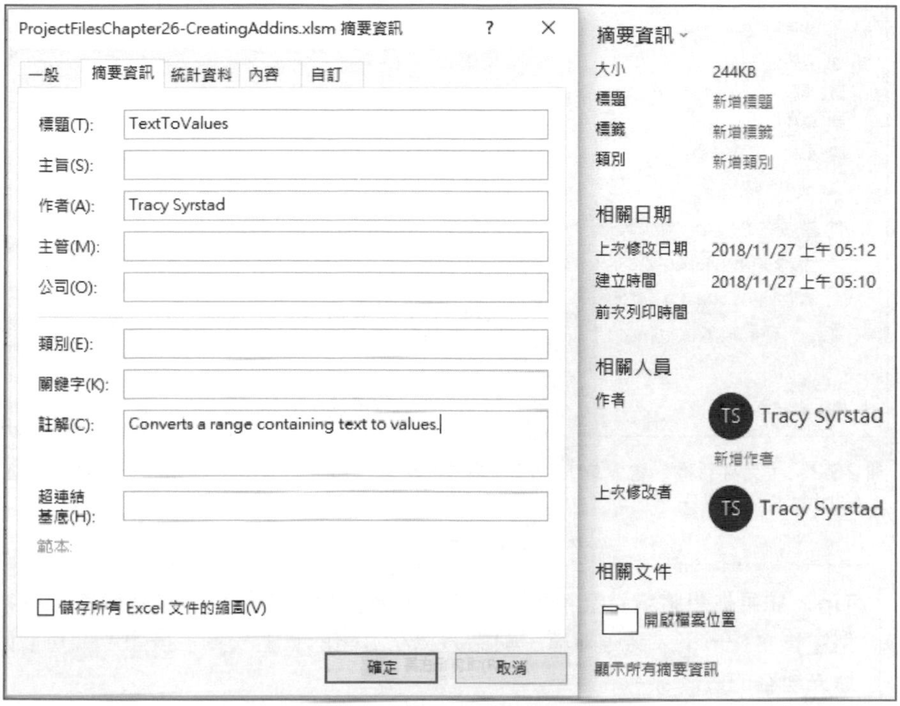

圖 26.1 先設定好標題和註解欄位，再把活頁簿轉換為增益集。

以另存新檔轉換為增益集

這個方法很簡單，只要從「檔案」索引標籤下點選「另存新檔」開啟「另存新檔」對話方塊後，在「存檔類型」下拉式選單中，選取「Excel 增益集 (*.xlam)」選項即可。

如圖 26.2 所示，檔案名稱會從「Something.xlsm」變更為「Something.xlam」，而儲存位置也會自動變更至「AddIns」資料夾中。這個資料夾的位置在每部電腦中都稍有不同，但一般說來都會在「C:\Users\< 使用者名稱 >\AppData\Roaming\Microsoft\AddIns」目錄下。在把 .xlsm 檔案儲存為 .xlam 類型的檔案之後，原來未儲存的 .xlsm 檔案仍然會維持開啟狀態。但這兩者之間的轉換並不困難，因此可以考慮不用再留著 .xlsm 版本的檔案了。

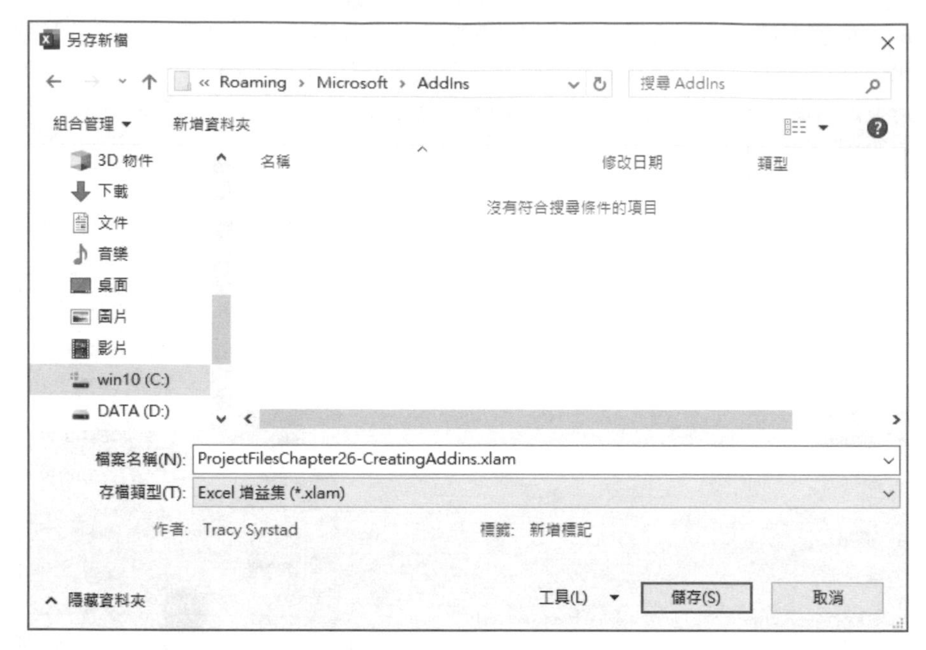

圖 26.2 「另存新檔」會變更 IsAddIn 屬性、更改檔案名稱，並自動預設把檔案儲存在「AddIns」資料夾中。

Tip 如果你想將增益集存檔在當前的資料夾路徑下，只要在選取完「存檔類型」後，按一下「另存新檔」對話方塊左上角的「上一頁」按鈕，就可以回到原先所在的目錄了。

Caution 使用另存新檔的方法來建立增益集時，作用中工作表必須是一般類型工作表。要是當前作用中的工作表是圖表工作表的話，就無法存檔為增益集了。

以 VB 編輯器轉換為增益集

假如所建立的增益集只供自己使用，那麼另存新檔的方法就非常合適。不過，如果所建立的增益集是要提供給其他使用者的話，比較好的作法應該是把增益集跟所有應用程式相關檔案，都儲存在同一個資料夾中。只要透過 VB 編輯器去呼叫另存新檔功能，就能同樣輕易地建立增益集：

1. 先開啟想要轉換為增益集的活頁簿。
2. 切換到 VB 編輯器視窗下。
3. 從「專案總管」窗格中點選「ThisWorkbook」。

4. 從「屬性」窗格中找到「IsAddIn」屬性，將此屬性的值更改為「True」值，如圖 26.3 所示。

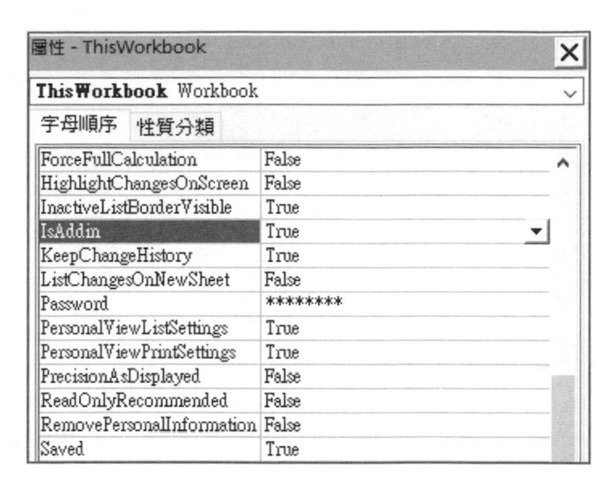

圖 26.3 建立增益集的步驟非常簡單，只需要更改 ThisWorkbook 的 IsAddIn 屬性即可。

5. 接著按下 <Ctrl>+<G> 組合鍵來打開「即時運算」窗格。
6. 在即時運算窗格中，以下列語法將檔案以 .xlam 副檔名另存：

```
ThisWorkbook.SaveAs FileName:="C:\ClientFiles\Chap26.xlam", _
    FileFormat:= xlOpenXMLAddIn
```

只需要以上幾個簡單的步驟，就能成功地在「ClientFiles」這個資料夾中建立增益集了，於是你便能輕易地找到檔案所在，然後發送郵寄給使用者們。

Tip 如果你需要把增益集改回顯示狀態，以便修改增益集活頁簿的屬性、或是查看增益集活頁簿中工作表的資料，那就請重複如上步驟，只是這次在設定「IsAddIn」屬性時，改為「False」值。這樣一來，就會在 Excel 軟體中看到這份增益集活頁簿的存在。等到修改完了，再把屬性值改為「True」值即可。

如何安裝增益集

當我們把增益集以電子郵件寄給使用者之後，請指示使用者把檔案儲存在桌面或容易找到檔案的資料夾。接著告訴使用者如下操作：

1. 開啟 Excel 軟體，從「檔案」索引標籤下點選「選項」開啟「Excel 選項」對話方塊。
2. 從左側導覽列中選取「增益集」。

3. 拉到最下面，從「管理」下拉式選單中選取「Excel 增益集」項目（如圖 26.4 所示）。

圖 26.4　請確定下拉式選單中選取的是 Excel 增益集、而非 COM 增益集。

4. 點擊「執行」鈕，就會開啟熟悉的「增益集」對話方塊，如圖 26.5 所示。
5. 在「增益集」對話方塊中，點擊「瀏覽」按鈕。
6. 切換到方才下載儲存檔案的位置，選取要安裝的增益集活頁簿檔案，並點擊「確定」按鈕。

Note　Excel 此時可能會詢問你，是否要把增益集活頁簿檔案複製到「AddIns」資料夾目錄下；由於該目錄並不好找，加上筆者本身需要經常更新該檔案，因此筆者本人通常不這麼作。

現在增益集已經安裝完成。假如使用者同意的話，Excel 會從儲存下載增益集檔案的位置，把檔案複製到「AddIns」資料夾下。而在「增益集」對話方塊中，此時增益集的標題和說明文字，就會顯示在如下圖所示的「現有的增益集」區塊中（如圖 26.5 所示）。

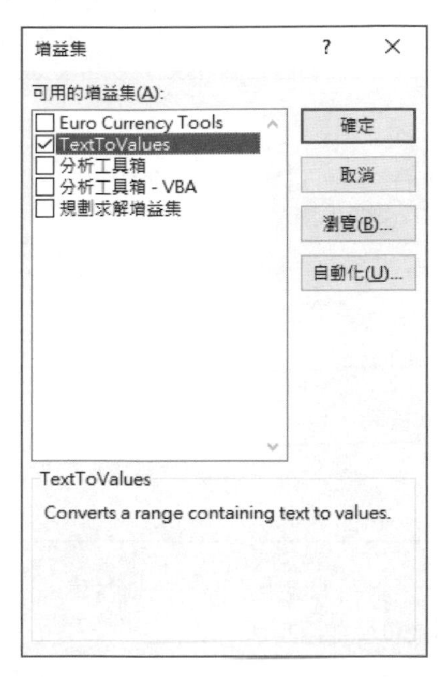

圖 26.5　現在可以開始使用增益集了。

標準增益集的安全性問題

記得一件事：任何人都能從他電腦上的軟體開啟 VB 編輯器、選擇你所建立的增益集，然後把 IsAddin 屬性改回「False」值，這樣就可以解除增益集活頁簿的隱藏狀態了。讀者當然也可以選擇將 .xlam 專案上鎖，防止別人檢視；但是也要記得，網路上任何人都能以少於 40 美元的金額，買到破解密碼程式。如果確定真的要加上保護密碼，請依如下步驟進行：

1. 進入 VB 編輯器。
2. 從「工具」功能表中，點擊「VBAProject 屬性」選項。
3. 進入「保護」索引標籤。
4. 勾選「鎖定專案以供檢視」核取方塊。
5. 然後輸入密碼兩次作為確認。

Caution　如果你的程式本身不具備錯誤處理機制，又把程式碼內容給保護起來的話，其他人就無法在出現錯誤訊息時，點擊「偵錯」按鈕，幫你收集錯誤原因了。更多細節請參考《**Chapter24- 錯誤處理**》，有關如何在程式碼中建立錯誤處理機制，以便讓程式能正常結束、並且讓使用者替你收集錯誤訊息協助偵錯。

關閉增益集

有三種關閉增益集的方式：

- 從「增益集」對話方塊中把該增益集取消勾選。這會關閉當前工作階段中的增益集，而且就算是之後的工作階段中也不會開啟增益集。
- 透過 VB 編輯器來關閉增益集。在 VB 編輯器的「即時運算」窗格中輸入以下程式碼來關閉增益集：

  ```
  Workbooks("<增益集檔案名稱>.xlam").Close
  ```

- 直接關閉 Excel。當使用者結束 Excel 軟體時，也會一併關閉所有增益集。

解除安裝增益集

你可能會想直接把某個增益集，從「增益集」對話方塊中「現有的增益集」清單下移除。但這在 Excel 中沒有簡單的方式，需要依照如下步驟：

1. 首先關閉所有執行中的 Excel 執行個體。
2. 打開 Windows 檔案總管尋找增益集檔案。檔案可能會在「%AppData%\Microsoft\AddIns\」路徑下。
3. 在 Windows 檔案總管中把檔案重新命名，或是移動到另一個資料夾中。
4. 重新開啟 Excel 軟體。此時會出現一個警告訊息，告訴使用者無法找到增益集。按下「確定」鈕來關閉這個訊息。
5. 從「開發人員」索引標籤下的「Excel 增益集」開啟「增益集」對話方塊，取消勾選需要移除的增益集。此時 Excel 會通知使用者：無法找到此檔案，並詢問是否要從清單中移除，請按「是」按鈕。

以隱藏活頁簿替代增益集

增益集有一個很棒的特點，那就是增益集本身的活頁簿是處於隱藏狀態下。這讓大多數的新手使用者無法輕易找到檔案，進而自行更改函數。不過，在不建立增益集的情況下，其實就能直接隱藏活頁簿。

只要在 Excel 的「檢視」索引標籤下「視窗」分類中，點擊「隱藏視窗」圖示即可。這樣一來，接下去只要存檔就完成隱藏活頁簿了。但問題來了，既然隱藏了那要如何才能執行存檔的動作呢？於是你可以透過 VB 編輯器的「即時運算」窗格來存檔。在 VB 編輯器中，首先確認在「專案總管」窗格中選取的是你要存檔的活頁簿，接著在「即時運算」窗格中輸入以下程式碼即可：

```
ThisWorkbook.Save
```

但使用隱藏活頁簿也有一個缺點：那就是這份活頁簿所提供的自訂功能區，也會跟著消失不見。

案例研究 CaseStudy：使用隱藏的程式碼活頁簿來存放所有巨集和表單

Access 開發人員習慣會使用另一個資料庫檔案，來保存巨集和表單。他們把所有表單和程式放在一個資料庫檔案中、其他所有資料存放在另一個資料庫檔案中。這兩個資料庫檔案會透過 Access 的 LinkTables 函數來作連結。

而對於 Excel 中較大的專案，筆者也會建議採用這個方式。在作為資料存放用的活頁簿中，只要用一小段的 VBA 程式碼來開啟程式碼存放用活頁簿即可。

這個方法的好處是，當有需要強化應用程式時，可以直接寄給使用者新的程式碼檔案，而不會去影響到使用者本身的資料檔案。

筆者曾經遇過一個由其他程式開發人員製作的單一檔案應用程式，使用者把應用程式再發下去，給五十位業務人員使用。這些業務人員各自把應用程式又複製給十位大客戶。結果一星期之內，一份程式就出現了五百份複本。後來當他們發現重大瑕疵而必須修改程式時，修改五百份檔案簡直是一場噩夢。

為了解決這個問題，我們設計了一個使用兩份活頁簿的應用程式。資料活頁簿中只含有大約二十來行程式碼，而這些程式碼只是用來開啟程式碼活頁簿，以及把控制權交給程式碼活頁簿。關閉檔案時，資料活頁簿會負責關閉程式碼活頁簿。

這個方法有很多好處。首先，客戶的資料檔案可以保持輕量化。每位業務人員都只有一份程式碼活頁簿，以及為客戶製作的十幾份資料活頁簿。而將來在強化升級應用程式後，我們只需分發新的程式碼活頁簿；接著業務人員各自開啟自己的客戶資料活頁簿，就會自動從新的程式碼活頁簿中抓取程式。

有了原程式開發者必須修改五百份檔案的前車之鑑，我們非常刻意地把客戶資料活頁簿中的程式碼維持在越少越好的情況下。最後這些資料活頁簿只含有十行程式碼，而且在分發之前經過嚴密測試。相較之下，程式碼活頁簿則含有超過三千行程式碼。因此如果發生了任何錯誤，出錯的地方有百分之九十九的機會是在容易被取代更新的程式碼活頁簿中。

客戶資料活頁簿的 Workbook_Open 程序中僅有下列程式碼：

```
Private Sub Workbook_Open()
    On Error Resume Next
        X = Workbooks("Code.xlsm").Name
        If Not Err = 0 then
```

```
            On Error Goto 0
            Workbooks.Open Filename:= _
                ThisWorkbook.Path & Application.PathSeparator &
"Code.xlsm"
        End If
    On Error Goto 0
    Application.Run "Code.xlsm!CustFileOpen"
End Sub
```

接著，程式碼活頁簿中的 CustFileOpen 程序便會為此應用程式加上自訂功能選單，但由於前面說過，隱藏狀態下活頁簿所新增的自訂功能區是看不到的，所以這種情況下，就得另外透過傳統方式的 CommandBars 方法，在增益集索引標籤下，建立自訂功能選單。

這個雙活頁簿的解決方案完全符合需求，而且無需更動客戶資料就能為高達 500 名使用者更新他們手上的程式。

接下來的學習目標

在將應用程式分享給客戶這一點上，Microsoft 推出了新的方式：Office 增益集。這些程式是單純以 JavaScript、HTML，以及 XML 組合而成，在工作表上建立一個類似網頁的框架。接下來我們在《**Chapter27- 建立 Office 增益集**》中將會介紹這些 app 應用程式背後的原理，以及如何發布到網路上。

Chapter 27

建立Office增益集

在本章節中，我們將學習：

- 如何建立 Office 增益集
- 在 Office 增益集中增加使用者互動性
- HTML 與 JavaScript
- 以 XML 來定義 Office 增益集

Microsoft 自 Excel 2013 版本開始便新增了 Office 增益集此一功能，於是應用程式可以提供更彈性多元的擴充功能給工作表使用，例如日曆式的日期時間選擇器，或是網頁瀏覽介面，例如從 Wikipedia 或 Bing 等網站上擷取資料。與 Excel 舊式增益集相同，Office 增益集只要安裝一次後，就可以永久有效。但也有與 Excel 舊式增益集不同之處，Office 增益集與工作表之間互動較少，而且也不使用 VBA 語言。

在 Office 增益集中，包括了定義使用者介面結構的 HTML 檔案、定義 HTML 檔案外觀樣式的 CSS 檔案、提供 HTML 檔案互動性的 JavaScript 檔案，以及一份用來向 Excel 軟體註冊這份 Office 增益集的 XML 描述檔。聽起來好像需要學習很多全新的程式語言，但其實並非如此。筆者本人僅擁有基礎的網頁開發能力（而且已荒廢多年），還是可以在 JavaScript 中運用 VBA 的程式開發技巧。也就是說，程式語言的開發往往大同小異。語言面上確實不同，但並沒有不同到讓我們連一個簡單、好用的 app 都寫不出來。

本章節將會說明如何建立 Office 增益集並發布出去，以及介紹以上這些程式語言的基礎。我們並不會深入學習這些語言，僅止於基礎，尤其是 JavaSciprt 的部分。

Note 這些 JavaScript 自訂函式，是利用 Excel Online 所提供、並於 Office 增益集中沿用的 JavaScript API 來建立的使用者自訂函式（UDF，user-defined function）。本書將不會深入介紹這些 API，更多細節請參考 Suat M. Ozgur 所著的《**Excel JavaScript UDFs Straight to the Point**》（ISBN：9781615472475）。

Tip 編寫這些 Office 增益集所需要的程式碼，也用不到什麼功能豐富的程式開發軟體；只要有 Windows 內建提供的筆記本就夠了。但考慮到如 JavaScript 這類，具備大小寫敏感性的程式語言，或許有個開發軟體的輔助也是不錯的選擇。筆者本人在編寫本章節的範例程式時，就曾經花上好幾個小時，不斷地在除錯的過程中打滾，苦惱著程式邏輯看起來一切無誤，為何還是無法運作？但其實不是程式邏輯有錯，而是忘了 JavaScript 與 XML 這些語言的大小寫敏感性問題。例如，有次是筆者把單引號（'）打成了斜單引號（`）（或稱為撇號）。

在改用 Notdpad++（www.notepad-plus-plus.org）之後這件事情就簡單多了，因為語法上色功能會把程式語言相關的關鍵字標示出來，而一般的字串則是不同顏色，這樣就能一下子找出字串前後錯誤使用的斜單引號了。

第一份 Office 增益集：HelloWorld 範例

對程式設計師們來說，新手上路的第一份程式幾乎可說就是「Hello World」了。程式功能非常簡單，就是把「Hello World」字串打在螢幕畫面上就好，但即使是這麼簡單的程式也涵蓋建立一個應用程式的基礎。因此就讓我們來寫一個 Office 增益集版的 Hello World 吧。

Caution 在發布 Office 增益集時需要透過網路，而且不能使用隨身碟、或是網路硬碟等。如果你沒有網路連線，就無法對 Office 增益集進行測試了。

Note 接下來我們都要在純文字編輯器中工作。在純文字編輯器中工作與在 VB 編輯器中不同，沒有編譯器的輔助，就無法在你實際執行程式前主動指出錯誤所在。因此請小心按照範例來輸入文字，包括注意文字的大小寫，還有那些括弧、引號字符等。

請用如記事本之類的軟體，打開你要編輯的檔案。對著要開啟的檔案點擊滑鼠右鍵，選擇「開啟檔案」；如果在清單中有看到記事本，就點選下去，反之就點擊「選擇其他應用程式」項目，並在隨後出現的對話框中，選擇記事本。在此一步驟中請留意「一律使用此程式來開啟 < 檔案格式 > 檔案」的核取方塊提示，請不要勾選此項目。然後點擊確定。經過一次後，下次要開啟這份檔案時，記事本就會出現在「開啟檔案」的軟體選擇清單中了。

依照如下步驟來建立自訂的 Office 增益集：

1. 1. 新建一個名為「HelloWorld」的資料夾目錄，這個資料夾目錄是一個用於存放編寫程式檔案的本地端目錄，所有檔案都會放在這個資料夾下。當開發完成後，才會發布到網路上面去。
2. 在目錄下新建一個名為「HelloWorld.html」的純文字檔，作為 HTML 格式檔案，開啟檔案後輸入如下程式碼內容：

```
<!DOCTYPEhtml>
<html>
    <head>
        <meta charset="UTF-8"/>
        <meta http-equiv="X-UA-Compatible" content="IE=Edge"/>
        <link rel="stylesheet" type="text/css" href="program.
css"/>
    </head>
    <body>
        <p>Hello World!</p>
    </body>
</html>
```

編輯後存檔並關閉檔案。

3. 在目錄下新建一個名為「program.css」的純文字檔，作為描述 HTML 外觀樣式的 CSS 格式檔案。請注意檔名務必要跟先前 HTML 檔案中「<link rel...>」標籤中的名稱一致。開啟檔案後輸入如下程式碼內容：

```
body
{
    position:relative;
}
li :hover
{
    text-decoration: underline;
    cursor:pointer;
}
h1,h3,h4,p,a,li
{
    font-family: "Segoe UI Light","Segoe UI",Tahoma,sans-serif;
    text-decoration-color:#4ec724;
}
```

編輯後存檔並關閉檔案。

4. 在目錄下新增一個名為「HelloWorld.xml」的純文字檔，作為 XML 描述檔案。開啟檔案後輸入如下程式碼內容：

> **Caution**　由於接下來的範例程式碼內容過長而超出本書版面的寬度限制，因此筆者不得不在續行尾端，加上一個「_」字符代表接續下一行。但與 VBA 程式內容不同，這個底線符號應該要被移除掉才對。因此當讀者在輸入範例程式內容遇到底線字符時，請忽視這個字符並繼續在同一行處，輸入下一行的程式內容。

```
<?xml version="1.0" encoding="utf-8"?>
<OfficeApp xmlns="http://schemas.microsoft.com/office/
appforoffice/1.0"
    xmlns:xsi="http://www.w3.org/2001/XMLSchema-instance"
    xsi:type="TaskPaneApp">
    <Id>08afd7fe-1631-42f4-84f1-5ba51e242f98</Id>
    <Version>1.0</Version>
    <ProviderName>Tracy Syrstad</ProviderName>
    <DefaultLocale>EN-US</DefaultLocale>
    <DisplayName DefaultValue="Hello World app"/>
    <Description DefaultValue="My first app."/>
    <IconUrl DefaultValue=
        "http://officeimg.vo.msecnd.net/_layouts/images/general/ _
        officelogo.jpg"/>
    <Capabilities>
        <Capability Name="Document"/>
        <Capability Name="Workbook"/>
    </Capabilities>

    <DefaultSettings>
        <SourceLocation DefaultValue="\\workpc\MyApps\
HelloWorld\ _
            HelloWorld.html"/>
    </DefaultSettings>
    <Permissions>ReadWriteDocument</Permissions>
</OfficeApp>
```

不過先別急著關閉 XML 檔案。

5. 趁著 XML 檔案還開著時，請留意「08afd7fe-1631-42f4-84f1-5ba51e242f98」這串通用唯一識別碼（GUID，globally unique identifier）。如果我們只是要個人測試、而非對外公開發布，那麼你可以沿用這串 GUID 沒問題。但如果你是與企業行號合作開發、又或者是要對外發布，那麼就必須重新產生自己的 GUID。請參考後續的「以 XML 宣告 Office 增益集」小節，了解更多關於 GUID 的細節。

Note 所謂的 GUID（globally unique identifier）指的就是「通用唯一識別碼」，也就是用來識別軟體個體的不重複識別編號。一般會是以 5 組用橫線破折號（-）相連的共 32 位英數字表示（8-4-4-4-12）。由於 GUID 的位數夠長，因此很少會在同一台電腦上出現重複的識別編號。

6. 將 HelloWorld 資料夾搬移到網路共用資料夾下。請記下資料夾目錄與 HTML 檔案的路徑，稍後會用到這份資訊。目錄路徑看起來應會是「\\< 電腦名稱 >\< 目錄名稱 >」這樣的形式；比方說，筆者的 HelloWorld 目錄就是位於「\\workpc\MyApps\HelloWorld」路徑。
7. 再次開啟 XML 檔案，修改「<SourceLocation>」這個標籤（位於整份程式碼的尾端處）指向在你個人網路上的 HTML 檔案路徑。存檔並關閉檔案。
8. 依照如下步驟，把網路共用資料夾設定為受信任目錄位址：
   a. 開啟 Excel 軟體，從「檔案」索引標籤下「選項」的「信任中心」內，點擊「信任中心設定」。
   b. 選取左側導覽列的「受信任的增益集目錄」。
   c. 在「受信任目錄表格」下的「目錄 URL」輸入指向該目錄的路徑，然後點擊「新增目錄」按鈕。隨即路徑會出現在下方的清單方塊內。
   d. 選擇「顯示於功能表中」。
   e. 點擊「確定」按鈕。接著就會出現一條提示訊息，告訴你下次啟動 Excel 軟體時就能使用這份 Office 增益集了（如圖 27.1 所示）。再次點擊「確定」按鈕。
9. 重新開啟 Excel 軟體。

Caution 該目錄設定頁面一次只能設定一個網路共用目錄。如果你希望讓使用者可以存取到多種不同 Office 增益集，就要把這些 Office 增益集都存放於同一網路共用目錄下。否則使用者就要來回於設定頁面並且不斷切換目錄。

10. 從 Excel 的「插入」索引標籤下「增益集」分類的「市集」處，插入你自訂的 Office 增益集。在出現的「Office 增益集」對話方塊內，點擊「共用資料夾」。如果沒看到任何增益集出現，請點一下「重新整理」連結，接著應該就會出現 Hello World 這個 Office 增益集了，如圖 27.2 所示。

Note 如果重新整理後還是沒有任何東西出現，表示在增益集檔案中或是在設定上有什麼出錯了。請仔細確認程式碼與操作步驟。如果還是沒發現什麼錯誤，就請試著變更 GUID 識別編號。

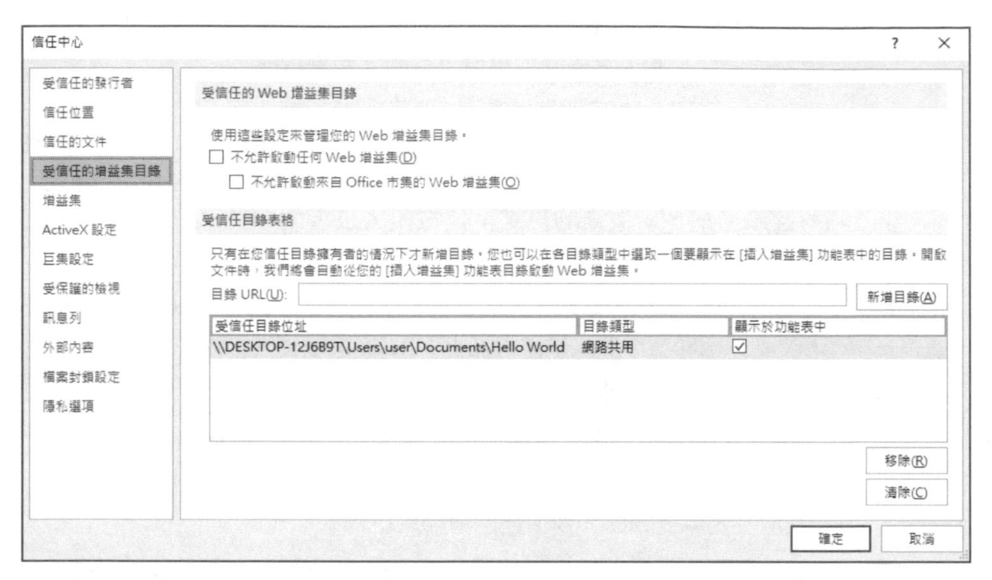

圖 27.1 在「受信任的增益集目錄」下設定指向自訂 Office 增益集的路徑。

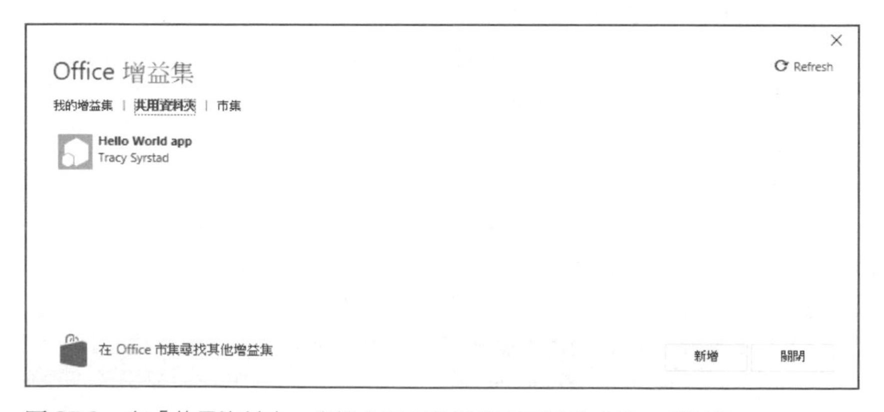

圖 27.2 在「共用資料夾」應該會看到該目錄下可用的 Office 增益集。

11. 選取要插入的 Office 增益集後點擊「插入」按鈕。隨即就會在 Excel 視窗右側出現一個窗格，如圖 27.3 所示，並且顯示「Hello World!」字樣。

圖 27.3　完成 Hello World 範例後，讀者便具備基本的互動性 Office 增益集開發能力了。

提昇 Office 增益集的互動性

先前章節段落中所建立的 Hello World 增益集，是屬於靜態的功能，除了顯示我們在程式碼中安插好的文字外、別無其他功能。但我們平常在瀏覽網頁時，常會看到許多動態的網頁內容，這類非靜態網頁中，某些網頁背後所使用的是 JavaScript，這是一種替 HTML 網頁上的元素增加動態性的程式語言。在本章節段落中，我們會修改這份 Hello World 增益集，加上一個會往工作表寫入資料的按鈕，以及加上另一個從工作表讀出資料後，計算、並把結果顯示在窗格中的按鈕。

Tip　如果編輯一份已安裝的 Office 增益集檔案，在編輯完後不需要特地再重新啟動一次 Excel 軟體。只要對著該 Office 增益集的窗格點擊滑鼠右鍵，選取「重新載入」項目即可。

依照如下步驟，增加 Hello World 這份 Office 增益集的可互動性：

1. 首先建立一份 JavaScript 檔案，用於提供「寫資料到工作表」以及「從工作表讀取並計算資料」兩個按鈕的互動性。先在 Hello World 資料夾目錄下新建一份名為「program.js」的純文字檔，作為 JavaScript 檔案並開啟編輯，輸入如下內容：

```
Office.initialize = function (reason) {
    // 初始化作業
}
// 宣告並設定陣列數值
var MyArray = [[234],[56],[1798], [52358]];

// 把 MyArray 的內容寫到當前工作表中
function writeData() {
    Office.context.document.setSelectedDataAsync(MyArray, _
        {coercionType: 'matrix'});
}
/* 從當前工作表讀取資料 */
function ReadData() {
    Office.context.document.getSelectedDataAsync("matrix", _
```

```
        function (result) {
            // 如果成功讀取資料，將結果顯示在窗格中
            if (result.status === "succeeded"){
                sumData(result.value);
            }
            // 如果遇到錯誤，在窗格中顯示錯誤訊息
            else{
                document.getElementById("results").innerText = _
                    result.error.name;
            }
        });
}

/* 負責計算並顯示結果的函式 */
function sumData(data) {
    var printOut = 0;

    // 將選取範圍中的數值全部加總在一起
    for (var x = 0 ; x < data.length; x++) {
        for (var y = 0; y < data[x].length; y++) {
            printOut += data[x][y];
        }
    }
    // 將結果顯示在窗格內
    document.getElementById("results").innerText = printOut;
}
```

存檔後並關閉檔案。

Note 在 JavaScript 語言中以「//」或「/*」開頭的程式行代表註解。

2. 開啟並編輯 HelloWorld.html 檔案，指向剛剛編寫好的「program.js」這份 JavaScript 檔案，並且加上兩顆呼叫 JavaScript 功能的按鈕。請將原本的程式碼替換為如下內容：

```
<!DOCTYPEhtml>
<html>
    <head>
        <meta charset="UTF-8"/>
        <meta http-equiv="X-UA-Compatible" content="IE=Edge"/>
        <link rel="stylesheet" type="text/css" href="program.
css"/>
        <!-- 指向 JavaScript 檔案 -->
        <script src = "https://appsforoffice.microsoft.com/
```

```
lib/1.0/ _
            hosted/office.js"></script>
        <script src= "program.js"></script>
        <!-- 結束對 JavaScript 檔案的引用宣告 -->
    </head>
    <body>
        <!--body 標籤的變更 -->
        <button onclick="writeData()"> 寫資料到工作表 </button></br>
        <button onclick="ReadData()"> 從工作表讀取並計算資料 _
            </button></br>
        <h4> 計算結果 : <div id="results"></div> </h4>
        <!-- 結束對 body 標籤的變更 -->
    </body>
</html>
```

在這份新版程式中，我們加入了 <script> 標籤，並且修改了 <body> 標籤中的內容。註解標籤如「<!-- 這裡是註解 -->」是用於標示變更修改處的標籤。

3. 存檔並關閉檔案。

在建立 JavaScript 檔案並修改 HTML 檔後，請重新載入 Office 增益集然後點擊「寫資料到工作表」按鈕，這會把 MyArray 中的數值寫入工作表。接著選取含有這些數值的儲存格範圍，並點擊「從工作表讀取並計算資料」按鈕，接著就能在窗格內看到一行「計算結果」的訊息，並顯示出選取範圍內數值的加總，如圖 27.4 所示。

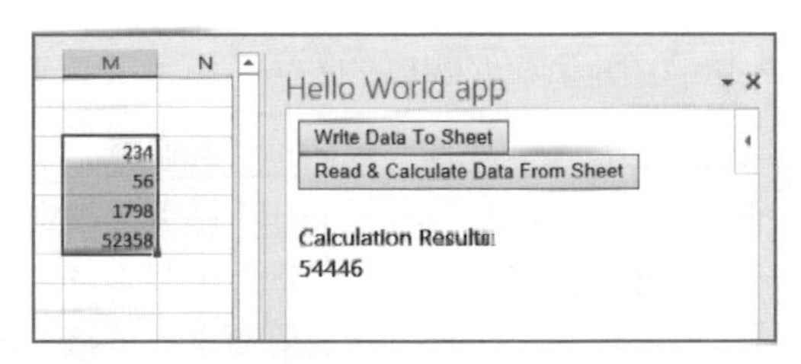

圖 27.4 以 JavaScript 來建立一個能夠從工作表計算加總的 Office 增益集。

簡介 HTML

Office 增益集中 HTML 扮演著決定了功能窗格外觀結構（如文字、按鈕等）的角色。如果你直接點擊開啟 Hello World 目錄底下的 HTML 檔，會直接以電腦預設的瀏覽器開啟，而且看起來就跟我們在 Excel 功能窗格中看到的差不多（只是不具備實際功能），所以你可以像開發網頁一樣，設計你的 Office 增益集，加上圖片與超連結等。以下的章節段落將會簡介一些基礎知識，以便各位讀者能自行設計自訂的 Office 增益集使用者介面。

標籤

HTML 檔案中的元素，像是圖片、超連結、控制項等，都是透過左右兩側分別以左右箭頭號作結的標籤來宣告定義。例如「<button>」這個起始標籤宣告的是接下來不論是在標籤內部、還是在標籤外側，所宣告定義的，都是與按鈕元素相關的內容。而每一個起始標籤，都必須對應到一個結束標籤，結束標籤的外觀通常會是起始標籤加上一個反斜線這樣的形式，如「</button>」。但有些標籤是屬於自結標籤，此時結尾就會是「/>」這樣的形式。瀏覽器並不會把標籤本身、或是任何位於標籤內側的程式內容顯示出來，要顯示的部分需要寫在標籤的外側。

至於註解用的標籤長相又不一樣了，不論起始或結尾，都跟一般標籤不同。如同我們在 VBA 中的註解文字那樣，被註解的內容也不會出現在畫面上。在 HTML 檔案中增加註解如下所示：

```
<!-- 這是一行註解 -->
```

如果是多行註解則如下所示：

```
<!-- 這是多行註解
註解的方式與單行註解相同 -->
```

按鈕

新增按鈕時，需要使用「button」這個標籤，並且設定在按鈕被點擊時要引用的 JavaScript 功能。如下所示：

```
<button onclick="writeData()">寫資料到工作表</button>
```

開頭的「<button onclick="writeData()">」部分，指的是宣告此控制項元素為按鈕，並且指定在按鈕被觸發 click 事件時去呼叫「writeData」函式。請留意函式名稱左右要加上雙引號，並且包括填入參數值用的括弧，只是這函式本身並沒有任何參數，所以中間留空即可。接著「寫資料到工作表」就是要顯示在按鈕上的文字。文字內容不需要在左右加上雙引號。最後是宣告按鈕區塊完成的結束標籤。

如果要變更按鈕元素的屬性，只要直接在標籤中對該屬性作設定即可。例如，假設要把按鈕上的文字顏色修改為紅色，只要加上「style」屬性並設定「color」樣式就好，如下所示：

```
<button onclick="writeData()" style="color:Red">寫資料到工作表</
button>
```

要在按鈕新增一段滑鼠游標停留時會顯示的提示文字（如圖 27.5 所示）的話，可以利用「title」屬性，如下所示：

```
<button onclick="writeData()" style="color:Red"
    title=" 快速加總工作表上的數值 ">
    寫資料到工作表 </button></br>
```

這些屬性彼此之間以空白字符相隔，屬性名稱後（例如 style）加上一個等號（=），然後再以雙引號（"）指定屬性值。HTML 檔案對於斷行的規定比較寬鬆，但也不要斷在字串內，否則你會發現畫面上呈現出來的結果也是斷行的樣子。

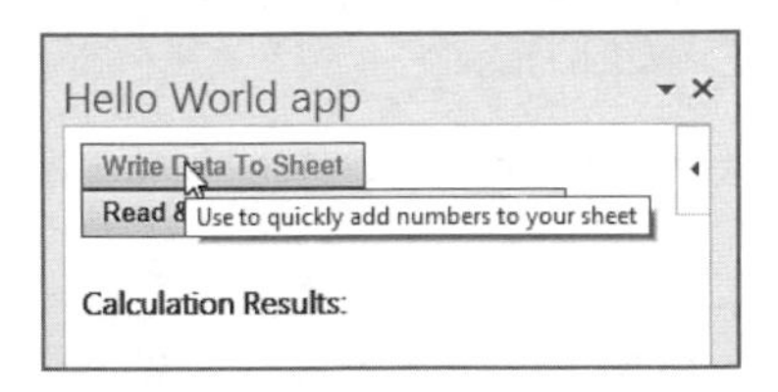

圖 27.5　以屬性來變更文字顏色，並加上使用者提示文字。

關於 CSS

所謂的 CSS 指的是「階層式樣式表」（Cascading Style Sheets），如同我們在 Excel 或 Word 中建立樣式那樣，用一份檔案就可以一次性套用一整組的外觀樣式，設定文字格式等，而不需要一個個手動設定。在 Office 增益集中則是以一個單獨的樣式檔（CSS）來設定 HTML 結構檔的元素外觀。在這份檔案中，你可以針對 HTML 檔案中的各式元素指定樣式規則，設定排版、顏色、字型等。

Hello World 範例中的 CSS 檔案也可以挪用到其他不同專案中，當中的設定包括了對 h1、h3 與 h4（標題 1、標題 3、標題 4）的設定，超連結（a）、段落標籤（p）還有項目清單（li）的樣式設定。

以 XML 宣告 Office 增益集

XML 定義了 Office 增益集在 Excel 中運作時需要的元素，包括 GUID 識別碼、Office 增益集的圖示，以及 HTML 檔案的路徑。XML 也定義了 Office 增益集在 Office 增益集「市集」中的顯示方式，並且可以宣告當前增益集程式的版本號。

Caution　XML 標籤具備大小寫敏感性，當在修改 Hello World 範例時，請小心不要修改到標籤本身，修改標籤的內容就好。

Office 增益集的使用者介面大致分為兩種：工作窗格與內容窗格。工作窗格的特色是啟動時會停駐在 Excel 視窗的右側，不過使用者還是可以將這個窗格解鎖，並自由移動。內容窗格則是會以一個外框直接出現在 Excel 視窗的中央。要使用哪種 Office 增益集都可以，只要在 XML 中將 xsi:type 值設定為「TaskPaneApp」或「ContentApp」即可。

切記建立 Office 增益集時，應該要使用唯一不重複的識別碼，請參考 https://www.guidgen.com 網站，產生一組新的 GUID 識別碼。

在我們的 Hello World 範例中，顯示在市集的圖示是以 Microsoft 提供的線上圖示為主，但其實也可以自訂一張大小約 32x32 像素單位的 .jpg 檔，然後將 IconURl 標籤的設定值指向該張圖片檔案的路徑，如下所示：

```
<IconUrl DefaultValue="\\workpc\MyApps\HelloWorld\mrexcellogo.jpg"/>
```

至於 SourceLocation 這個標籤，則是用來設定指向 HTML 檔案的完整路徑。如果在安裝 Office 增益集時發現找不到 HTML 檔案，就會跳出錯誤訊息，告知無法找到檔案。

Note 如果在設定完受信任的增益集目錄、或是安裝好 Office 增益集後，才修改 XML 檔案的話，請記得要在「Office 增益集」對話方塊中再點擊一次「重新整理」連結。舉例而言，假設你要將增益集的形式從 TaskPaneApp 變更為 ContentApp 的話，有時就算重新安裝一次 Office 增益集也不會使變更生效，因此保險起見，最好能夠在「Office 增益集」對話方塊中點擊「重新整理」更新一下。

簡介 JavaScript

JavaScript 是驅動 Office 增益集的神奇核心，雖然 HTML 是外觀與控制項的重心，但要讓一份 Office 增益集具備如統計函數那樣良好的互動性，就需要靠 JavaScript 了。

以下的章節段落將會簡介 JavaScript。如果讀者對此並不陌生，可以直接跳到「配合 Office 增益集的 JavaScript」小節。

Note 後續範例中的「document.getElementById("results").innerText」指令，用意是將程式所回傳的數值，暫存於 HTML 檔案中一個用途類似於「名為 results 的變數」的元素中。

Note Microsoft 一直在改進他們的 JavaScript API，擴充與 Excel 物件互動的功能。https://docs.microsoft.com/en-us/javascript/api/excel?view=office-js 有更多關於 API 功能的更新資訊。

函式的結構

JavaScript 程式是以函式組成，提供給 HTML 檔案或其他 JavaScript 函式呼叫。如同 VBA 程式，JavaScript 函式也是以一個函式名稱開頭，後面跟著以括弧包起的參數列表。但與 VBA 不同的是，結尾不用加上「End Function」的宣告，而是前後以大括弧（{}）字符來定義函式的區塊範圍。請參考「大括弧與空白字符」小節了解更多細節。

JavaScript 具備大小寫敏感性，不論是用於變數還是函式的名稱皆是。比方說，如果你宣告的函式是「writeData」，但呼叫時用的卻是「WriteData」，那麼程式就會出錯，因為宣告用的是小寫的「write」，但呼叫卻是大寫的「W」，JavaScript 會認為你要呼叫的不是這個函式。因此請定義好你的大小寫管理原則，像是變數的開頭一定要大寫之類的，然後嚴格遵守這項原則，對於 JavaScript 程式碼的除錯非常有幫助。

大括弧與空白字符

大括弧（{}）是一種在 JavaScript 使用、VBA 沒有的字符。這個字符的用途在於將一組程式碼宣告為執行區塊。在一個函式中可能存在多個不同以大括弧圈起的執行區塊。例如，函式本身就是一個巨大的程式區塊，但在函式中如果有出現「if」陳述式的話，if 底下的執行區塊也會是以大括弧字符所圈起來的。

當我們在 VBA 中輸入完一行程式碼，然後前進到下一行時，你會注意到這些程式碼行會自動對齊、在前頭補上或移除空白字符。但在 JavaScript 中這些空白字符的重要性就沒那麼高了，除非是寫在字串之內、或是用來區隔開關鍵字與變數名稱。在本章節的範例中，可以注意到筆者有時會加上空白字符（a = 1），有時卻不會（a=1），而這對執行沒有影響。

行尾分號

讀者或許已經注意到了 JavaScript 程式碼中使用的分號（;）字符。這些字符幾乎在每一行的結尾處出現，但有時又只在某幾行結尾時出現。甚至有時會出現沒有分號結尾的程式行、或是出現在程式行的中間。使用分號字符的原則似乎很不固定，這是為了要突顯其實分號的使用並不是必要的。分號是用於宣告一行的結束，如果使用換行符號就不用加上分號，但如果要把多行程式寫在同一行中，那麼就有必要以分號來區隔出這些程式碼，才不會讓程式把這些多行程式通通誤會成同一行語法。

註解

在 JavaScript 中有兩種註解的寫法。單行註解是以雙斜線（//）開頭的程式行，如下所示：

```
// 這是一條單行註解
```

先前我們在 VBA 中如果要寫多行註解，就要一行行地去加上註解字符。但在 JavaScript 中有更簡便的方法，只要在你要註解的行開頭寫上一個斜線與星號（/*）然後再到註解區塊的最後一行，行尾加上星號與斜線（*/）就可以了，如下所示：

```
/* 這樣就能
一口氣把多行程式
都註解掉了 */
```

變數

先前我們在 VBA 中宣告變數時，雖然變數的資料型態宣告是非強制性的，但在指定資料值到變數中後，要再轉換變數的資料型態卻很麻煩。在 JavaScript 中的彈性更甚於 VBA，除了陣列以外的變數都不用事先宣告（更多細節請參考後續的「陣列」小節）。在執行變數資料值的指定後，該變數就會自動被視為該型態；但如果此時我們以其他方式來存取這個變數，該變數就會自動被視為其他型態。

舉例而言，在下面這個範例中，首先將字串型態的「"123"」指定給 myVar 變數；但在下一行的程式中，卻又可以將之視作數值型態資料，來進行加減：

```
myVar = "123"
myVar = myVar-2
```

JavaScript 會自動適應你的操作，允許你將一個存有字串資料的變數作為數值型態來處理。如果實際執行上面這段程式碼，最後你會得到 myVar 資料值為 121 的結果；但要注意的是，要是此時反過來作 myVar+2 的操作，得到的卻不會是原本的數值。更多細節請參考接下來的「字串」小節。

如果你想要確保是以特定的型態來存取變數，請利用以下這些函式：Boolean、Number 或 String。例如，假設今天有個函式的功能是讀取數值然後匯入到資料表中，而匯入的資料來源有可能是以文字型態儲存的數值資料時，與其寄望使用者幫你把資料型態轉換好，不如以「Number」這個關鍵字函式處理變數值，強制變數內的資料值轉換為數值型態：

```
Number(importedValue)
```

字串

在 JavaScript 中建立字串的方式如同 VBA，直接以兩個雙引號字符括起即可（例如 "string"）。但與 VBA 不同的是，在 JavaScript 中還能以單引號字符替代（例如 'string'）。我們可隨意用任一種表示形式，但唯一的限制就是不能在同一字串的開頭與結尾混用不同形式的引號字符。這種擁有不同表示形式的彈性很有用，比方說，如果我們想要在字串中顯示出含有雙引號的字串，此時就可以在外側另外以單引號字符，作為整個字串的表示形式，如下所示：

```
document.getElementById("results").innerText = 'She heard him shout,
"Stay away!"'
```

上述的執行結果會是如下：

```
She heard him shout, "Stay away!"
```

當要連接兩個以上字串時，使用加號字符（+），而這個加號字符，同時也是兩個數值資料進行加法操作時的字符；所以問題來了，要是你把一個字串型態的數值與一個真正的數值資料加起來，會發生什麼事？

```
myVar = "123"
myVar = myVar+2
```

有些讀者可能會認為執行結果是「125」，就如同先前「-2」的範例中，結果是 121 那樣。但這邊卻發現，當遇到這種情形時，「字串連接」的操作會優先於數值計算，所以結果會是「1232」。因此，為了確保變數值是以數值型態來處理，就要記得使用 Number 函式。萬一遇到變數中的資料值不能轉換為數值時，函式會回傳「NaN」錯誤訊息，意思就是「非數值資料」（Not a Number）。

陣列

當我們要在 JavaScript 中處理多個儲存格資料時，就要用到陣列物件。JavaScript 中的陣列與 VBA 中的陣列，其實大同小異，比方說要宣告一個不定上限陣列時：

```
var MyArray = new Array ()
```

Note 如果讀者想了解更多關於 VBA 中的陣列，請參考《**Chapter8- 陣列**》。

而宣告一個上限為 3 個元素的陣列：

```
var MyArray = new Array(3)
```

宣告陣列時可以同時指定陣列中的元素。比方說，底下會建立一個含有三個元素的陣列，其中兩個是字串型態資料、而第三個是一個數值型態的資料：

```
var MyArray = ['first value', 'second value', 3]
```

JavaScript 的陣列索引值固定以 0 為起始，例如，當要把上面範例陣列中第二個元素的內容（也就是「second value」）印出來時：

```
document.getElementById("results").innerText = MyArray[1]
```

如果陣列是以固定長度上限的形式宣告，但之後卻想要增加元素個數，可以透過直接指定陣列索引值的方式插入、或是利用「push()」函式。舉例來說，假設我們想要在先前的範例陣列「MyArray」中增加第四個元素，資料值為「4」，陣列索引值由 0 起始，第四個元素的索引值為 3，插入時如下所示：

```
MyArray[3] = 4
```

但萬一我們不清楚該陣列的大小，也可以改用 push() 函式的方式，直接把新加入的資料值加在整個陣列的尾端就好。例如，假設我們不知道先前範例陣列的最後一個元素究竟索引值為何，但又想要新增一個元素，資料值為「fifth value」，也可以如下操作：

```
MyArray.push('fifth value')
```

如果要走訪陣列中的內容，可以參考「JavaScript 版本的 For each...next 迴圈」小節。JavaScript 還有提供其他與陣列操作相關的函式，例如可以連接兩個陣列的「concat()」，以及反轉陣列中元素順序的「reverse()」等等；由於本書僅會簡介 JavaScript，所以就不一一列出這些函式了。此外，如果讀者有需要在一行程式碼內對整個陣列作數學運算操作，可以參考「JavaScript 中的數學運算函式」小節。

JavaScript 版本的 for 迴圈

在本章先前的 Hello World 範例中，增加互動性時曾看到如下用來加總選取範圍內資料值的程式碼區塊：

```
for (var x = 0 ; x < data.length; x++) {
    for (var y = 0; y < data[x].length; y++) {
        printOut += data[x][y];
    }
}
```

這兩層 for 迴圈會走訪傳入此函式的「data」陣列，並分別以「x」與「y」來作為走訪列與欄的索引值變數。

一個 for 迴圈語法會以分號字符（;）所區隔而成的三個部分組成。其中第一個部分「var x = 0」指的是在第一次進入迴圈前的初始化作業，像是設定變數值等等，如果要對多個變數初始化的話，可以用逗號字符（,）分隔。第二個部分「x < data.length」指的是用於決定是否要進入迴圈的邏輯判斷式。第三個部分「x++」則是隨著每次迴圈時，要對變數值做出的更動，這邊的更動是將變數 x 往上加 1（x++ 是 x = x + 1 的簡寫）。第三部分也可以設定多個不同變數的更動，同樣以逗號字符分隔即可。

Tip 如果要提前終止迴圈，可以利用 break 關鍵字。

JavaScript 版本的 if 條件式

JavaScript 中基本的 if 條件式語法如下所示：

```
if (<邏輯判斷式>){
    // 要執行的作業
}
```

其中「< 邏輯判斷式 >」的部分與 VBA 相同，指的就是執行結果為「true」或「false」值的程式碼或函式等。如果判斷式結果為 true，那麼程式就會往「// 要執行的作業」這個區塊繼續執行下去；但要是結果為 false，而你想要針對 false 的情況做出處理，就會另外需要用到 else 語法，如下所示：

```
if (<邏輯判斷式>){
    // true 值時要執行的作業
}
else{
    // false 值時要執行的作業
}
```

JavaScript 版本的 Select...Case 語法

當我們不想用一堆 If...Else 語法來處理多重情況時，VBA 中有個好用的 Select...Case 語法可以作為替代。而在 JavaScript 中也有一個類似功能的「switch()」陳述式，語法一般如下所示：

```
switch(<判斷條件>){
    case <第一種情況> : {
        // 要執行的作業
        break;
    }
    case <第二種情況> : {
```

```
            // 要執行的作業
            break;
        }
        default : {
            // 以上情況皆不符合的情形，要執行的作業
            break;
        }
}
```

其中「< 判斷條件 >」指的是要跟底下 case 陳述式中所列的情況值作比較用的值。而 break 關鍵字的作用，則是在於防止程式執行完一種情況的作業後，又繼續往下執行下一個情況。這與我們所熟知的 Select 語法不同：因為在 VBA 中，當條件已經滿足一種情況後，程式就會離開 Select 語法而不會自動繼續往下執行。但在 JavaScript 中要是沒了 break 關鍵字，程式會一路往下執行直到跑完整個 switch 陳述式的內容為止。而如同 VBA 中的 Case Else 語法，針對以上情況皆不符合的情形，可以利用「default」語法作為因應。

但上述的範例只能應對一對一的比較，要是你想比較在一個範圍內的情況，那麼上述標準語法便不足因應。此時可以將「< 判斷條件 >」的部分寫作一個「true」值，然後在底下的 case 陳述式中，再以實際的邏輯判斷式來作範圍比較。例如下面這段以 JavaScript 寫成的 BMI 指數計算器，這段程式會計算 BMI 指數，然後與不同的區間範圍作比較，再顯示出該區間範圍指數對應的文字：

```
Office.initialize = function (reason) {
    // 初始化作業
}

function calculateBMI() {
    Office.context.document.getSelectedDataAsync("matrix", function
(result) {
        // 以 result.value 這個陣列作為參數呼叫計算器功能
        myCalculator(result.value);
    });
}

function myCalculator(data){
    var calcBMI = 0;
    var BMI="";
    // 計算 BMI 指數
    calcBMI = (data[1][0] / (data[0][0] *data [0][0]))* 703
    /* 根據計算後的 BMI 指數，與 BMI 指數區間作判斷取得文字
    這邊不是 switch(calcBMI) 而是以 switch(true) 作為判斷條件
    然後實際的範圍情況判斷則是在 case 陳述式中 */
    switch(true){
```

```
        // calcBMI 小於等於 18.5 時
        case (calcBMI <= 18.5) : {
            BMI = " 過輕 "
            break;
        }
        // calcBMI 介於 18.5 與 24.9 之間時
        case ((calcBMI > 18.5)&&(calcBMI <= 24.9)):{
            BMI = " 正常 "
            break;
        }
        // calcBMI 介於 24.9 與 29.9 之間時
        case ((calcBMI > 24.9)&&(calcBMI <= 29.9)) : {
            BMI = " 過重 "
            break;
        }
        // calcBMI 大於等於 30 時
        case (calcBMI > 29.9) : BMI = " 肥胖 "
        default : {
            BMI = 'Try again'
            break;
        }
    }
    document.getElementById("results").innerText = BMI;
}
```

JavaScript 版本的 For each...next 迴圈

當我們在 VBA 中要處理一整個集合的物件時，有時會用到 For each...next 迴圈語法。而在 JavaScript 中則可以選擇用「for(...in...)」的語法。舉例而言，假設現在有一整個陣列的物件，可以用如下程式碼輸出為一個清單：

```
// 用於存放輸出字串結果的變數
arrayOutput = ""
/* 處理陣列中的資料
i 是用於存放陣列索引值的變數
陣列索引起始值為 0 */
for (i in MyArray) {
    /* 將每個元素的資料值以字串方式連接起來
    \n 代表的是斷行字符 */
    arrayOutput += MyArray[i] + '\n'
}
// 將結果輸出到畫面上
document.getElementById("results").innerText = arrayOutput
```

用這種方法就可以走訪陣列中的元素並執行任何作業。以上例來說，就是把所有元素的資料值，視為字串資料型態連接起來，中間並以斷行字符分隔；當結果顯示在畫面上時，就會是每行顯示一個元素的狀態，如圖 27.6 所示。這邊使用的陣列是來自於前面「陣列」小節中的「MyArray」。

Calculation Results:
first value
second value
3

圖 27.6 許多 VBA 中我們熟悉的迴圈功能，在 JavaScript 中都有對應的版本，如「for...in」迴圈就能把資料輸出為一行一行的狀態。

數學運算、邏輯運算、資料指定運算子

JavaScript 中具備與 VBA 相同的基礎運算子，並且還多了一些不同的運算子可幫助你簡化程式碼。各類運算子如表 27.1 所示。表中的範例假設「x = 5」。

表 27.1 JavaScript 運算子

運算子	說明	範例	範例結果
+	加法	x+5	10
-	減法	x-5	0
/	除法	x/5	1
*	乘法	x*5	25
%	餘數	11%x	1
()	優先運算	(x+2)*5	35。如果是 x+2*5 則結果為 15
-	負數	-x	-5
==	數值相等	x=='5'	true
===	數值與資料型態皆相等	x==='5'	false。因為 x 是數值型態，而 '5' 是字串型態，因此型態不相等
>	大於	x>10	false
<	小於	x<10	true
>=	大於或等於	x>=5	true
<=	小於或等於	x<=4	false
!=	數值不相等	x!='5'	false
!==	數值與資料型態不相等	x!=='5'	true
&&	且	x==5 && 1==1	true

運算子	說明	範例	範例結果
||	或	x=='5' || 1==2	false
!	否	!(x==5)	false
++	遞增	++x 或 x++	6
--	遞減	--x 或 x--	4
+=	指定為加法後的結果	x+=11	16
-=	指定為減法後的結果	x-=22	-17
*=	指定為乘法後的結果	x*=2	10
/=	指定為除法後的結果	x/=30	6
%=	指定為餘數	x%=11	1

其中筆者最常用到的便是遞增與遞減這兩種運算子，真希望 VBA 也能跟進。因為這兩種不僅能簡化程式碼，而且也提供了 VBA 中缺乏的彈性（可以達到前置遞增或後置遞增的效果）。如果讀者還記得，先前本章中的 Hello World 範例中就有用到 x++ 語法，取代了原本 for 迴圈中的 x=x+1 語法。但 x++ 不僅只是遞增了數值，而是「先回傳數值後再遞增數值」，也就是所謂的「後置遞增」（post-increment）。當然相對的 JavaScript 中也有「前置遞增」（pre-increment），也就是先遞增數值再回傳使用。因此假設 x=5，那麼底下這兩行程式的執行結果，results 與 results2 都會是 6：

```
// 先遞增 x 中的數值再回傳使用
document.getElementById("results").innerText = ++x // 回傳結果為 6
// 上一行執行後 x 為 6，此時先回傳使用，再遞增 x 中的數值
document.getElementById("results2").innerText = x++ // 回傳結果同樣為 6
```

JavaScript 中的數學運算函式

JavaScript 中所提供的數學運算函式功能如表 27.2 所示。這些函式功能的名稱與使用上都很符合直覺，例如，要取得變數 myNumber 中數值資料的絕對值：

```
result = Math.abs(myNumber)
```

表 27.2　JavaScript 中的數學運算函式

函式	說明
Math.abs(a)	絕對值
Math.acos(a)	反餘弦
Math.asin(a)	反正弦
Math.atan(a)	反正切

函式	說明
Math.atan2(a,b)	a/b 的反正切
Math.ceil(a)	無條件進位整數
Math.cos(a)	餘弦
Math.exp(a)	以自然常數（歐拉常數）為底數的 a 指數函數
Math.floor(a)	無條件捨去整數
Math.log(a)	以自然常數（歐拉常數）為底數的 a 對數函數
Math.max(a,b)	a 與 b 中較大者
Math.min(a,b)	a 與 b 中較小者
Math.pow(a,b)	a 的 b 次方
Math.random()	回傳 0 到 1 之間（但不包含 0 與 1）的隨機數
Math.round(a)	最接近整數
Math.sin(a)	正弦
Math.sqrt(a)	平方根
Math.tan(a)	正切

Tip 如果想要一口氣將數學運算套用到陣列中的所有元素上，可以利用 map() 函式結合想要套用的 Math 數學運算函式。例如，假設要把陣列中所有的數值全部轉正，就要用到 Math.abs 函式；下面範例會將陣列中所有元素都轉換為絕對值，然後再把結果顯示在畫面上，如圖 27.7 所示：

```
result = 0
arrayOutput = ""
arrNums = [9, -16, 25, -34, 28.9]
result = arrNums.map(Math.abs)
for (i in result){
    arrayOutput += result[i] +'\n'
}
document.getElementById("results").innerText = arrayOutput
```

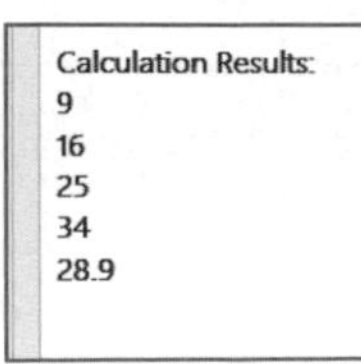

圖 27.7 在 JavaScript 中常會利用陣列作為存放資料的手段，也因此具備許多處理陣列的簡化方法。

輸出到內容窗格或工作窗格上

在把使用者資料處理過後，就可以把處理結果輸出顯示了。讀者可以選擇輸出到工作表中、亦或是輸出到 Office 的增益集窗格上。假設要輸出到窗格上的資料結果存於 arrayOutput 中：

```
document.getElementById("results").innerText = arrayOutput
```

上面這一行程式碼會將資料寫出到 Office 的增益集窗格上，顯示於 HTML 程式中的「results」此一變數所在的位置。而如果要寫到工作表中，請參考後續「工作表的讀取與寫入」小節。

配合 Office 增益集的 JavaScript

不是所有 JavaScript 程式都能適用於 Office 增益集，例如「alert」或是「document.write」等語法就不適用。此外，JavaScript API 中也有一些專為 Excel 而推出的新式語法，可以在 HTML 檔案中以如下方式引用進來：

```
<script src = "https://appsforoffice.microsoft.com/lib/1.0/hosted/
office.js">
</script>
```

如同 VBA 所提供的 API 那樣，這些 JavaScript 的 API 提供了可與 Excel 互動的物件、方法、屬性，以及事件捕捉等等。到目前為止我們已經介紹了一般最常用到的物件，如果讀者還想了解更多細節，以及其他可用的物件，請參閱 http://msdn.microsoft.com/en-us/library/office/apps/fp142185.aspx。

Office 增益集的初始化

請把底下這行程式碼置於整份 JavaScript 檔案的最開頭：

```
Office.initialize = function (reason) { /* 這邊可以安插任何初始化作業 */}
```

這個函式會在 Excel 中的 Office 增益集被初始化時觸發，其中「reason」參數代表的是這份 Office 增益集被初始化的方式。例如當 Office 增益集被插入到活頁簿文件中時，reason 的值就會是「inserted」；而如果 Office 增益集早已存在於活頁簿中，當活頁簿被開啟時，reason 的值就會是「documentOpened」。

工作表的讀取與寫入

Office.context.document 物件所代表的就是 Office 增益集所互動的對象，也就是工作表。這個物件提供許多方法可以運用，其中最重要的兩者，就是從工作表中讀取資料，以及將資料寫到一個範圍中。

底下這行程式會呼叫 setSelectedDataAsync 方法，把 MyArray 中的資料值寫到工作表上的一個選擇範圍中：

```
Office.context.document.setSelectedDataAsync(MyArray, {coercionType:
'matrix'});
```

第一個參數（也就是 MyArray 的部分）是必要參數，代表的是要寫入到目標範圍中的資料值。第二個參數（也就是 coercionType 的部分）是非必要參數，這個參數的參數值「matrix」意思是告知程式傳入的資料物件是一個一維的陣列。

而如果要反過來從工作表讀取資料，則要使用 getSelectedDataAsync 方法，使用上與寫入的方法類似：

```
Office.context.document.getSelectedDataAsync("matrix", function
(result) {
    // 處理讀入資料（也就是 result）的作業
});
```

其中第一個參數「matrix」（也就是先前的 coercionType）是必要參數，代表告知方法該如何處理選取範圍中的資料，以本例而言就是將資料讀入為一個陣列。第二個參數則是一個非必要的呼叫函式，如果執行成功的話，讀取的資料會被存於 result 這個變數中的回傳值內（result.value），而如果執行失敗，也可以透過 result 變數取得錯誤訊息。

如果要判斷執行成功還是失敗，可以利用「result.status」的 status 屬性，取得錯誤訊息的方式如下所示：

```
result.error.name
```

接下來的學習目標

接下來我們在《**Chapter28-Excel 2019 的新功能以及和舊版本的不同之處**》中將會介紹 Excel 2019 版本中更多與以前不同的功能。

Chapter 28

Excel 2019的新功能以及和舊版本的不同之處

在本章節中，我們將學習：

- 如何購買正版 Excel 2019 軟體
- Excel 的新功能
- 如何找到關於新物件與新方法的資訊
- 確保程式碼在 Excel 新舊版間的相容性

本章節會簡述 Excel 2007 到 2016 版本為止的變化，至於表格、排序，以及格式化樣式等的變更，除了本章節段落所述內容之外，也可以參考本書中其他章節的說明。

訂閱 Office 365 或購買 Excel 2019

要入手 Excel 2019 正版軟體有兩種管道：第一種是訂閱 Office 365 服務，在服務訂閱的有效期間內，你可以隨時獲得最新的 Excel 軟體更新，擁有最好的功能。另一種則是單次付費買斷的形式，雖然後續還是會收到既有功能更新，但就有可能會無法獲得新推出的功能。所以如果讀者是選擇訂閱 Office 365 服務、但編寫的程式是要提供給 Excel 2019 版本的使用者，就要注意部分新功能可能無法使用。

肉眼可見的改變

如果在換到 Excel 2019 版本之前，讀者所使用的是 Excel 2003 甚至更早之前的版本，那麼幾乎所有在程式面上你所熟知的 Excel 物件都有了重大的改變。雖然程式的基本邏輯元件還是相同的（例如 for 迴圈語法），但大多數的物件都不同了。

即使先前使用的是 Excel 2007、2010、2013、或 2016 等版本，還是有著部分改變與差異，但在本章節中都會提到。至於有哪些元件發生改變其實都很明顯；因為只要觀察在 Excel 使用者介面上有變化的，相對來說 VBA 就也會有所不同。

功能區

使用舊版 Excel 的使用者在打開 Excel 2019 版本時，立刻察覺的頭幾件事情之一就是功能區不同了。雖然程式中的 CommandBars 物件還是可以繼續使用，但如果想把自訂控制項真正無縫整合到功能區中，還是需要作一些重大修改。

Note 更多細節請參考本書《**Chapter25- 利用自訂功能區執行巨集**》。

單一文件介面

長久以來，當我們在 Word 軟體中同時開啟多份文件時，這些文件都可以被個別拖拉到不同的顯示器螢幕上。但對 Excel 來說，這項功能直到 Excel 2013 版本後才加入，從「多文件介面」（multiple-document interface）變更為了「單一文件介面」（single-document interface，SDI），而這意味著，這些活頁簿視窗不再被通通框限於單一個應用程式視窗中，而是個別有著獨立的視窗、可以與其他同時開啟的活頁簿分別對待。

而這樣一來，就算變更了其中一個視窗的介面外觀，也不會同步影響到其他開啟中的視窗。如果想要親眼了解這項差異，可以先開啟兩份活頁簿。然後在第二份活頁簿中，輸入並執行如下程式碼，這會在滑鼠右鍵的選單最下方，增加一個名為「範例項目」的新選項：

```
Sub AddRightClickMenuItem()
    Dim cb As CommandBarButton
    Set cb = CommandBars("Cell").Controls.Add
(Type:=msoControlButton, temporary:=True)
    cb.Caption = " 範例項目 "
End Sub
```

試著在第二份活頁簿中點擊滑鼠右鍵，你會看到選單中出現剛剛設定的這個「範例項目」；然後再到第一份活頁簿中點擊滑鼠右鍵，就會看到選單中並沒有這個項目。接著，我們回到第二份活頁簿，按下 <Ctrl>+<N> 組合鍵，新增一份活頁簿，再對著這份新增的第三份活頁簿點擊滑鼠右鍵，就會發現選單中也有這個項目。同樣地，再次到第一份活頁簿中點擊滑鼠右鍵確認，選單中還是不會出現這個項目。

接下來試試刪除自訂的選單項目。在第三份活頁簿中，貼上並執行如下程式：

```
Sub DeleteRightClickMenuItem()
    CommandBars("Cell").Controls("Example Option").Delete
End Sub
```

於是第三份活頁簿中的選單自訂項目被移除了，可是當我們回到第二份活頁簿點擊右鍵時，卻發現選單中的項目還在。因此，雖然 Excel 會在新增活頁簿時從當前的作用中活頁簿把選單的狀態也複製過去，可是後續在個別活頁簿之間選單項目的移除動作卻是獨立的。

Note 不用擔心是否需要一個一個活頁簿把範例的選單項目移除掉，這個項目只會是暫時新增的，重開 Excel 軟體後就不存在了。

除此之外，當變更其中一份活頁簿的視窗狀態時，例如縮小視窗，也不會對其他活頁簿視窗造成影響。但假設讀者真的需要同時縮小所有視窗，你也可以走訪應用程式中所有的視窗並如下操作：

```
Sub MinimizeAll()
    Dim myWin As Window
    For Each myWin In Application.Windows
        myWin.WindowState = xlMinimized
    Next myWin
End Sub
```

新的陣列處理函數

隨著 Office 365 推出並新增了 SEQUENCE、SORT、SORTBY、UNIQUE、FILTER、SINGLE 與 RANDARRAY 這些函數，使得我們可以更方便地利用這些函數來進行陣列處理。這些函數都不需要 .FormulaArray，只要直接以 .Formula 或 .FormulaR1C1 就可以使用了。舉例而言，如果你想要對「A1:A10」的儲存格範圍填入 1 到 10 的數字：

```
Range("A1").Formula = "=SEQUENCE(10)"
```

但函數只會存在儲存格 A1 中，至於其他儲存格都只是被填入數值。

快速分析工具

Excel 2013 版本後新增了快速分析工具，當選取一個範圍的資料後，就會在該選取範圍右下角看到快速分析工具的圖示。這項工具提供使用者處理資料上的建議，像是對資料加上格式化條件、或是用資料來建立圖表等。你也可以在使用者選取一個範圍時，自動顯示出該範圍內資料的總計值：

```
Private Sub Worksheet_SelectionChange(ByVal Target As Range)
    Application.QuickAnalysis.Show (xlTotals)
End Sub
```

圖表

自 Excel 2003 版本後，圖表功能經過了幾次翻新，除了畫面上的變更之外，在物件模型上也有所不同。在 Excel 2013 版本中，Microsoft 引進了全新的介面，也新增了一個新的方法「AddChart2」，而這個方法是無法向下相容的，即使是版本最接近的 Excel 2010 也不例外。到了 Excel 2019 版本時，Microsoft 又新增了兩種全新的圖表：漏斗圖與地圖。而 2019 年初時 Office 365 也開始提供 Power BI 自訂視覺化的功能；在本書寫成當下，還沒有 VBA 程式碼可以用於實作這類圖表，但未來很有可能會陸續推出。

由於 Excel 2016 版本中的程式缺陷，只有新版的圖表類型可以享受到 Excel 2016 提供的新圖表引擎方法；如果讀者要建立的是舊式圖表，必須回過頭去使用舊版的程式方法。後來這個問題在 Excel 2019 版本與 Office 365 的訂閱服務中獲得解決，但如果讀者還在使用 Excel 2016，就必須繼續面對這個問題。更多關於此相容性問題的細節，請參考《**Chapter15- 建立圖表**》當中的內容。

自 Excel 2010 版本始，則是新增了一種稱為「走勢圖」的迷你圖表，這種走勢圖與我們一般所熟知的圖表不同，可以內嵌在儲存格中。同樣地，這種走勢圖也無法向下相容。

樞紐分析表

樞紐分析表功能從 Excel 2007 版本開始，到 2010、2013、2016、2019 版本中都有許多更新項目。如果你的程式碼中有用到新功能，就會變成只能在當前版本中、而無法在 Excel 舊版本中運行。

在 Excel 2019 版本中，你可以針對樞紐分析表中個別的儲存格設定格式，而且就算你變更了樞紐分析表的形式，該儲存格的格式設定依舊存在；而且不需要透過什麼特殊的屬性來設定，只要照平常的方法設定就好。

Excel 2019 版本也提供了樞紐分析表樣式的預設設定，在 VBA 程式中透過「Application.DefaultPivotTableLayoutOptions」設定即可。比方說，如果之後新建的樞紐分析表都要啟用舊式的拖放模式功能：

```
Application.DefaultPivotTableLayoutOptions.InGridDropZones = True
```

Note 更多細節請參考《**Chapter12- 以 VBA 建立樞紐分析表**》的內容。

交叉分析篩選器

交叉分析篩選器是 Excel 2010 版本中新增在樞紐分析表上的功能，並且無法向下相容，即使是版本最接近的 Excel 2007 版本也不例外。這項功能由於提供的篩選方式具體可見又易於使用，因此對樞紐分析表的建立幫助很大。如果在舊版 Excel 中開啟含有交叉分析篩選器的活頁簿，篩選器原本所在的位置，會被一串含有說明文字的圖形取代，解釋原本位於此處的是什麼東西、而此功能無法在當前版本中使用。

在 Excel 2013 版本中，表格也可以使用交叉分析篩選器了，雖然功能面上與樞紐分析表的篩選器是一樣的，但這個新的交叉分析篩選器無法向下相容到 Excel 2010。

Note 更多關於樞紐分析表交叉分析篩選器的細節，請參考**《Chapter12- 以 VBA 建立樞紐分析表》**。

圖示

在 Excel 2016 版本到 Excel 2019 版本間時，Microsoft 在「插入」索引標籤下新增了「圖示」此一功能按鈕。雖然表面上是新功能沒錯，但用於插入圖示的程式碼，其實是透過 Pictures.Insert 方法，從 Office.net 上的可下載路徑插入圖示。透過巨集錄製器，就可以取得這些圖示背後相對應的下載路徑。

3D 模型

在 2017 年 6 月的時候，Excel 加入了對 3D 模型的顯示與旋轉翻看等功能。只要是用於 3D 列印機的檔案格式，大多數都可以插入到其中，並旋轉翻看；而在之後又陸續新增了 VBA 程式面的功能支援；透過 Model3D 物件與新增的 .IncrementRotationX、.IncrementRotationY，以及 .IncrementRotationZ 等方法，就能作到這一點。例如沿著 X 軸方向翻轉名為「Bennu」的物件 10 度角：

```
ActiveSheet.Shapes.Range(Array("Bennu")).Model3D.IncrementRotationY 10
```

SmartArt

SmartArt 是一個在 Excel 2017 中新增的功能，取代了舊版 Excel 中的圖樣功能。雖然巨集錄製器對於此功能的使用幫助有限，但至少能有效確認建立圖樣時背後所使用的結構描述檔為何；可是後續的文字編輯，以及樣式變更等操作就無法被錄製下來了。

以下的程式碼範例可以畫出如圖 28.1 所示的圖樣。所使用的結構描述檔名稱是 hChevron3。在此範例中，筆者改變了中間箭號的 SchemeColor 屬性，另外兩個箭號則保持原來預設的色彩：

```
Sub AddDiagram()
    With ActiveSheet
        Call .Shapes.AddSmartArt(Application.SmartArtLayouts( _
            "urn:microsoft.com/office/officeart/2005/8/layout/
hChevron3")) .Select
        .Shapes.Range(Array("Diagram 1")).GroupItems(1).TextEffect.
Text = "Bill"
        .Shapes.Range(Array("Diagram 1")).GroupItems(3).TextEffect.
Text = "Tracy"
        With .Shapes.Range(Array("Diagram 1")).GroupItems(2)
            .Fill.BackColor.SchemeColor = 7
            .Fill.Visible = True
            .TextEffect.Text = "Barb"
        End With
    End With
End Sub
```

圖 28.1 巨集錄製器在建立 SmartArt 上的幫助有限，必須自行查閱物件所提供的屬性，才能找到需要的功能。

新版物件和方法的說明資訊

當在 VB 編輯器中點擊「說明」按鈕時，就會被帶往 Microsoft 的線上說明資源頁面。請從中選擇「Excel VBA 參考」項目下的「物件模型」，就會看到一串關於 Excel 2019 版本中所有物件、屬性、方法，以及事件的說明資訊列表。

相容模式

基於 Excel 2019 與舊版之間的相容性問題，因此，確認當前應用程式的版本就變得更加重要。其中有兩個屬性：Version 和 Excel8CompatibilityMode 可以協助我們解決這個問題。

相容性問題

在相容性模式下建立活頁簿可能會造成很多問題。只要不去使用到 Excel 2007 以上版本中的新式物件模型的話，這類程式大多數都可以在舊版 Excel 中運作無誤。然而，只要有使用到新版所提供的物件模型，程式就無法在舊版本中編譯執行。其中一種解決方式，是把使用到新版功能的程式碼暫時註解掉、通過編譯後，再把這些程式碼註解取消掉。

假設你唯一遇到的相容性議題是常數項的使用，那麼你可以利用晚期繫結機制的概念，把部分程式碼當作外部引用資源那樣處理，選擇性地使用，利用一個變數來存放這些常數項背後實際所代表的數值即可。底下的章節段落中我們會示範此一作法。

Note 更多關於常數項的細節，請參考《**Chapter20-Word 自動化**》中的「使用常數項」小節。

Version

Version 屬性會傳回一個字串顯示目前所使用的 Excel 版本。若使用的是 Excel 2016 到 2019 的版本，那麼該字串會是 16.0。如果你開發的增益集是要能夠跨版本使用的話，這項資訊會很有用，比方說像是儲存當前活頁簿檔案時，就非常需要這種能夠判定版本的資訊：

```
Sub WorkbookSave()
    Dim xlVersion As String, myxlOpenXMLWorkbook As String
    myxlOpenXMLWorkbook = "51" ' 未啟用巨集的一般活頁簿格式
    xlVersion = Application.Version
    Select Case xlVersion
        Case Is = "9.0", "10.0", "11.0"
            ActiveWorkbook.SaveAs Filename:="LegacyVersionExcel.xls"
        Case Is = "12.0", "14.0", "15.0", "16.0" '12.0 is 2007,
14.0 is 2010
            ActiveWorkbook.SaveAs Filename:="Excel2019Version", _
                FileFormat:=myxlOpenXMLWorkbook
    End Select
End Sub
```

Caution 請留意在範例中 Excel 12.0 以上版本所使用的 FileFormat 屬性設定操作，這邊我們使用到一個自訂的 myxlOpenXMLWorkbook 變數，變數中存放了 xlOpenXMLWorkbook 常數項所代表的數值。如果我們在舊版 Excel 環境下直接去使用 xlOpenXMLWorkbook 常數項的話，程式碼是無法通過編譯的。

Excel8CompatibilityMode

Excel8CompatibilityMode 這個屬性會回傳一個布林值，告訴使用者此活頁簿是否處於相容模式下，換句話說，即是否為 Excel 97-2003 版本的檔案格式。假設你開發的增益集中有個功能是套用格式化條件，而你不希望這項功能被用於相容性模式的舊版活頁簿上，那麼就可以利用一個 CompatibilityCheck 函式去檢查相容性模式。如果當前活頁簿處於相容性模式下則回傳 True 值、反之 False 值。而 CheckCompatibility 程序則會提示使用者，這項功能在相容性模式下不適用：

```
Function CompatibilityCheck() As Boolean
    Dim blMode As Boolean
    Dim arrVersions()
    arrVersions = Array("12.0", "14,0", "15.0", "16.0")
    If Application.IsNumber(Application.Match(Application.Version,
arrVersions, 0)) Then
        blMode = ActiveWorkbook.Excel8CompatibilityMode
        If blMode = True Then
            CompatibilityCheck = True
        ElseIf blMode = False Then
            CompatibilityCheck = False
        End If
    End If
End Function

Sub CheckWorkbookCompatibility()
    Dim xlCompatible As Boolean
    xlCompatible = CompatibilityCheck
    If xlCompatible = True Then
        MsgBox "You are attempting to use an Excel 2007 or newer
function " & _
            Chr(10) & "in a 97-2003 Compatibility Mode workbook"
    End If
End Sub
```

接下來的學習目標

希望這一路下來，筆者有盡到我們一開始所承諾的目標，各位讀者現在應該具備自行設計 Excel VBA 應用程式的能力了。我們學到了巨集錄製器的缺陷，但也知道如何利用這項功能來作為學習上的輔助工具。我們學到了如何利用 VBA 來驅動 Excel 的強大工具，替原本每週要花上數小時的日常工作，節省時間。我們也學到了，如何讓你的應用程式與他人互動，以便將應用程式提供給其他同事、甚至其他公司來加以運用。

假如讀者對於本書中任何一個章節段落有所疑問，或者能提出更好的方案，我們歡迎您提出疑問和建議，您的建議將被列入此書下一版本的考量。請寫信到：

Bill 的聯絡方式：Pub@MrExcel.com

Tracy 的聯絡方式：ExcelGGirl@gmail.com

不論讀者閱讀本書的目的，是想要簡化自己的作業、或是想成為專業的 Excel 顧問人員，我們誠摯地希望本書對您有所助益。兩者都是很棒的目標。全球有超過五億個潛在客戶，因此 Excel 顧問是一個非常有遠景的工作。假如您有興趣加入我們的行列，這本書就是您的訓練手冊。只要能把每個主題都摸熟了，您也能夠成為 Excel 顧問團隊的一員。

如果有任何關於 Excel VBA 上的問題，也歡迎在 MrExcel 的留言討論區上開新討論串來提出問題。任何人都歡迎留言，這裡每年都有超過 10,000 則以上與 Excel VBA 相關的問答帖，是一個充滿熱情與動力的社群。如果您想要加入，可以在 https://www.mrexcel.com/forum/index.php 的右上角，點擊「Register」按鈕註冊帳號登入。

讀者回函

讀者回函

GIVE US A PIECE OF YOUR MIND

感謝您購買本公司出版的書，您的意見對我們非常重要！由於您寶貴的建議，我們才得以不斷地推陳出新，繼續出版更實用、精緻的圖書。因此，請填妥下列資料(也可直接貼上名片)，寄回本公司(免貼郵票)，您將不定期收到最新的圖書資料！

購買書號： **書名：**

姓　　名：＿＿＿＿＿＿＿＿＿＿＿＿＿＿＿＿＿＿＿＿

職　　業：□上班族　□教師　□學生　□工程師　□其它

學　　歷：□研究所　□大學　□專科　□高中職　□其它

年　　齡：□ 10~20　□ 20~30　□ 30~40　□ 40~50　□ 50~

單　　位：＿＿＿＿＿＿＿＿＿＿部門科系：＿＿＿＿＿＿＿＿

職　　稱：＿＿＿＿＿＿＿＿＿＿聯絡電話：＿＿＿＿＿＿＿＿

電子郵件：＿＿＿＿＿＿＿＿＿＿＿＿＿＿＿＿＿＿＿＿

通訊住址：□□□ ＿＿＿＿＿＿＿＿＿＿＿＿＿＿＿＿＿＿

＿＿＿＿＿＿＿＿＿＿＿＿＿＿＿＿＿＿＿＿＿＿＿＿＿＿

您從何處購買此書：

□書局＿＿＿＿　□電腦店＿＿＿＿　□展覽＿＿＿＿　□其他＿＿＿＿

您覺得本書的品質：

內容方面：　□很好　□好　□尚可　□差

排版方面：　□很好　□好　□尚可　□差

印刷方面：　□很好　□好　□尚可　□差

紙張方面：　□很好　□好　□尚可　□差

您最喜歡本書的地方：＿＿＿＿＿＿＿＿＿＿＿＿＿＿＿＿

您最不喜歡本書的地方：＿＿＿＿＿＿＿＿＿＿＿＿＿＿＿

假如請您對本書評分，您會給(0~100分)：＿＿＿＿＿ 分

您最希望我們出版那些電腦書籍：

請將您對本書的意見告訴我們：

您有寫作的點子嗎？□無　□有　專長領域：＿＿＿＿＿＿＿＿

歡迎您加入博碩文化的行列哦！

✂請沿虛線剪下寄回本公司

Give Us a Piece Of Your Mind

博碩文化網站　http://www.drmaster.com.tw

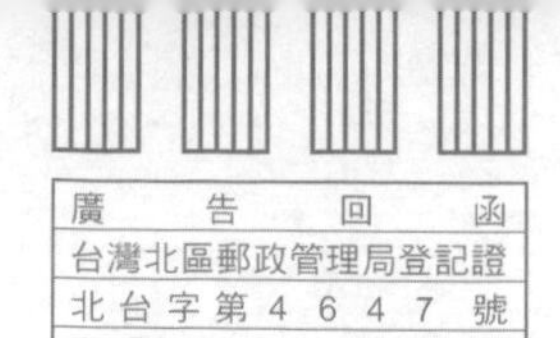

221

博碩文化股份有限公司 產品部

新北市汐止區新台五路一段112號10樓A棟